IMOGEN PARKER

Après des études à Oxford, Imogen Parker a vécu à
Rome, à New York et à Madrid. Elle a débuté
comme agent littéraire, avant de travailler pour la
télévision. Elle se consacre à présent à l'écriture.
Après *L'impossible oubli* et *Des amies inséparables*,
Une journée pas comme les autres a paru en 2003
aux éditions Belfond.
Imogen Parker vit aujourd'hui à Londres avec son
mari et son fils.

UNE JOURNÉE PAS
COMME LES AUTRES

IMOGEN PARKER

UNE JOURNÉE PAS COMME LES AUTRES

Traduit de l'anglais
par Marina Boraso

BELFOND

Titre original
Perfect Day
publié par Black Swan Books,
a division of Transworld Publishers Ltd, Londres.

Tous les personnages de ce roman sont fictifs et toute
ressemblance avec des personnes réelles, vivantes ou
mortes, serait pure coïncidence.

© Imogen Parker 2002
© Belfond, 2003 pour la traduction française
ISBN : 978-2-266-16572-3

À Connor

1

Finalement, on peut dire qu'il s'agit d'une histoire d'amour.

« American Hot. » Voilà les premiers mots d'Alexander à Kate. Quant à ce qu'il remarque tout de suite chez elle, ce sont ses ongles. Elle se tient derrière lui pour noter sa commande, et lorsqu'il se retourne, son regard tombe sur ses mains aux ongles courts, arrondis, de couleur vive, peints chacun d'une nuance différente. Les ongles d'une gamine qui essaie en cachette tous les petits pots fantaisie rangés sur la coiffeuse de sa mère.

— Vous prendrez une entrée ? demande-t-elle.

Six ou sept petites pinces en forme de papillon retiennent ses cheveux bruns. La lumière bleutée du néon de la vitrine fait paraître son teint plus pâle, et la sueur brille légèrement sur son front. Comme il ne se décide pas à répondre, elle se passe la main sur le visage et dérange deux des papillons qui dégringolent par terre.

— Et merde ! fait-elle en se penchant pour les ramasser.

Quand sa chevelure l'effleure au passage, il perçoit

le parfum tout frais de son shampooing à la noix de coco.

— Une salade verte, suggère-t-il alors, pour la dédommager de son embarras.

Plus tard, il se demandera s'il se serait rappelé cette brève rencontre si le hasard n'avait pas remis cette jeune fille sur son chemin. Aurait-il gardé en mémoire ses ongles et l'odeur d'ambre solaire qui imprégnait ses cheveux ? Ou se serait-il empressé de les oublier, en même temps que les commandes de ses collègues et la quantité de vin de table ingurgitée pour calmer l'agitation qui le harcelait depuis le début de la matinée ?

On a beau être seulement jeudi midi, il règne dans l'école une ambiance de fin des classes. Les examens viennent de s'achever, et une bande d'étudiants fête l'événement à la terrasse du pub, de l'autre côté de la rue. Les enseignants, eux, se sont installés à une grande table ronde, dans leur pizzeria habituelle. Ils ont organisé cette petite réunion en l'honneur de Mel et Joe, un jeune couple qui doit s'envoler le soir même pour une île perdue en Indonésie, où ils ont trouvé du travail.

Alexander observe leurs visages qu'illuminent l'amour, le chianti bon marché et la perspective du voyage. Il glisse une main dans sa poche et touche le passeport tout neuf que le facteur lui a remis le matin même. Après avoir déchiré l'enveloppe dans le train à destination de Londres, il s'est senti envahi par un sentiment de détresse en contemplant les pages immaculées. Comme si elle devinait son désarroi, l'élégante quinquagénaire qui occupe toujours le siège en face du sien s'est penchée vers lui avec des airs de conspiratrice.

— À mon avis, l'ancien modèle bleu était plus joli. Voyager avec un passeport britannique, c'était quand même autre chose, non ?

Il s'est contenté d'un vague sourire, peu enclin à lui expliquer que ce n'était pas le cuir indigo de l'Empire qu'il regrettait, mais l'accumulation bigarrée des visas et des tampons de la douane. Son précédent passeport faisait figure de journal intime, chaque tampon évoquant en lui les odeurs des aéroports étrangers et l'euphorie des nouveaux départs.

Il n'a même pas remarqué que sa pizza était servie. Il jette un regard autour de lui, mais la personne qui l'a apportée a disparu derrière la desserte où sont posés les saladiers de champignons, de poivrons verts et d'oignons émincés. Autour de la grande table ronde, les autres convives ont déjà attaqué leur repas. Alexander découpe sa pizza en huit portions égales et en approche une de sa bouche avec précaution pour happer les morceaux de mozzarella fondante. Il ne s'attendait pas à ce que la tomate soit si chaude sous la couche de fromage : déjà, une ampoule se forme sur son palais brûlé. Il boit une gorgée de vin, dont le goût un peu âcre de mûre se mêle à celui de sa chair entamée. La pizza croustillante se réduit maintenant à une bouillie humide et pimentée.

Vivienne, l'assistante du conseiller d'éducation, recule sa chaise et porte un toast à Mel et Joe.

— ... nous sommes tous un peu jaloux, mais nous vous souhaitons bon voyage. Amusez-vous bien !

— *Bon voyage** !

Deux ou trois personnes se mettent à applaudir, tan-

---

* En français dans le texte.

dis que Malcolm réclame un discours de sa voix théâtrale. Vient ensuite un de ces blancs un peu gênants...

Les professeurs qui n'ont pas bu déposent un billet de dix livres sur la table avant de regagner l'école pour trier leurs papiers et rédiger leurs rapports. Les assoiffés commandent encore du vin et des cafés. Inquiet de l'écorchure à son palais, Alexander recueille du bout de sa cuillère la mousse apaisante de son cappuccino.

— Tu viens ? lui demande Mel.

— Pourquoi pas ? répond-il, comme si la décision de partir devait venir de lui.

Une fois sur le trottoir, il est surpris que la lumière de l'après-midi soit aussi vive. Sans avoir la moindre idée de l'heure, il suit ses collègues dans une enfilade de rues qu'il ne reconnaît pas. Même s'il travaille à Londres depuis plusieurs années, les seules rues qui lui sont familières sont celles menant du métro à l'école et de l'école au snack.

Le pub comprend une salle en sous-sol avec jukebox. Ils choisissent une table dans une alcôve basse de plafond, en briques apparentes, dont les banquettes en bois trop dures rappellent les bancs d'église. Malcolm pousse une bière devant Alexander, qui appuie sa tête contre le mur.

— À l'évasion ! fait Vivienne en levant sa chope.

Alexander rêve qu'il se promène sur une anse de sable ; la plage est bordée de palmiers, une brise venue de la mer rafraîchit un côté de son visage. Quelqu'un marche près de lui, mais pour une raison obscure, il ne peut pas se tourner pour voir qui. « Ça ressemble tellement à l'idée qu'on se fait d'une île paradisiaque qu'on ne peut pas croire que c'est la réalité. Tu ne trouves pas ? » demande sa mystérieuse compagne.

L'écho de son rire s'évanouit à l'instant où il s'éveille.

Mel et Joe dansent un slow près du juke-box, qui passe *In Dreams* de Roy Orbison. Par-dessus l'épaule de Joe, Mel dévisage Alexander qui lui fait un sourire, se demandant si quelqu'un a remarqué son petit somme. Elle lui lance un de ces regards pleins de sous-entendus qu'elle lui adresse quelquefois depuis qu'ils ont échangé un baiser un peu trop passionné dans le couloir des toilettes de la pizzeria, le jour du repas de Noël.

Le lendemain, ils avaient déjeuné ensemble dans un bistro italien, où on leur avait servi de la dinde noyée dans un jus sans couleur, au milieu d'un plat blanc.

— Ce qui s'est passé, lui avait-elle dit sans le regarder en face, n'engage absolument à rien, tu es bien d'accord ?

Elle avait alors voulu piquer un chou de Bruxelles d'un geste désinvolte, comme si sa réponse lui était totalement égale, mais le légume avait été éjecté sur la table en Formica.

— Tout à fait, avait répondu Alexander, s'efforçant de dégager un minimum de charme malgré l'alcool qui embrumait encore son cerveau. Tu es très attirante, bien sûr, mais...

— Je sais, avait coupé Mel, interrompant une phrase qu'il n'aurait pas su finir. (Quand elle s'était forcée à sourire, les larmes lui étaient montées aux yeux.) Comme ça, au moins, je ne passerai pas ma journée de Noël à attendre ton coup de fil.

Elle s'était casée avec Joe juste après les vacances de Noël, mais Alexander surprenait encore de temps en temps son regard posé sur lui. Que cherchait-elle à lui dire ? « C'est toi que je veux », ou bien « Regarde un peu ce que tu rates » ?

Vivienne vient juste de s'apercevoir qu'il est réveillé.

— Bienvenue parmi les vivants. Tu dois être épuisé.

— C'est d'avoir bu du vin à midi, explique Alexander en bâillant, tiré à contrecœur de ses rêveries.

Vivienne adore qu'on lui fasse des confidences. Ensuite, elle ne cesse de les ressasser, donnant aux problèmes des autres et à son propre rôle une importance inédite. Elle ne pense pas à mal, il le sait bien, mais ce genre de sollicitude le déprime profondément.

— C'est ma tournée, propose-t-il en voyant les verres vides.

— Nous étions sur le point de partir, réplique Vivienne en prenant le bras de Malcolm. Ce soir, Malcolm doit virer Werner, et moi je suis là pour le soutenir moralement, lui glisse-t-elle en aparté.

Du coup, Alexander se retrouve seul avec Mel et Joe. Il n'a guère envie de rester, pas plus que de rentrer chez lui. Il regarde son poignet nu : il pose toujours sa montre sur son bureau pendant les cours, et aujourd'hui il n'a pas pensé à la récupérer.

Dans les toilettes des hommes, Alexander scrute son image dans le miroir, au-dessus du lavabo fendillé : joue marquée par les briques du mur, yeux légèrement injectés de sang et cheveux moites de sueur. Il a un goût de bière dans sa bouche douloureuse. Il ferait bien d'y aller.

Quand il ressort, la salle est bondée. Accoudé au bar, il commande un verre d'eau gazeuse avec du citron vert. Le serveur, qui rêve de travailler dans un bar à cocktails, en rajoute dans tous ses mouvements. Il lance une pinte pour la rattraper de l'autre main, verse les alcools avec un bec chromé depuis une hauteur vertigineuse. Alexander ne lui accorde pas un regard, de la même manière qu'il ignorerait un gamin frimeur. Et puis d'un seul coup, il n'en peut plus de toute cette fumée, de tout ce tapage. Dans l'escalier, il se fraie un passage à travers la foule des employés qui afflue en sens inverse. Une fois dehors, il respire profondément. Il fait toujours clair, le soleil n'est pas couché. Il se rend compte alors qu'il n'a même pas salué Mel et Joe, mais il ne supporterait pas de redescendre à l'intérieur.

Il s'éloigne du bar d'un bon pas, sans se retourner, comme s'il venait de commettre une infraction. La rue est calme jusqu'au croisement d'Oxford Street ; là, le tumulte de la ville le frappe de nouveau de plein fouet, puis Soho Square lui offre enfin une relative tranquillité. Ses épaules se décontractent, ses yeux cherchent une fois de plus la montre absente. Il a vraiment envie de boire quelque chose.

C'est la rumeur du match de foot à la télévision qui l'attire vers le bar. Le vieux bonhomme derrière le zinc lui tend un grand verre d'eau et va préparer l'espresso qu'il a commandé. Expulsant d'une tape le marc du café précédent, il en verse du nouveau dans la machine, d'où s'échappent aussitôt des volutes de fumée. Quelle énorme dépense d'énergie pour recueillir une modeste dose de café noir !

Au moment où on lui apporte la petite tasse blanche, Alexander lève les yeux vers la jeune fille qui, arrivée juste après lui, a pris place un peu plus loin, sur un autre tabouret du bar.

— Salut, Marco ! lance-t-elle au barman.

Elle adresse un petit sourire en biais à Alexander, comme pour signifier qu'elle a remarqué sa présence. Ils ne sont que tous les trois dans le bar.

Elle ne lui est pas tout à fait inconnue, cette jeune femme. Des cheveux bruns, courts sur la nuque, et une longue frange qui retombe sur ses yeux bleu sombre. Elle porte un tee-shirt rose délavé, un pantalon noir un peu trop court et de grosses bottes noires. Alexander incline la tête, l'air interrogateur. La fille hausse les épaules et finit par lui demander, avec un accent du Nord très prononcé :

— Vous ne seriez pas acteur de cinéma, par hasard ?

— Non, répond-il, un peu méfiant.

— L'autre jour, figurez-vous que j'ai dit bonjour à Tom Cruise. Il sortait d'un club de Greek Street, et sa tête m'a dit quelque chose, comme quand on croise un copain, vous voyez ? Ça doit lui arriver souvent. Il m'a fait un sourire – vous savez, avec ses petites rides au coin des yeux et ses dents étincelantes – et là, j'ai compris et je me suis excusée. Il s'est engouffré dans une voiture qui l'attendait là, et moi j'ai passé tout l'après-midi à dire aux gens : « Tout à l'heure, quand j'ai rencontré Tom Cruise... » Vous imaginez ?

Il lui sourit, pensant qu'elle cherche juste à lui dire que son visage lui semble familier. Elle répète la blague une fois de plus :

— Tout à l'heure, quand je discutais avec Tom Cruise...

— Il vous plaît bien, Tom Cruise, non ?

C'est la seule réplique qu'Alexander ait trouvée.

— C'est vrai qu'il est plutôt à mon goût, admet-elle

après mûre réflexion, mais son délire avec la sciento-logie, je supporterais pas. Ceci dit, ça m'étonnerait que je le revoie un jour, s'empresse-t-elle d'ajouter, de peur qu'il ne prenne sa toquade trop au sérieux.

Sur l'écran de télévision, un joueur vient de marquer un but. Le match a lieu en Italie, et le commentateur en fait des tonnes.

La jeune femme éclate de rire et plaque une main sur sa bouche, comme pour se reprocher son manque de discrétion. C'est alors qu'Alexander remarque ses ongles, vernis chacun d'une couleur différente.

— Vous êtes la serveuse.

— Pardon ? Ah, oui ! (Elle vient à son tour de le reconnaître.) Elle était bonne, votre pizza ? Une Quatre-Saisons, non ?

— Non, une American Hot, rectifie-t-il, sans comprendre l'intérêt de ce détail. Qui est-ce qui joue ? demande-t-il au barman.

— La Lazio contre l'AS Roma.

— Beau derby !

— Vous connaissez Rome ? s'enquiert le serveur, dont le regard s'éclaire brusquement.

— J'ai vécu quelque temps en Italie.

— Et vous aimez le pays ?

— Je l'adore. Les pizzas y sont délicieuses, ajoute-t-il à l'intention de la jeune femme.

Troublé de la voir rougir, il constate, non sans inquiétude, qu'il est en train de flirter.

— Alors comme ça, vous êtes allé en Italie ?

— Ça remonte à un certain temps.

— C'est comment, là-bas ?

Il balaie du regard le zinc étincelant, les bannières à l'effigie des clubs de foot accrochées aux murs, la rue ensoleillée où d'autres clients sont attablés en terrasse.

— Un peu comme ici.

— Moi, je ne suis allée qu'une fois à l'étranger, à Lourdes. Un voyage en bus avec ma grand-mère. Je viens du Lancashire.

— Ça alors ! Je n'aurais jamais deviné.

Après un bref moment de surprise, elle comprend qu'il la taquine.

— J'ai passé une bonne partie de ma vie à l'étranger, reprend-il aussitôt. Pour travailler.

— Et vous travaillez dans quoi ?

— Je suis prof d'anglais langue étrangère.

— Dans ce cas, qu'est-ce que vous faites à Londres ?

— Bonne question.

Quand il avait passé son diplôme, le professorat était pour lui un moyen, rien de plus. Il ne rêvait que de voyages autour du monde, et ce travail devait simplement lui permettre de financer son périple. Rien à voir avec une vocation : juste un métier qui en valait bien un autre. Mais à présent qu'il était rentré en Angleterre, il n'avait aucune bonne raison de continuer, et c'était pourtant ce qu'il était en train de faire. En dépit du salaire assez maigre, le travail en lui-même ne lui déplaisait pas foncièrement. Même s'il ne se voyait pas enseigner toute sa vie, il ne remuait pas ciel et terre pour changer de situation. Il lui arrivait parfois de se dire qu'il faisait ça en attendant qu'une opportunité se présente.

Quand le barman sert un cappuccino à la jeune femme, la poudre de cacao dessine un cœur à la surface. Il fait un clin d'œil à l'intention d'Alexander.

— *E bella*, Katy ! Non ?

La jeune femme adresse un sourire exaspéré à Alexander, mais elle ne veut pas froisser le vieux serveur.

— Katy ? s'entend-il demander.

— Kate, corrige-t-elle.

— Moi, c'est Alexander.

Il lui tend la main.

— Enchantée, Alexander, dit-elle en se moquant de son interminable prénom.

— Enchanté. Vous venez souvent ici ?

Il adopte un ton exagérément guindé pour bien indiquer qu'il a conscience du cliché.

— Tous les matins. Je ne tiendrais jamais toute la journée sans les cappuccinos de Marco, pas vrai ?

Le barman esquisse un sourire ; occupé à essuyer un pichet en métal, il feint de ne rien entendre de la conversation.

Ils sont assis côte à côte, séparés par deux tabourets. Connaître le prénom de l'autre a créé entre eux une intimité dont ils ne savent encore que faire. Ils se contentent de regarder droit devant eux, elle les petits sachets de sucre colorés dans leur coupelle près de la machine à café, lui la télévision.

— Qu'est-ce qui vous amène à Londres ? s'informe Alexander sans quitter l'écran des yeux, comme si la question découlait logiquement de l'évolution du match.

— Je veux découvrir le monde, explique-t-elle avec le plus grand sérieux.

— D'où êtes-vous exactement, dans le Lancashire ? demande-t-il comme s'il connaissait la région sur le bout des doigts.

Il fait pivoter son tabouret pour lui faire face.

— Bolton.

— Les Wanderers de Bolton ! intervient le barman.

Elle arque légèrement ses sourcils noirs bien dessinés ; Alexander grimace. Désormais la conversation leur appartient, mais elle est encore fragile. Il ne faut surtout pas que le bonhomme y mette son grain de sel.

— Quel pays avez-vous l'intention de visiter ?

— Bali, répond-elle, comme si c'était pour elle le comble de l'exotisme. Ou alors la Thaïlande. Mais ces temps-ci, tout le monde y va, en Thaïlande.

— À Bali aussi.

— Alors vous choisiriez quoi, à ma place ?

— Ce que je choisirais ?

— Oui, parmi tous les pays du monde ?

L'émerveillement enfantin qui fait vibrer sa voix le touche énormément.

— Il reste encore quelques coins des Philippines.

— Ça vous ennuierait de m'écrire leurs noms ?

— Bien sûr que non.

Toutefois, ni l'un ni l'autre ne fait un geste pour sortir un papier et un crayon.

— Quelle heure est-il ? demande-t-il.

— Six heures et demie.

— J'ai oublié ma montre sur mon bureau.

— N'importe qui peut enseigner l'anglais à l'étranger ? questionne-t-elle de but en blanc.

— Il faut un diplôme pour être engagé par un établissement. Il n'est pas long à obtenir.

— On a besoin du bac pour le passer ?

— Je n'en sais rien, répond-il sans s'étendre, craignant de la froisser.

L'idée qu'elle puisse ne pas avoir le bac ne lui a même pas traversé l'esprit. D'ailleurs, la jeune femme n'est pas dupe de ses efforts de politesse.

— J'étais bonne en anglais à l'école, précise-t-elle, sur la défensive. J'ai même eu un A au brevet. En littérature aussi ça marchait bien.

— Bravo ! s'exclame-t-il, aussitôt irrité par ses réflexes de professeur.

Il sait que s'il ne se reprend pas tout de suite, elle va descendre de son tabouret et quitter le bar. Or, il ne veut surtout pas que ça se passe ainsi. Il ne prend pas le temps de se demander pourquoi.

— Vous êtes libre maintenant ? On pourrait peut-être continuer de bavarder, voire dîner ensemble...

Plus il allonge cette phrase absurde, plus elle apparaît comme une tentative de drague maladroite. Est-ce leur rêve commun de palmiers et de plage, ou bien l'excès de vin du midi qui lui donne l'impression de ne pas être complètement responsable de ce qu'il fait ?

— De la nourriture, j'en vois assez toute la journée, rétorque-t-elle. Vous avez remarqué à quel point les gens sont répugnants quand ils mangent ? Je ne parlais pas de vous, corrige-t-elle aussitôt tandis qu'il porte instinctivement une main à ses lèvres. Ils ne découpent même pas leur salade, et ils essaient d'enfourner les feuilles de laitue entières tout en continuant à parler.

Il la regarde mimer la scène, se demandant où tout cela va les mener.

— C'est un bon test pour savoir à quel point on est amoureux, déclare-t-elle d'un ton péremptoire. Pouvoir rester à la table de quelqu'un qui mange comme un porc. Excusez-moi, je suis trop bavarde...

Doit-il en déduire qu'elle cherche un moyen de décliner son offre ?

— Je connais un autre test, dit-il pour ne pas laisser retomber la conversation. Supporter d'être avec quelqu'un qui parle une langue étrangère.

— Ah bon ? fait-elle en le dévisageant comme s'il disait n'importe quoi. Je vais faire un tour. Ça vous dit de venir avec moi ?

— J'arrive.

Il porte la tasse à ses lèvres avant de partir, même si elle est déjà vide.

Elle le précède de quelques pas, slalomant à toute allure entre les tables sans un regard autour d'elle. Il observe sa silhouette menue mais pleine d'énergie se faufiler entre les passants.

— Où allez-vous ? s'écrie-t-il.

Lui qui a passé son enfance à Londres, il ne se souvient pas d'y avoir fait une seule promenade. Il habitait Kentish Town avec sa mère, et ils ne sortaient que dans un but culturel – voir une exposition ou assister à une représentation. Plus tard, à l'adolescence, il traînait avec ses copains dans les pubs de Camden, ou faisait du skate dans des jardins d'enfants miteux, avec des pneus en guise de balançoires et des pataugeoires turquoise où la pluie laissait des flaques brunes. Le centre-ville était exclusivement réservé aux touristes.

Kate se retourne au niveau de Charing Cross Road, et, dès qu'elle l'a repéré derrière elle, son visage boudeur s'éclaire, pareil à celui d'un enfant qui vient d'obtenir la sucette convoitée à la caisse de Marks & Spencer.

— On va passer par la Piazza. Il y a peut-être un orchestre.

Ça lui plaît bien de se laisser guider.

Ils traversent un nuage de parfum au caramel, à côté de l'étalage du marchand de pralines, passent devant un homme qui, à demi nu et peint en gris, prend la pose du *Penseur* de Rodin, longent l'arrière de l'Opéra récemment rénové.

Du temps où il y venait régulièrement avec sa mère, il était toujours le benjamin des spectateurs, et pour lui

22

l'opéra restait associé à l'idée d'immobilité et à ses désagréments. Incapable de comprendre ce qui fascinait tant les adultes dans le spectacle obscur qui se déroulait sur la scène, il inventait des jeux pour tromper l'ennui. Dans l'amphithéâtre surchauffé et étouffant, sa mère l'éventait de temps en temps avec un programme à la couverture rouge ou lui traduisait à mi-voix les paroles d'une aria. À l'entracte, pendant qu'ils faisaient la queue pour acheter des glaces servies dans des coupes en carton, elle lui exposait les grandes lignes de l'intrigue. Il revoit encore son regard attristé le jour où il lui a demandé : « Ça va durer encore longtemps ? »

Au premier niveau de la Covent Garden Piazza, un quatuor à cordes est en train de jouer. Penchée par-dessus la balustrade, Kate applaudit à tout rompre dès qu'il achève son morceau.

— Je vais leur demander le titre, dit-elle comme s'il s'agissait d'une chanson de pop music.

— Ça s'appelle *Air sur corde de sol*, indique Alexander.

— C'est ça !

Pensant qu'il se paie sa tête, elle dévale les marches afin d'interroger le violoncelliste noir, qui s'arrête de ranger ses partitions pour lui sourire. Les gens lui sourient très fréquemment. Alexander a bien remarqué qu'elle attire les regards des passants lorsqu'elle marche dans la rue.

Kate remonte l'escalier à toute allure et lui avoue, stupéfaite :

— Vous aviez raison.

— C'est le nom d'une des cordes du violoncelle.

23

— Si vous croyez que je ne le sais pas, s'impatiente-t-elle, et elle s'éloigne sur les pavés.

— Où va-t-on, maintenant ?

— Au bord du fleuve, annonce-t-elle en se retournant, toute souriante.

Sa susceptibilité le charme autant que sa promptitude à pardonner. Jetant un nouveau coup d'œil à l'emplacement de sa montre, il se demande ce qu'il fait là, à arpenter les rues de Londres avec une parfaite inconnue.

Lorsqu'ils arrivent à la Tamise, c'est marée haute. Dans la lumière vespérale, l'étendue de ses eaux gonflées est impressionnante. Il contemple en amont les lueurs adoucies du couchant. La grande roue tourne lentement, pareille à l'aube géante d'un bateau à vapeur surréaliste.

— Parmi les grandes vues, c'est ma préférée, lui confie Kate.

Ils s'appuient à la balustrade pour profiter ensemble du spectacle.

— Et parmi les « petites vues », vous en avez une favorite ?

— Des fleurs roses de cerisier sur fond de ciel bleu, répond-elle spontanément, sans comprendre qu'il voulait juste la mettre en boîte. Il faut plisser les paupières et essayer d'oublier ce que vous regardez, lui conseille-t-elle, et alors le bleu est tellement bleu et le rose tellement rose que vous n'en revenez pas. Si vous étiez peintre, vous n'oseriez jamais mettre ces teintes côte à côte, parce que vous ne pourriez imaginer que des couleurs aussi vives existent dans la nature.

— On s'attend à plus de subtilité.

Fidèle à ses habitudes de professeur, il cherche à introduire dans la conversation un vocabulaire plus complexe. Espérant qu'elle n'a rien remarqué, il se hâte de reprendre :

— Je n'avais jamais pensé à faire la distinction entre les grandes vues et les petites.

— Ça me permet juste d'en avoir deux préférées, explique-t-elle en se remettant en route. Je suis comme ça, moi. J'en demande toujours plus que ce qu'on veut me donner. Ma mère répète souvent que si je savais me contenter de ce que j'ai, je serais bien plus heureuse.

— Ma mère disait précisément le contraire. Elle voulait toujours que j'en demande davantage.

Elle se retourne, le regarde longuement.

— C'est ce qui fait la différence entre nous. Moi je viens d'un milieu ouvrier, et vous de la classe moyenne.

Elle se remet aussitôt à marcher.

Son premier mouvement est de protester, ce qui ne ferait d'ailleurs que prouver la véracité du propos, mais il s'étonne surtout qu'elle ait choisi de souligner cet élément, comme si c'était l'unique différence entre eux deux. Lui, il ne leur voit aucun point commun évident, hormis le fait de marcher ensemble sur un pont bondé de véhicules dont le bruit les oblige à s'égosiller pour se faire entendre.

— Où va-t-on ? lui demande-t-il en allongeant le pas afin de la rattraper.

Ici, les trottoirs sont assez larges pour ne pas risquer de se cogner en marchant côte à côte.

— Je ne me suis jamais promenée de ce côté, explique-t-elle en désignant Bankside.

— Moi non plus.

25

— Jamais ?

— Non, jamais.

— Avant de partir, je voudrais fouler le moindre centimètre carré des bords de la Tamise.

— Le départ est prévu pour quand ?

— J'attends d'avoir assez d'argent de côté. Vous croyez qu'il me faut combien ?

— Mille livres, hasarde-t-il, sans trop savoir si elle sollicite vraiment son opinion ou si elle cherche simplement à le tester.

— Dans ce cas, ça prendra au moins un an.

C'est la première fois qu'il perçoit de la tristesse sur son visage – presque de la panique.

— Peut-être moins, je ne sais pas au juste, corrige-t-il maladroitement.

— Si je vis avec cinq livres par jour, je peux économiser vingt livres par semaine.

— Cinq livres ?

— Je prends un repas au travail.

— Cinq livres, ça ne fait vraiment pas lourd.

— On arrive toujours à se débrouiller. Venez, on va descendre ces marches, dit-elle lorsqu'ils atteignent l'extrémité du pont.

Elle fait une pause au bas de l'escalier.

— Et maintenant, écoutez !

— Quoi donc ?

— Rien, justement ! On n'entend plus le bruit de la circulation, c'est l'eau qui l'amortit.

Aurait-il dû remarquer tout seul le calme relatif de cet endroit ?

— Vous y êtes déjà allé ? s'enquiert-elle en pointant son doigt vers la façade en béton gris du National Theatre.

— Oui.

— Moi aussi ! s'exclame-t-elle, ravie de leur découvrir encore un point commun. Il y avait un pianiste qui jouait du jazz, et on a une belle vue depuis le balcon. Ça ne dérange personne si on ne regarde pas la pièce. Quand j'étais petite, je voulais devenir actrice...

La légère mélancolie qui perce dans sa voix l'incite à lui répondre :

— Mais vous êtes encore jeune.

— Quel âge vous me donnez ? Si vous vous trompez, vous pouvez m'offrir un verre.

Elle s'immobilise un instant avec une expression qui doit être son idée de la distinction.

— Vingt et un ans ?

Avec cette proposition, il ne prend aucun risque. Si elle a dix-huit ans, elle a forcément envie de paraître plus âgée. Et si elle en a trente, elle sera sans doute ravie de faire plus jeune. La regardant attentivement pour la première fois, il n'arrive pas du tout à deviner son âge. Elle a une silhouette et des vêtements d'adolescente fugueuse, mais une certaine expérience se lit dans son regard. Il remarque le bleu très sombre de ses yeux, puis détourne la tête comme si on l'avait pris en flagrant délit.

— Mauvaise réponse !

Elle le pousse à retenter sa chance.

— Je donne ma langue au chat.

— J'ai vingt-quatre ans, mais les gens me donnent toujours moins. Maintenant, vous...

Il imite sa moue boudeuse.

— Trente-cinq ans ?

— Exact.

— C'est pas vrai ? s'écrie-t-elle d'un air triomphal.

— En réalité, j'en ai trente-six, mais ça ne date que de la semaine dernière.

— J'aurais dit trente, même si vous commencez à grisonner sur les tempes.

Si elle s'imagine que ça va lui remonter le moral...

— Merci de le souligner.

— En tout cas, joyeux anniversaire pour la semaine dernière. Votre signe, c'est donc le Bélier, c'est ça ?

— Je crois. Et le vôtre ? lui demande-t-il par simple courtoisie.

— Verseau. Ce qui est certain avec les Verseaux, c'est qu'ils ne deviennent jamais astrologues.

— Pourquoi ?

— Parce qu'ils ont toujours un horoscope nul. Et quand vous êtes astrologue, ça ne vous viendrait pas à l'esprit de faire des prédictions dégueulasses sur votre propre avenir, si ?

La voilà repartie à lui montrer un tas de choses en chemin, le regard tourné vers l'autre rive.

— Regardez tous ces clochers qui dépassent les autres bâtiments. Et ce canard ! Les eaux sont tellement hautes qu'il a peur d'y entrer. Allez, monsieur le Canard, on y va ! Mais tu vas flotter, espèce de stupide volatile !

Alexander regarde l'animal qui tremble sur la berge.

— Venez voir ! lui crie Kate en se précipitant vers une rangée de petites boutiques appelée Gabriel's Wharf.

Le mur a été peint dans des tons pastel qui évoquent une place de marché.

— C'est magnifique, non ?

Même s'il n'y voit qu'un attrape-touriste du dernier kitsch, il se garde bien de le lui dire. Il la regarde contempler avec envie les vitrines garnies de perles, de bagues et de miroirs aux cadres de mosaïque brillante.

— Un vrai trésor.

Pour la première fois depuis qu'il lui a emboîté le pas dans l'animation de Soho, le monde fermé de ses souvenirs commence à s'entrouvrir.

Lorsqu'il était enfant, il avait un ami imaginaire qui lui apparaissait en rêve et l'entraînait dans ses aventures. Il se rappelle avec quelle excitation il le suivait dans le trou de la haie, au fond de leur minuscule bout de jardin, traversait à sa suite le sentier envahi d'herbes folles – derrière la maison, là où on rangeait les poubelles –, le vieux parking et le labyrinthe de rues bordées de maisons mitoyennes, vers les herbes hautes et bruissantes de Parliament Hill Fields. C'était leur chasse au trésor.

À mesure que ses souvenirs se précisent, il éprouve l'impression troublante que ce qui se passe en ce moment était écrit depuis toujours.

— Qu'est-ce qu'il y a ? demande Kate.

— Pardon ? fait-il d'un air hagard.

— On croirait que vous avez vu un fantôme.

Au bord de la rivière, là où le trottoir devient plus étroit au bout de Jubilee Walk, un couple s'embrasse sur un banc dans la lumière mourante, avides l'un de l'autre, totalement oublieux de ce qui les entoure.

Le long des quais, l'allée dessine des méandres entre les jetées et les entrepôts reconvertis. Sous les arches de Blackfriars Bridge, un saxophoniste joue *Moonriver*, dont les accents nostalgiques chantent la fin de la journée, la proche conclusion de l'aventure. Alexander ne va pas tarder à s'éveiller, et le compagnon de ses rêves se sera envolé.

En se retournant devant la Tate Modern pour vérifier qu'il est toujours là, Kate dérape sur les graviers glissants et atterrit sur son genou gauche.

— Je suis désolé, dit Alexander en s'accroupissant à côté d'elle.

Il se sent coupable qu'elle se soit tournée vers lui au lieu de regarder où elle mettait les pieds.

— Vous n'y êtes pour rien.

Kate frotte les traces de poussière sur sa main écorchée avant de remuer sa jambe avec précaution. Par l'accroc du pantalon, on distingue les graviers incrustés dans la plaie sanguinolente de son genou.

— Aïe !

— Vous arrivez à marcher ?

— Oui, évidemment !

Il lui prend la main pour l'aider à se remettre debout.

— Je vous conseille de nettoyer tout ça, fait-il avec un regard circulaire, comme si un poste d'urgence allait apparaître par miracle sur la pelouse.

Elle clopine à ses côtés, appuyée à son bras, la pression de ses doigts laissant deviner son énergie. Comprenant qu'elle ne veut surtout pas pleurer malgré la douleur, Alexander dépose spontanément un baiser sur sa tête. La jeune fille lève vers lui un regard surpris.

— Je suis sûr qu'il y a un hôpital par ici, se hâte-t-il de dire pour combattre l'attirance qui s'est emparée de lui, si violente qu'elle lui fait peur.

— Je n'ai pas besoin d'aller à l'hôpital. Je voudrais juste désinfecter la plaie.

Les environs semblent déserts, le Globe a fermé pour la soirée. Une dernière cohorte d'adolescents japonais vient de monter dans un bus, et les immeubles voisins n'abritent que des bureaux. L'air s'est légèrement rafraîchi.

— Regardez ça ! signale Kate. La marée est si haute qu'on dirait une ville flottante.

Sur l'autre rive, les dernières lueurs du couchant font briller deux girouettes dorées au sommet de leur clocher, mais les immeubles d'un gris éteint se découpent telle la silhouette massive d'une île un peu sinistre. Dans ce silence un rien lugubre, à peine troublé par le clapotis de l'eau, ils pourraient presque se croire tout seuls, errant dans une cité abandonnée. Et d'un seul coup, au détour du dernier bâtiment, ils se heurtent au raffut d'une terrasse de pub surpeuplée. Le tapage et les rires de tous ces gens venus boire un verre après le travail, l'odeur de bière et de fumée sont aussi bienvenus qu'une oasis en plein désert.

— C'est comme ça, Londres, déclare Kate.

— Comme quoi ?

— Vous êtes tout seul, vous tournez à l'angle d'une rue et il y a tellement de bruit que vous ne pouvez même plus réfléchir.

— Asseyez-vous ici, propose Alexander en désignant une table en bois avec deux bancs.

À défaut d'eau minérale plate, il rapporte du bar une petite bouteille de Perrier, tire un mouchoir en papier de sa poche et lui allonge la jambe en la maintenant par la cheville. Puis il remonte doucement son pantalon au-dessus du genou et inspecte la blessure, comme si un examen assez prolongé risquait de le renseigner sur la marche à suivre. Il verse dessus un peu d'eau gazeuse, qui pétille sur la peau avant de goutter par terre.

— Vous sentez quelque chose ?

— Ça picote, avoue-t-elle en se mordant la lèvre.

Alexander imprègne son mouchoir d'eau minérale et applique prudemment la compresse sur le pourtour de l'écorchure. Il nettoie facilement le sang et le plus gros des gravillons, mais il reste encore quelques petits cailloux incrustés dans la plaie.

— Ce qu'il vous faudrait maintenant, c'est un bon bain ! Venez, je vous raccompagne chez vous.

Elle regarde sans la prendre la main qu'il lui tend.

— Et ce verre que vous me devez ? Dans l'état où je suis, je vais repartir sans boire ? proteste-t-elle avec l'accent mélodieux et dolent des Irlandais.

Il sait pertinemment qu'il devrait refuser : il y a une heure, faire un tour avec elle n'engageait à rien, mais à présent, lui offrir un verre prend un sens beaucoup moins anodin.

— Comment ça, je vous dois un verre ?

— En fait vous m'en devez même deux.

— Et d'où sortez-vous cette idée ?

— J'ai deviné votre âge, et vous n'avez pas trouvé le mien. En plus j'ai mal au genou... insiste-t-elle en le voyant près de céder.

Il retourne donc au bar chercher un jus d'orange pour elle et un autre Perrier pour lui. Le Perrier a valeur de compromis. Il veut bien prendre un verre avec elle, mais pas un vrai. Si elle tient à lui faire payer son gage, il n'aura aucune excuse pour ne pas s'en aller après une ou deux consommations. La nature de leur marché atténue la légère nausée que la culpabilité a fait naître au creux de son ventre.

Elle boit au goulot tout en regardant la rivière avec lui. Le ciel semble plus noir lorsque les lumières du pub s'allument. Après un coup d'œil à sa paume éraflée, elle replie les doigts pour passer ses ongles en revue. Au moment de lui avouer que c'est la première chose qu'il a remarquée chez elle, Alexander se ravise, de peur de paraître trop familier. Il se contente de lui demander :

— Et à Bolton, vous étiez aussi serveuse ?

— Non, je travaillais dans un magasin. À la caisse, s'empresse-t-elle de spécifier, comme s'il devait comprendre ce que cela signifie dans la hiérarchie du supermarché. Ils m'ont proposé un poste d'assistante du chef de rayon, mais les horaires étaient moins souples. De toute façon, j'avais envie de vivre un peu avant de commencer à cotiser. Et puis ma sœur pouvait m'héberger, alors...

— Votre sœur habite ici ?

— Oui. Nous les filles, on est parties toutes les deux, alors que mes quatre frères sont toujours à Bolton. Et vous, pourquoi êtes-vous rentré en Angleterre ?

— Ma mère était malade, et puis elle est décédée, j'avais des tas de choses à régler. Je suis enfant unique.

— Je suis désolée.

Alexander la remercie, sans savoir si sa sympathie s'adresse à la disparition de sa mère ou à son absence de frères et sœurs. Il prend une profonde inspiration, soupire longuement. Il sait qu'il devrait en dire un peu plus, mais ce n'est plus le moment.

— Ça date de quand ?

— Bientôt quatre ans. Et vous, depuis quand habitez-vous Londres ? enchaîne-t-il aussitôt, pour éviter de s'étendre sur le sujet.

— Ça va faire un mois.

Leurs regards, qui ne cessent de se croiser, tiennent une conversation silencieuse, s'évitant chaque fois que l'un d'eux prend la parole.

— L'autre jour j'étais sur Tower Bridge, lui dit-elle à voix basse, comme pour protéger un secret d'oreilles indiscrètes. Il y avait un bateau de croisière amarré de l'autre côté, tout illuminé. J'ai eu envie d'embarquer en fraude.

— Pourquoi ne pas vous faire embaucher à bord d'un de ces bateaux ?

— Ça voudrait dire que je continuerais à être serveuse, non ? Moi ce que je veux, c'est faire des expériences. Et écrire là-dessus...

— Vous voulez écrire des récits de voyage ?

— Non, un roman. Pour écrire, il faut avoir vu des choses, non ?

— Est-ce que la manière d'écrire n'est pas plus importante que le décor ?

— Si vous croyez que ça intéresse quelqu'un, une vie de caissière !

— Pourquoi pas, si c'est vous qui écrivez ?

— Ah bon, vraiment ?

Elle lui adresse un sourire radieux qui le dédommage au centuple de son compliment.

— Venez, dit-il en détournant les yeux, je vous ramène chez vous.

— D'accord.

Amusant contrepoint à la situation de tout à l'heure, c'est elle maintenant qui lui emboîte le pas en claudiquant. Il aimerait bien la soutenir, mais n'ose pas la toucher. Dans ce quartier qui se métamorphose rapidement en parc à thèmes, on dirait que les pavés viennent juste d'être posés. Kate est d'ailleurs la première cliente satisfaite.

— Regardez, c'est une ancienne oubliette ! s'exclame-t-elle, enchantée.

Un des vieux entrepôts accueille désormais un musée du vin.

— VINOPOLIS, lit-elle sur l'enseigne. Vous croyez que c'est du latin ?

34

Dans l'escalier qui mène au pont de Londres, un écriteau signale que la Nancy d'*Oliver Twist* a été assassinée ici même. Alexander s'étonne qu'on n'y ait pas peint une flaque de sang pour faire plus authentique. De retour sur le pont, il a l'impression d'être rendu à la vie.

— Je vais prendre le bus, objecte Kate lorsqu'il fait mine de héler un taxi.

— Pas question, c'est moi qui paie. Quelle adresse ?

Elle annonce une rue de Soho en s'enfonçant dans son siège pour attacher sa ceinture. À la voir regarder avidement par la vitre, on jurerait qu'elle n'a jamais pris le taxi.

— Vous habitez où, vous ? lui demande-t-elle au feu rouge de Cambridge Circus.

— Dans le Kent.

— C'est loin... observe-t-elle, sans achever la phrase pour lui donner l'occasion de compléter.

— Pas tellement, se borne-t-il à répondre avec une concision délibérée.

Quand le taxi les a déposés au bout de la rue, elle s'engage dans une allée misérable et s'arrête devant une porte où s'alignent plusieurs sonnettes.

— Voilà, je suis arrivée. Vous montez prendre un café ?

— Vous habitez ici ?

Tandis qu'il déchiffre les noms sur les sonnettes, tout ce qu'il avait imaginé s'évanouit en fumée : Model Mandy, Big Susie, Betty Bonds, Joy.

— Ce n'est pas ce que vous pensez. Enfin, si. C'est l'appartement de ma sœur. Moi, je ne fais qu'y dormir. Elle n'y vient plus beaucoup ces temps-ci, elle est souvent chez son copain à Romford.

— C'est laquelle, votre sœur ? s'informe-t-il en désignant les noms.

— Joy, comme dans « joystick ». Son vrai nom, c'est Marie. Désolée. Moi aussi ça m'a fait un choc quand j'ai débarqué. Elle nous avait raconté qu'elle était top model.

Le sérieux de son ton amuse énormément Alexander, et elle éclate de rire à son tour. Sans même s'en rendre compte, il s'est engagé à sa suite dans l'escalier. Simple curiosité, se dit-il pour se rassurer. Jamais encore il n'a visité un bordel. Durant son séjour à Tokyo, il vivait dans le quartier de Shinjuku. L'aspect miteux de l'endroit lui avait bien plu, mais il n'avait jamais goûté les expériences qui lui étaient proposées, mis à part ce vendredi soir de beuverie où les enseignants qui l'accompagnaient s'étaient lancé le défi d'aller dans un peep-show. Constatant qu'il y avait une femme dans le groupe, les deux prostituées qui devaient faire l'amour ensemble pour distraire les hommes s'étaient mises à les agonir d'injures. Après coup, ils avaient conclu qu'elles n'avaient pu s'apercevoir de sa présence que grâce à des miroirs sans tain ou à des caméras cachées, ce qui accentuait le sordide de l'affaire.

Il croyait pénétrer dans un temple du sexe tendu de tussah rose, de faux léopard ou même de cuir, mais il découvre à la place un studio minable au dernier étage, avec une moquette imprimée toute défraîchie et des relents de cuisine et d'humidité que le diffuseur d'ambiance ne suffit pas à masquer. Quatre serrures renforcent la porte. L'entrée du logement en L est occupée par un vieux canapé défoncé en cuir noir, posé là tout seul comme dans une salle d'attente. Dans l'angle opposé se trouve un grand lit aux tentures soyeuses, dans des tons chatoyants de magenta, de pourpre et d'orangé. Tout l'appartement, y compris les fenêtres, est peint en bleu sombre.

— Regardez ça !

Il connaît un bref moment d'appréhension lorsque Kate éteint la lumière. Que va-t-elle lui faire ? C'est alors qu'il voit des dizaines d'étoiles phosphorescentes briller au plafond.

— Il y en a toujours une qui tombe, explique-t-elle en rallumant.

Il la suit dans l'angle de la pièce, prenant bien soin de ne pas s'approcher du lit. Il retient son souffle quand elle tire un rideau noir, s'attendant à voir apparaître tout un attirail SM, mais non : il s'agit seulement d'une baignoire rose, si peu à sa place à côté d'un réfrigérateur et d'une cuisinière qu'on n'imagine pas qu'elle puisse être raccordée à une quelconque arrivée d'eau.

— Il ne manque qu'un évier, observe Kate le plus naturellement du monde. Ma sœur a demandé à Des de l'enlever pour mettre la baignoire à la place. Pour la vaisselle, on se sert d'une bassine, précise-t-elle – sait-on jamais, il aurait pu imaginer qu'elles la prenaient avec elles dans le bain... Un café ?

— Euh, non, merci.

Kate fait couler de l'eau dans le bac. Il sait bien qu'il devrait partir, mais c'est tellement étrange pour lui, tellement inattendu de se retrouver dans un endroit pareil qu'il a du mal à se décider. Ça lui rappelle ces lambeaux de rêves auxquels on se raccroche au moment du réveil, essayant de se rendormir à tout prix.

— C'est votre sœur qui a fait la décoration ?

En posant cette question, il se fait l'impression de l'invité courtois qui s'efforce de faire la conversation pendant un thé chez le pasteur. Sur la table de chevet, une grosse bonbonnière en verre est remplie de friandises aux papiers multicolores. Presque involontairement, Alexander en approche la main. En fait de bonbons, ce sont des préservatifs. Il inspecte le petit objet plat au creux de sa paume, dans son emballage rose vif, avant de le reposer en espérant que Kate n'a pas surpris son geste.

— Bon Dieu, j'ai jamais mangé de chewing-gum aussi mauvais ! déclare-t-elle.

— Pardon ?

— C'est Marie qui dit ça, explique-t-elle avec un signe en direction du bocal.

— Ah oui, je vois.

— D'après vous, elles sont en quoi ? lui demande-t-elle en touchant les tentures brillantes.

— En soie ?

— De la doublure pour costumes d'homme, annonce Kate d'un air triomphal, comme si elle venait encore de le coincer. Elle l'a eue pour une bouchée de pain à Whitechapel. Elle avait repéré la même dans *Changing Rooms*, vous voyez le genre, romantique, un peu Mille et Une Nuits. La moquette gâche l'effet...

Il ne s'était pas encore attardé sur la vilaine moquette poussiéreuse aux motifs rouges et beiges.

— Mais dans un tel endroit, on ne peut pas se permettre de laisser le plancher apparent, fait-elle d'un air entendu. On entendrait tout du dessous. Asseyez-vous.

Il a le choix entre une chaise inconfortable encombrée de vêtements et le lit. Il opte pour la chaise.

— Comment votre sœur s'est-elle retrouvée dans ce

genre d'activité ? lui demande-t-il en balayant la pièce d'un geste de la main.

— Elle a toujours eu tous les garçons à ses trousses, alors elle a fait un paquet de photos et elle est venue à Londres. Elle a décroché un rôle dans un film, vous voyez ce que je veux dire... Je suppose que tout est parti de là. Maintenant, elle est gogo danseuse.

Au moment où elle se penche pour apprécier la température de l'eau, son tee-shirt remonte un peu, révélant le bas de son dos et deux petites fossettes à la naissance des fesses. C'est à cet endroit qu'il a envie de la toucher.

Kate se débarrasse de ses chaussures et enlève son pantalon avec une petite grimace lorsque le tissu frotte contre son genou blessé, et avant qu'il ait pu faire un geste pour sortir, elle entre dans la baignoire avec son slip et son tee-shirt en lui souriant, d'un air de dire : « Vous n'imaginiez quand même pas que j'allais me déshabiller pour de bon devant vous ! »

Quelques filaments de sang se mêlent à l'eau du bain, qui rend son slip transparent. Le bas de son tee-shirt commence à flotter autour d'elle. Alexander ne serait pas plus excité si elle était entièrement dévêtue. Il sent son érection contre la fermeture Éclair de son pantalon.

— Il faut que j'y aille, dit-il à mi-voix.

Penché sur la baignoire, il effleure ses lèvres d'un rapide baiser. Le souffle de Kate exhale un parfum de jus d'orange, ses cheveux sentent la noix de coco.

— Merci pour la promenade.

Il se détourne pour partir, incapable de la regarder à nouveau.

— J'ai été ravi de bavarder avec vous, assure-t-il en arrivant à la porte.

— Moi aussi, répond-elle avant de plier les genoux pour se plonger sous l'eau toute entière.

La porte se referme sur Alexander, qui jette encore un coup d'œil à son poignet sans montre.

Dehors, une blonde décolorée à cheveux courts remonte l'allée et s'arrête à sa hauteur, une clé à la main. Il ne réalise pas tout de suite qu'il encombre le passage.

— Vous avez oublié quelque chose à l'intérieur ? questionne-t-elle avec le même accent que Kate.

Elle lui ressemble beaucoup, avec un visage plus arrondi, plus joli sans doute au goût de certains, mais son regard est dénué d'expression. Le visage de Kate quand le rêve vire au cauchemar.

— Non.

— Il est neuf heures.

— D'accord, merci.

— La nuit ne fait que commencer, susurre-t-elle en l'aguichant de ses yeux brillants.

— Il faut que je rentre, réplique-t-il en s'éloignant dans l'allée sans se retourner.

2

Sous l'eau, tout est parfaitement silencieux. Kate y reste aussi longtemps que possible, et quand elle émerge pour reprendre son souffle, elle entend la porte d'entrée s'ouvrir. Elle a beau savoir que ce ne peut pas être lui, elle s'accorde un bref instant d'espoir. Elle sent encore le contact de ses lèvres sur les siennes. Les yeux clos, elle plonge de nouveau sous l'eau, où même ses seins lui semblent en apesanteur.

Elle aimerait savoir s'il éprouve la même chose de son côté. Est-ce que les battements de son cœur se répercutent dans son sexe comme les siens palpitent entre ses cuisses ? Essaie-t-il d'imaginer ce qu'il ressentirait en la pénétrant ? Les muscles de son pelvis se contractent involontairement. Lorsqu'elle se redresse vivement en refermant les jambes, une vague se soulève jusqu'au rebord de la baignoire et vient mourir sur sa poitrine.

— Kate ? appelle sa sœur depuis l'entrée.

— Oui.

— Qu'est-ce que tu fabriques dans la baignoire tout habillée ?

— J'ai eu envie de faire ça.

Marie pose son sac et s'écroule sur le lit.

— Je suis claquée. Et figure-toi qu'ils veulent que je reprenne à sept heures. Rien que ça.

— Il y a des clients à sept heures ? demande Kate pour la forme.

— Des hommes qui partent au boulot, voilà la clientèle. Des mecs qui ont assez de fric pour me voir à poil de bon matin.

— C'est dégoûtant, commente Kate avant de se replonger sous l'eau.

— On dirait maman.

— Maman, ça la tuerait de savoir ça.

Marie se penche pour attraper une cigarette dans son sac.

— Tu trouves pas que c'est finalement plus répugnant, gogo danseuse ? demande-t-elle d'un air détaché. Ça me rend malade d'exciter tous ces types et de les renvoyer ensuite.

Elle parle encore comme une petite allumeuse de quinze ans qui se demande jusqu'où elle peut laisser un type glisser sa main dans son jean. Autrefois, elles discutaient à voix basse au fond de leur lit pour savoir jusqu'où elles iraient. Marie, qui a pourtant deux ans de moins que Kate, était toujours celle qui acceptait d'aller le plus loin.

— À sept heures du matin, ils ne risquent pas de rentrer chez eux pour harceler leur femme.

— C'est un avantage, admet Marie en tirant sur sa cigarette. Ils se rabattent sur les secrétaires !

Avec un gros éclat de rire, elle sort plusieurs billets de son sac et défait nonchalamment son jean pour récupérer les coupures de vingt livres qu'elle a coincées sous l'élastique de son string.

— Je gagne autant sans avoir besoin de leur parler.

On a vite fait de deviner ce qui leur plaît. Tu devrais essayer.

— Non merci.

— Tu te tirerais plus vite d'ici, argumente-t-elle en refermant son jean.

— Si je te dérange, je peux déménager.

— Ce n'est pas ça ! rétorque Marie avec son habituelle mine offensée. Je fais des économies pour aller en fac, ajoute-t-elle pour se justifier de son travail.

— Pour faire quoi ? s'informe Kate qui n'a jamais eu vent de ce projet.

— Décoratrice d'intérieur.

— Et ton plan d'ouvrir un bar à Ibiza ?

— Bof... Mais qu'est-ce que tu as fait à ton genou ?

— Je suis tombée.

— Où ça ?

— Devant la Tate Modern.

Marie la regarde comme la dernière des bêcheuses.

— La Tate Modern ? Qu'est-ce que tu fichais dans ce coin ?

— T'occupe.

Kate ne tarde pas à comprendre qu'elle n'a fait que se trahir en voulant cacher un événement sans importance, mais elle aggrave encore la situation en disant :

— Je pensais que tu ne rentrais pas ce soir.

Marie ne se prive pas de sauter sur l'occasion :

— Tu avais des projets ?

— Pas du tout.

— Menteuse !

Debout dans la baignoire, Kate ôte ses derniers vêtements tandis que Marie lui présente une serviette. Une des règles de la maison, c'est de se sécher avant de sortir du bain. Sinon, la moquette a vite des odeurs de vieux gant de toilette.

43

— J'ai rencontré un type.

S'attendant à passer la soirée avec Marie, elle préfère avouer tout de suite, sinon sa sœur la tarabustera jusqu'à ce qu'elle lui raconte tout.

— Ah ouais...

— Pas ce que tu crois.

Marie ne l'écoute qu'à moitié, occupée à décrocher du mur un petit miroir qu'elle pose près d'elle sur le lit. Elle tire de son sac à main un sachet en plastique, dispose trois lignes de coke au dos du miroir, roule un des billets rigides qu'elle vient de gagner et en sniffe une. Kate pense que c'est surtout le rituel qui lui plaît. Quand elle aspire la poudre et se frotte le nez du bout du doigt, elle affiche l'air satisfait qu'elle avait, adolescente, après s'être fait les ongles. Marie était folle des limes à ongles, des tampons en coton, des bâtonnets de manucure et des crèmes de soin. Dans leur chambre commune à la maison, la moitié de la table de toilette qui lui était dévolue était encombrée par plusieurs rangées de produits de beauté : fards à paupières, rouges à lèvres, brosses de différents formats... Du côté de Kate, en revanche, s'empilaient une série de livres empruntés à la bibliothèque.

— Tu en veux ? propose Marie en se penchant pour sniffer une deuxième ligne.

— Non merci.

Elle lui pose toujours cette question comme si sa sœur en consommait elle aussi, et Kate lui répond toujours non, acceptant d'entrer dans son jeu afin d'éviter des disputes inutiles. Cela ne l'inciterait qu'à passer au cran supérieur, juste pour prouver qu'elle en est capable. Elle est comme ça, Marie... Elle aspire rapidement la dernière ligne et se lèche le pouce après

44

l'avoir passé sur les bords du miroir, qu'elle remet ensuite à sa place.

— Alors, on passe une soirée en tête à tête ?

Kate ouvre la petite valise qu'elle a tirée de sous le lit et en sort un slip propre, un tee-shirt blanc et une minijupe noire.

— Il te faut un pansement pour ton genou, déclare sagement Marie.

— Tu en as ?

— Non.

— Où est Des ?

— Sur la route entre l'Écosse et Barcelone. Il doit livrer un chargement de crevettes.

— Tu me fais marcher !

Des est chauffeur routier. Marie l'a rencontré quand elle travaillait dans une station-service.

— Qu'est-ce que tu veux dire ? réplique-t-elle en plissant les yeux.

— C'est comme aller vendre de la glace à des Esquimaux, non, d'apporter des crevettes au pays de la paella ?

— Le salaud, il m'a raconté des bobards ! plaisante Marie avec un sourire affectueux.

Même si Kate a toujours trouvé leur couple invraisemblable, Des et sa sœur ont l'air heureux et se font curieusement confiance.

— Avec ton genou et ta minijupe, tu ressembles à une écolière, observe Marie. (Puis, comme si les deux idées étaient indissociablement liées :) Et ce type, qui c'est ?

— Un type que j'ai servi et que j'ai recroisé chez Marco. On a engagé la conversation.

— La conversation ?

— Il a vécu à l'étranger, il m'a donné des tuyaux.

45

— Des tuyaux ?

— Mais oui, s'impatiente Kate. Sur les endroits où aller.

— Et il ressemble à quoi ?

— Qu'est-ce que ça peut bien faire ?

Elle n'a vraiment pas envie de parler de lui. Marie a le chic pour tourner les choses au sordide.

— Pas du genre canon, si je comprends bien ?

— Si, justement.

— C'est vrai ?

— Il est tellement beau qu'on a l'impression de l'avoir déjà vu. Comme les acteurs de cinéma, tu vois ce que je veux dire ?

— Non...

— Il est grand, avec les épaules un peu voûtées, tu vois...

— Voûtées ?

Kate mime l'allure un peu gauche d'Alexander.

— Un peu triste, aussi. Ou plutôt non, préoccupé...

— J'en suis malade de jalousie, persifle Marie.

— De toute façon, il ne te plairait pas, tranche Kate. Il est bien trop sérieux.

— Ah bon ? Et qu'est-ce qu'il fait avec toi dans ce cas ?

— Rien du tout. Je lui ai juste parlé, rien de plus. Ensuite je me suis fait mal au genou et il m'a raccompagnée en taxi. Il est gentil, c'est tout.

— Il est homo ?

Kate n'avait pas envisagé cette éventualité. Le souvenir de son petit baiser qui s'attarde encore sur ses lèvres fait naître une vague de désir de sa poitrine à son vagin.

— Je n'ai pas l'impression.

— Marié, peut-être ?

46

À ça non plus elle n'avait pas pensé. Il n'avait pas l'air d'un homme marié. Elle essaie de se souvenir de ses mains. Pas d'alliance, elle en est convaincue.

— Qu'est-ce que ça change ? De toute façon je ne le reverrai jamais.

D'un seul coup, l'appartement aux murs bleu nuit a quelque chose d'oppressant.

Marie se contemple de nouveau dans le miroir et fait un tampon avec un Kleenex imprégné de salive pour effacer une trace de rouge qui a bavé au coin de ses lèvres. Puis elle lisse son jean moulant sur ses cuisses d'un geste langoureux, visiblement contente d'elle-même.

— Allez viens, on va boire un verre.

Marie prend une vodka et un Red Bull, Kate un jus d'orange. Elle se souvient des relents de bière et de tabac que son père traînait dans son sillage quand il rentrait du pub, de l'odeur douceâtre de sa transpiration lorsqu'il venait leur souhaiter bonne nuit. Le goût de l'alcool lui fait horreur.

— Avec le Red Bull, on ne sent pas l'alcool, souligne Marie, qui aimerait bien faire partager ses vices à sa sœur. Et puis ça te remonterait le moral.

— Mais je n'en ai pas besoin !

— Tu es en train de penser à ce type, c'est ça ?

— Mais non, je t'assure !

— Tu l'as embrassé ?

— Lui il m'a embrassée, répond Kate, sur la réserve.

— Ça m'est arrivé une fois.

— Quoi donc ?

— D'embrasser un inconnu. C'était dans un train, on était assis face à face, tu vois, et n'on n'arrêtait pas

47

de se regarder et de détourner les yeux. Tu sais comment c'est... (Marie sourit en se remémorant la scène.) On est passés des regards aux sourires, et quand les gens de notre compartiment sont partis, on s'est embrassés.

— Et ensuite ? l'encourage Kate, curieuse de connaître le dénouement.

— C'était génial.

— Mais qu'est-ce que vous avez fait ?

— Il est descendu. J'ai un peu pensé à lui ce soir-là, tu vois, et aussi le lendemain...

— Tu ne l'as jamais revu ?

— Non, et je n'y avais même jamais repensé jusqu'à aujourd'hui.

— Ah...

Kate ne peut se défendre d'un sentiment de déception.

— C'est ton droit de trouver quelqu'un à ton goût, tu sais. C'est tout à fait normal.

Marie termine son infâme décoction et repère une de ses connaissances à l'autre bout du pub.

— Je reviens dans une minute.

La clientèle du bar se compose essentiellement d'homosexuels. Marie y vient de temps en temps, quand elle a une soirée de libre. Ici, au moins, elle ne risque pas d'être sollicitée. Kate observe sa sœur flirter ouvertement avec un quinquagénaire grisonnant en polo mauve et son petit ami, nettement plus jeune, en veste et collier de cuir clouté. À Londres, elle parvient à la considérer avec le regard des autres. Sa coupe courte et l'effet des drogues font paraître ses yeux plus grands, leur bleu plus profond. Comme elle ne cesse de parler et de rire, ses lèvres fardées de prune sont toujours entrouvertes. Marie n'est pas le genre de fille qui se contente d'écouter son walkman dans la rue : il faut toujours qu'elle chante en même temps. Sa silhouette est certes menue, mais elle en impose beaucoup, et en plus elle chante très bien. Quelqu'un la découvrira peut-être un jour, qui sait ?

Les rues de Soho ressemblent à une annexe des salles de spectacle voisines. Ici, en effet, tous les gens ont l'air de se croire sur scène. En province, on appellerait ça frimer. En venant à Londres, Kate s'attendait à quelque chose de plus sérieux, de plus grandiose. Elle a toujours le souffle coupé quand elle tombe sur un lieu célèbre au détour d'une rue – Trafalgar Square ou Saint-Paul, presque irréels à force d'être familiers –, mais le reste de la ville se réduit à une juxtaposition infinie de villages urbains. Ça lui plaît bien de savoir qu'elle peut marcher toute une journée sans en venir à bout. Elle ne se sent jamais tout à fait perdue, mais elle n'éprouve nulle part ailleurs pareille solitude. Seules les fortes personnalités comme Marie parviennent à s'intégrer à un tel endroit. Des répète toujours qu'elle marche avec un turbo.

Kate pourrait passer des heures toute seule dans un pub sans que personne ne lui adresse la parole. Depuis qu'elle est arrivée, elle prend son café chez Marco. La première fois, c'est Marie qui lui a donné rendez-vous là parce que c'était facile à trouver. Elle devait lui fournir quelques explications avant de lui montrer son studio. Marco s'est montré aimable pendant les deux heures qu'elle a passées à attendre, mais elle n'avait engagé la conversation avec personne d'autre avant aujourd'hui.

Alexander.

Au restaurant, elle ne l'avait pas vraiment remarqué

49

jusqu'à ce qu'il sourie. En temps normal, il a la tête de quelqu'un qui peut vous faire souffrir, mais dès qu'il sourit, on dirait qu'une lumière se répand tout autour de lui. Elle le revoit emboîter le pas à ses collègues pour quitter le restaurant. Il contemple le ciel, heureux de sentir le soleil sur son visage après la fraîcheur sèche de la climatisation ; le poids de sa grosse veste fait ployer ses épaules. Il est avec les autres, mais d'une certaine manière, il reste à l'écart. La veste fatiguée, dont les poches trop pleines se sont déformées, lui donne une dégaine de prof. À ce moment-là, cependant, elle ignorait encore qu'il était bel et bien enseignant. Peut-être son esprit a-t-il forgé cette image pour mieux épouser la réalité.

Marie la rejoint en slalomant entre les tables, bien décidée à attirer l'attention de tous ces hommes qu'elle n'intéresse pas.

— Écoute un peu ça, fait-elle en posant une fesse sur un bout du siège de Kate. Tu sais ce que dit le hérisson qui descend d'une brosse à cheveux ?

— Non, répond Kate, circonspecte, s'attendant à une blague graveleuse.

— Tout le monde peut se tromper !

— C'est nul !

Marie a l'air enchantée de sa plaisanterie.

— Si tu veux, ils peuvent nous faire entrer dans un club.

— J'ai envie de me coucher tôt.

— Ah...

Indécise, Marie fait une petite grimace. Va-t-elle harceler Kate jusqu'à ce qu'elle cède ?

— Tu as raison, finit-elle par conclure. Je dois danser à sept heures. Ce serait un peu bête de m'imposer ça toute la nuit en plus.

Kate est surprise mais contente, surtout lorsque Marie lui prend le bras sur le chemin du retour. À Londres, elle a parfois l'impression de flotter dans un tourbillon de sensations, et la pression affectueuse du bras de sa sœur la ramène sur terre.

— Des m'a demandé de vivre avec lui, lâche Marie en ouvrant la porte d'entrée.

L'impression de complicité sororale s'évapore en un instant. Il est clair qu'elle a choisi son moment pour lui annoncer qu'elle devrait trouver un autre logement. La honte chasse immédiatement le sentiment de trahison : pour Marie, c'est une étape importante de s'installer avec Des, et Kate devrait se réjouir pour elle.

— Je n'aime pas l'idée de renoncer à ma liberté, explique Marie en se laissant tomber sur le canapé en cuir, mais financièrement, ce sera plus facile.

— En plus vous serez ensemble, Des et toi. Vous avez trouvé une jolie maison ?

Kate se les représente dans un petit appartement moderne, Marie perchée sur une échelle, chantant en chœur avec Jennifer Lopez sur Capital FM tout en barbouillant le plafond de peinture vert vif ou lilas – une de ces couleurs voyantes qu'elle a vues dans une émission de décoration à la télévision.

— Mais tu t'es entendue ? s'indigne brusquement Marie. Pourquoi est-ce que je devrais m'installer ? Tu es installée, toi ?

— Ce n'est pas du tout ce que j'ai voulu dire !

— Mais si !

— Il m'arrive juste de m'inquiéter, avoue prudemment Kate.

— Si c'est ça, pourquoi on ne ferait pas le tour du monde, toi et moi ? J'ai assez d'argent pour nous deux.

Kate ne s'était jamais doutée que sa sœur avait envie de partager son rêve. Comment se fait-il qu'elle n'ait rien deviné ? Cette proposition est typique de Marie. Maintenant, elle saisit mieux les raisons de sa généreuse invitation à Londres.

« Allez, Kate. Viens habiter chez moi. »

— Si j'étais avec toi, tu pourrais faire plus de choses, insiste Marie en profitant de sa surprise. Qu'est-ce que tu as à perdre ? De toute manière, tu seras obligée de rentrer à la maison si je rends le studio. Ce n'est pas en travaillant dans une pizzeria que tu arriveras à vivre et à mettre de l'argent de côté.

L'air dédaigneux, elle souffle un rond de fumée. Avec l'impatience qui la caractérise, elle est passée en une fraction de seconde de la suggestion au chantage.

— Non Marie, je ne peux pas partir avec toi, dit Kate qui ajoute aussitôt, pour rendre son refus moins brutal : Ce serait super, mais ça ne serait pas pareil.

— Tu ne changeras jamais, toi, se moque Marie. Tu resterais la même si tu te barrais à Tombouctou.

— Mais je ne veux pas changer. Ce que je veux, c'est connaître des choses nouvelles.

— Bon, dans ce cas, j'emménage avec Des, conclut Marie, vaincue.

— C'est à toi de choisir.

— Tu veux un café ? propose-t-elle, aussi prompte à pardonner qu'à menacer.

— Non merci, ça va m'empêcher de dormir.

En enlevant sa jupe pour se mettre au lit, Kate éprouve soudain une énorme bouffée d'affection envers sa sœur.

Marie change scrupuleusement les draps après le passage d'un client, mais la literie conserve l'odeur du sexe et de son parfum habituel.

La cigarette à la bouche, elle s'affaire dans la pièce pour faire un peu de rangement, tandis que Kate, penchée au bord du lit, attrape la valise où elle range son journal intime, un carnet bleu sombre fermé par un cadenas. Elle garde la minuscule clé dans son porte-monnaie, avec la médaille de saint Christophe reçue pour sa première communion.

— Tu l'as toujours, ce carnet ? s'étonne Marie en la regardant écrire.

— Bien sûr.

Quand sa sœur le lui avait offert pour ses dix-huit ans, Kate l'avait soupçonnée de l'avoir fauché chez W.H. Smith.

— Je l'avais acheté pour toi.

— C'est le plus beau cadeau que j'aie jamais eu.

— C'est vrai ? demande Marie d'un air ravi. Montre-moi !

Kate le lui donne volontiers, sachant que sa sœur n'aura pas la patience de déchiffrer ses pattes de mouche. Marie fait semblant de lire :

— J'ai rencontré un mec, mais je ne l'ai pas baisé.

— Rends-moi ça ! s'écrie Kate en riant.

Marie lui lance aussitôt le cahier.

Avec un inconnu, on peut être la personne que l'on veut... commence-t-elle par écrire.

— Ça te dérange si j'éteins la lumière ? demande Marie en repoussant la couverture pour s'allonger près d'elle.

— Non, vas-y.

Kate referme son journal avec la petite clé et se penche pour le ranger dans la valise. Au-dessus du lit, il y a un cordon pour éteindre la lumière. On ne voit plus dans la chambre obscure que les étoiles phosphorescentes roses, orange et vertes, et la braise de la cigarette de Marie.

Kate est un peu ennuyée de ne pas avoir pu noter tout ce qu'elle voulait. Le sommeil va l'éloigner de lui, et demain matin, elle risque d'avoir oublié la sensation de son baiser.

— Ça t'arrive de faire des marchés avec Dieu ? chuchote-t-elle à Marie dans l'obscurité.

— Qu'est-ce que tu veux dire par là ?

— Des promesses en échange de faveurs...

— Ah oui, des trucs du style : si je ne suis pas enceinte, j'arrête de fumer... C'est ça ?

— Oui, si tu veux...

— Je fais ça en permanence. Pourquoi ?

— Pour rien.

Après un moment de silence, Marie récite de sa voix chantante :

— Cher bon Dieu, si je peux avoir la star de cinéma aux épaules tombantes, j'irai à la messe tous les jours pendant le restant de ma vie.

— Tais-toi !

Kate voudrait bien avoir l'air fâché, mais le fou rire la prend.

« Je vous en prie, mon Dieu, donnez-moi un jour avec lui et je rentrerai à la maison. »

Cette idée a traversé l'esprit de Kate avant qu'elle ait pu l'arrêter. À son avis, ça ne compte pas tant qu'elle ne l'a pas formulée à voix haute.

— Si je pouvais juste passer une journée avec lui... commence-t-elle.

— Tu t'engagerais à quoi ?

— Tu crois que ça suffirait, d'aller à la messe ?

— Pour une journée complète avec l'homme de tes rêves ? Ça m'étonnerait, répond Marie, réfléchissant avec le plus grand sérieux à ces négociations hypothétiques. Dans le fond, ce n'est pas juste une journée

54

que tu demandes. Si tu dis ça, c'est parce que tu penses qu'en une journée, il s'apercevrait à quel point tu es merveilleuse... après ce serait à lui de décider, pas à Dieu...

— Arrête de dire des bêtises !

Pourtant, l'analyse de sa sœur présente de troublantes similitudes avec ses pensées.

Marie se met à fredonner tout bas la chanson de Lou Reed, *Perfect Day*. Lorsque Kate lui enjoint de se taire, elle chante de plus en plus fort, dans un crescendo aigu à la Lesley Garrett :

— *Drink champagne in the park...*

— Ce n'est pas du champagne, l'interrompt Kate, c'est de la sangria.

— Et c'est quoi, exactement, la sangria ?

— Une espèce de cocktail, il me semble.

— Cette chanson parle de l'héroïne, en fait.

— Tu crois ?

— Tout le monde sait ça, rétorque Marie avec suffisance.

Elle tire une dernière fois sur sa cigarette et écrase le mégot avant de chercher une bonne position pour dormir.

— Une relation ne dure jamais un jour, décrète-t-elle d'un ton sans appel. C'est entre cinq minutes et cinq heures après la baise, selon l'éducation du mec...

Un silence prolongé salue sa repartie.

— ... sinon, c'est censé durer plus longtemps. Un mois... ou bien toute la vie.

— C'est ça !

Les étoiles phosphorescentes commencent à pâlir, la respiration de Marie est lente et régulière.

— Tu es encore en train de penser à ce type ?

— Non, ment Kate.

— Et Jimmy, tu penses à lui ?

— Évidemment, répond-elle en tournant le dos à sa sœur. J'y pense tout le temps.

— Il te manque ?

— Bien sûr, qu'il me manque !

— Mais pas au point de rentrer ?

— Tais-toi, Marie.

— Bonne nuit, alors.

— Bonne nuit, répond Kate, qui sait très bien qu'elle ne trouvera pas le sommeil.

3

*Un océan de couleurs vient de déferler sur le vil-
lage. Depuis que Laura, la responsable du biblio-
bus, a suivi une thérapie par la couleur dans
l'arrière-boutique du commerce bio qui occupe les
anciens bâtiments de la banque Barclays, apprenant
ainsi qu'elle a été successivement artiste et guer-
rier, tout le monde brûle d'envie de découvrir ses
vies antérieures. Il vous suffit pour cela de choisir
quatre couleurs dans un éventail de tissus soyeux et
de noter votre date de naissance ; pour trente
livres, la thérapeute passera une demi-heure à vous
entretenir de votre passé et de votre avenir. Un
enregistrement de la séance est inclus dans le prix.
La théorie de la réincarnation me laisse assez sceptique : pourquoi en effet les vies antérieures sont-
elles invariablement archétypales ? Ainsi, comment
expliquer que Laura n'ait pas été autrefois un
balayeur de rues ou, pourquoi pas, un cheval ?
Cela dit, je me suis surprise l'autre jour, juste avant
ma consultation, à trier, dans un panier de légumes
terreux, ceux qui me demanderaient le moins d'efforts pour composer une salade présentable. Il est
bien clair que je n'ai pas été fille de cuisine dans
une vie antérieure. À moins que je l'aie été, et que*

ma paresse actuelle me dédommage de mes corvées passées...

Après avoir relu le passage qu'elle vient de rédiger, Nell appuie sur la souris pour obtenir le nombre de mots. Deux cents. Il lui en reste encore cinq cents à écrire. Les jours fastes, il ne lui faudrait pas plus d'une heure, mais aujourd'hui elle manque d'inspiration. La pendule de la cuisine indique dix heures. Épuisée, Nell sauvegarde son travail et se traîne jusqu'à la salle de bains de l'étage. Elle reste allongée dans sa baignoire à guetter le cliquetis et le grincement de la porte d'entrée jusqu'à ce que ses mains se décolorent et virent au violacé. Elle aimerait qu'il la trouve ici. Dans une pièce tiède et embuée, la parole vient facilement, comme le chant. Elle finit toutefois par sortir du bain et enfile le peignoir en éponge que sa mère lui a offert pour Noël. Nell n'aurait pas choisi cette couleur pêche, mais le tissu est doux et confortable. Il est trop chaud pour la soirée, c'est le genre de peignoir que l'on porterait plutôt un soir d'hiver, pour siroter une tasse de chocolat. On a annoncé de l'orage pour la nuit.

Nell se replonge dans son travail. Angoissée de nature, elle s'étonne d'avoir pu écrire un texte aussi léger. Elle réfléchit à la suite en promenant son regard sur le salon, décoré dans des teintes de jaune et de bleu. Jaune paille pour les murs, bleu cobalt pour le canapé. La cuisine miniature de Lucy, rouge avec des ustensiles jaunes, donne à la pièce des allures de nursery géante. Nell se demande si des nuances plus fraîches et plus discrètes – les bleus et les verts aquatiques que lui a recommandés la thérapeute – contribueraient vraiment à tempérer son agitation. N'est-ce pas complètement grotesque ?

La pendule de la cuisine scande le lent écoulement du temps.

Je ne suis pas du genre à me fier aux thèmes astraux, même si je me précipite sur l'horoscope dès que je reçois mon magazine mensuel. Je fais ça seulement pour m'amuser, mais lorsque la thérapeute m'a déclaré qu'un événement survenu il y a cinq ans avait chamboulé mon existence, j'ai commencé à la prendre un peu plus au sérieux...

Nell supprime ce passage trop personnel. Quand on rédige une chronique, le plus délicat est de savoir doser les observations objectives et les confessions privées. La méthode de Nell consiste à considérer son double Helen Hill comme un personnage sympathique, très proche d'elle-même mais néanmoins distinct. Aujourd'hui, elle n'a pas la force de respecter le clivage. Mieux vaut éteindre l'ordinateur.

Dans la cuisine, Nell range dans les placards la vaisselle propre et rince dans l'évier les dernières bulles de Palmolive. Quand l'eau a fini de s'écouler par la bonde, le silence retombe sur la maison. Elle a conçu une véritable aversion pour le silence de la campagne, pour son obscurité si dense qu'elle lui fait quelquefois penser à un mur.

De retour à l'étage, elle tend l'oreille devant la chambre de Lucy, écoutant son souffle régulier. Elle est tentée de s'allonger par terre près de son lit pour trouver un peu d'apaisement dans le sommeil tranquille de sa fille, de même que le sien calme Lucy lorsqu'elle s'éveille en pleine nuit. Chez Nell, l'anxiété le dispute à l'épuisement. D'habitude, elle se couche à onze heures, qu'Alexander soit rentré ou pas, mais ce soir elle désire un autre contact que le léger courant d'air quand il la rejoint au lit, sa main qui effleure son bras et le petit baiser quotidien qu'il pose dans ses cheveux. Ce soir, elle ne trouvera pas le sommeil avant d'avoir pu lui parler.

Malgré tous ses efforts, elle ne parvient pas à imaginer sa réaction à la nouvelle : perplexité inquiète ou joyeuse stupéfaction ? Elle ne cesse d'envisager l'une et l'autre, et cela lui évoque un peu cette carte postale en 3D achetée au Vatican, qui montrait tour à tour le Sacré-Cœur rayonnant et les tourments du Christ en croix, selon qu'on la penchait d'un côté ou de l'autre.

Où peut-il être en ce moment ?

Elle aimerait bien qu'il se serve du portable qu'elle lui a offert pour son anniversaire, mais elle sait pertinemment qu'il n'y tient pas. Sitôt le cadeau déballé, elle s'était mise à bredouiller des excuses devant sa contrariété manifeste. « Je me suis dit... en cas d'urgence... » Il lui avait adressé ce regard perplexe qu'elle prenait autrefois pour de l'intelligence, mais dont elle déteste aujourd'hui les sous-entendus méprisants. « De quelles urgences tu parles ? » Elle avait refusé de lui donner des exemples, de peur de provoquer un malheur par le seul fait de l'évoquer à voix haute.

Bientôt minuit. Il y a du champagne au frais, mais il sera trop tard pour le boire. Même s'il a pris le dernier train, il devrait déjà être là.

Nell redescend au salon, rallume l'ordinateur et contemple l'écran.

Mais où donc peut-il être ?

Et s'il lui était arrivé quelque chose ? S'il avait été

agressé, ou renversé par un bus ? Et s'il s'était jeté sous une rame de métro ? Mais pour quelle raison aurait-il fait une chose pareille ? Elle ne sait pas comment cette idée lui est venue, mais maintenant il lui est impossible de la chasser. Toutes ses certitudes le concernant appartiennent désormais au passé.

Un coup à peine audible est frappé à la porte.

— C'est toi ? murmure-t-elle en face de la serrure.

— Oui.

— Comment tu veux que je le sache ?

C'est une vieille blague entre eux.

Au vif soulagement de le savoir de retour succède la colère de s'être inutilement inquiétée.

— J'ai oublié mes clés, explique-t-il quand elle lui ouvre la porte.

Elle passe la tête dehors, scrute les ténèbres embaumées par le parfum des pollens pour encourager la pluie qui menace.

— Je n'ai pas trouvé de taxi, poursuit-il, comme pour justifier l'heure tardive.

— À une heure pareille, ça m'étonnerait qu'il y en ait.

Sa remarque était parfaitement neutre, mais il se met aussitôt sur la défensive.

— Lucy va bien ? s'enquiert-il en jetant un coup d'œil absent aux gros titres du journal local.

— Oui, assure-t-elle avec un sourire.

— Tant mieux, fait-il en reposant le journal.

Quand il lui rend son sourire, Nell se rend compte à quel point ils sont devenus rares, entre elle et lui. Elle se sent vulnérable, presque gênée. Il y a à peine cinq minutes, elle l'imaginait sans connaissance sur un lit d'hôpital, et maintenant il est là. Pourquoi se fait-elle tant de souci ? Si elle se tracassait moins, il lui

61

sourirait peut-être plus souvent. N'est-ce pas elle qui crée cette atmosphère tendue ?

— J'ai l'impression que les antihistaminiques font davantage d'effet.

— Ah ?

Apparemment, il a déjà oublié ce qu'elle lui a raconté après la dernière visite de Lucy chez le docteur.

Il faut bien que quelqu'un s'inquiète, songe Nell, gagnée de nouveau par l'irritation.

— Tu veux boire quelque chose ?

— Non merci, j'ai assez bu comme ça. On a fait une petite fête pour le départ de Mel et Joe.

— Tu as passé un bon moment ?

— Pas terrible. Je suis désolé de rentrer aussi tard, je pensais que tu serais couchée.

Ces excuses inhabituelles lui rendent brusquement un peu d'optimisme. Ce n'était pas absurde de sa part de supposer qu'elle serait endormie, puisque c'est le cas d'ordinaire. Elle ferait peut-être bien de veiller plus souvent pour l'attendre.

— J'ai préféré attendre que tu reviennes.

— Ah ?

— Oui, j'ai acheté une bouteille de champagne, balbutie-t-elle, incapable de trouver les mots pour lui annoncer la nouvelle.

— Du champagne ?

Il regarde aussitôt le calendrier de la cuisine. Nell a l'impression d'entendre son cerveau enregistrer les dates et passer vainement en revue la liste des anniversaires importants.

— Il ne faudrait peut-être pas que je boive, d'ailleurs, insinue-t-elle sans en dire davantage.

Elle s'en veut d'être aussi timorée, mais sa réaction lui fait peur.

— Pourquoi ce champagne, alors ?

Au moment où il lui pose la question, elle devine qu'il a fait le lien entre ces quelques informations.

— Tu n'es pas enceinte ?

À entendre son rire, on croirait qu'il l'invite à partager son hilarité pour confirmer qu'il s'agit bien d'une blague. L'optimisme de tout à l'heure tombe à plat comme un ballon de baudruche dégonflé. Nell se borne à hocher la tête, près de pleurer en voyant qu'il se fait violence pour dissimuler son mécontentement. Les choses avaient été tellement différentes pour leur premier enfant !

— Dis quelque chose, Alex.

— Comment ça s'est produit ?

— De la manière habituelle.

— Je pensais que selon la manière habituelle, réplique-t-il d'un ton froid et posé, les deux personnes concernées se consultaient pour savoir si elles étaient d'accord et prenaient les précautions adéquates si ce n'était pas le cas.

— Je n'ai pas remarqué que tu prenais tellement de précautions !

— Mais je supposais que...

— Tu supposais que je mettais mon diaphragme toutes les nuits et que je t'attendais, au cas où tu aurais bu un verre de trop un vendredi soir ?

Mon Dieu, comment ont-ils pu en arriver là ?

Il est pâle, avec une expression de tristesse dans le regard.

Elle sait qu'il n'a pas oublié le vendredi en question, et elle ne se pardonne pas d'avoir réduit une de leurs rares nuits de volupté débridée à une négligence contraceptive. Si seulement elle pouvait effacer ses paroles !

63

— Il a suffi de cette fois ?

— On ne t'a pas enseigné ça à l'école ?

— Je t'en prie, Nell.

« Évite les sarcasmes, cherche-t-il à lui dire, parce que ça ne te ressemble pas. »

— Je présume que tu ne tiens pas au champagne ?

L'émotion ne lui laisse d'autre choix que l'agressivité blessée ou les larmes. Pourtant il est hors de question qu'elle pleure, il en déduirait aussitôt qu'elle essaie de le manipuler.

— Je ne sais pas trop que penser. On ne pourrait pas en discuter demain ? Je suis vanné.

Il n'a pas employé ce mot par hasard : un jour, alors qu'elle avait tout juste deux ans, Lucy avait ainsi repris sa mère : « Non maman, je ne suis pas fatiguée, je suis vannée », et depuis l'expression faisait partie du vocabulaire familial. Par cette allusion, il lui offre une miette de complicité pour se racheter de ne pas pouvoir la prendre dans ses bras.

Nell le suit des yeux tandis qu'il monte l'escalier. Elle entend les grincements du plancher de la salle de bains, le bruit de la chasse d'eau, l'eau qui coule pendant qu'il se brosse les dents. Il va directement se coucher sans s'arrêter devant la porte de Lucy.

Nell ne bouge pas du canapé bleu vif tant qu'elle n'est pas certaine qu'il s'est endormi. Si ce divan était plus confortable, elle y passerait la nuit. Une démarche aussi banale que l'achat d'un clic-clac modifierait-elle leurs relations ? Si chacun avait la possibilité de se retirer dans son coin, il éprouverait peut-être moins le besoin de lui dissimuler ses pensées.

Quand ils ont commencé à vivre ensemble, à Tokyo, leur logement était si exigu qu'ils pouvaient à peine se déplacer sans se bousculer. À cette époque, grisé par l'euphorie amoureuse, il disait se sentir plus libre de ne rien lui cacher. La valeur du compliment, elle s'en souvient, était amoindrie par la vague impression qu'il lui faisait un trop beau cadeau, un cadeau au-dessus de ses moyens.

Nell a le regard perdu dans le vide. Ces derniers temps, elle se replonge sans cesse dans le passé, dans ses vieux souvenirs, essayant de comprendre comment la situation a pu se détériorer de la sorte. Mais il demeure malgré tout une faille, un mystère qui lui échappe, et c'est peu à peu le passé et non le présent qui lui semble incompréhensible.

Lorsqu'elle était entrée dans la salle des profs, le jour de son arrivée au Japon, il lisait l'*International Guardian* en fumant, bien installé dans son fauteuil. Alors que tous les enseignants préparaient des cours à leur bureau, lui seul se prélassait tranquillement. Pendant que le conseiller d'éducation lui présentait ses collègues, elle s'était dit en voyant le sourire éblouissant d'Alexander qu'il possédait un de ces physiques particulièrement avantageux qui conduisent les hommes à une espèce de paresse affective. Le soir même, elle avait soumis ses impressions à Frances, devant les nombreuses bouteilles d'Asahi Dry qui scellaient le début d'une solide amitié. « Ne te laisse pas tenter, lui avait-elle conseillé. La moitié de Tokyo est passée dans son lit, et celles qu'il n'a pas honorées lui laissent des petits cadeaux dans son casier en espérant qu'il les débarrassera de leur virginité moyennant une boîte de cœurs en chocolat. »

Pendant plusieurs mois, ils s'étaient côtoyés sur leur

lieu de travail sans échanger plus de quelques mots. Elle l'apercevait quelquefois à une table d'angle dans le bar à nouilles où déjeunaient les professeurs, mais elle ne s'invitait jamais à sa table, emportant son bol pour rejoindre ses nombreux amis. Quand ils avaient fini par devenir amants, elle lui avait demandé si elle lui plaisait depuis longtemps. Si elle lui plaisait ? Il lui avait adressé son fameux regard perplexe sans répondre à sa question. « Crois-tu que nous serions tombés amoureux si le hasard ne nous avait pas réunis en vacances ? » avait-elle insisté. « Je ne sais pas. Peut-être... »

Exténuée, Nell se demande si elle ne s'est pas assoupie quelques secondes.

— Maman ?

D'après l'intonation de sa voix, ce n'est pas la première fois que Lucy appelle.

— J'arrive ! lui crie Nell en se levant d'un bond.

La peur envoie dans ses muscles une décharge d'adrénaline qui lui fait gravir l'escalier quatre à quatre.

Assise dans son lit, tête baissée, Lucy respire avec difficulté, les épaules courbées.

— Je vais te chercher ton inhalateur.

Nell agite le flacon de Ventoline avant de l'ajuster à l'appareil, dont Lucy prend une extrémité dans sa bouche.

— Prête ?

La fillette fait un signe affirmatif.

Quatre petites giclées, et la respiration de Lucy fait siffler l'inhalateur. Elle se met enfin à tousser en faisant la grimace.

— Je vais te chercher un jus de pomme pour faire passer le mauvais goût.

— Merci maman.

— Tu te sens bien ?

— Beaucoup mieux, répond spontanément la fillette. Elle est où, Lizzy Angel ?

Nell ramasse la poupée de chiffon et la rend à contrecœur à Lucy, craignant qu'elle ne soit à l'origine de sa crise d'asthme. Le médecin lui a recommandé de suspendre régulièrement les jouets en tissu en plein soleil ou de leur faire passer une nuit dans le freezer pour tuer les acariens qui provoquent les allergies de sa fille.

Mais Lucy est si attachée à sa poupée qu'elle semble communiquer avec elle par télépathie : à peine Nell a-t-elle réussi à la mettre discrètement dans le freezer, enveloppée dans un sac en plastique, que Lucy vient lui demander : « Où elle est passée, Lizzy Angel ? J'arrive pas à dormir sans elle. »

En glissant la main dans le dos de sa fille, Nell sent à travers le pyjama en coton les os de sa cage thoracique, qui se dilate et se contracte péniblement. Elle hésite à lui administrer une nouvelle dose d'antihistaminiques, furieuse d'avoir fait part à Alexander de leur apparente efficacité : la maternité l'a rendue superstitieuse. Elle consulte la notice qui accompagne le flacon de sirop et recouvre son calme en déchiffrant les caractères tremblotants. NE PAS DÉPASSER LA DOSE PRESCRITE. Le message est on ne peut plus clair, mais guère explicite. Nell sait qu'un excès de ce médicament peut provoquer des somnolences, mais ce ne serait pas forcément mauvais pour Lucy, qui est maintenant complètement réveillée. À moins que les conséquences soient beaucoup plus graves, comme c'est le cas avec le paracétamol. Elle devrait peut-être appeler le numéro vert du National Health Service. La dernière fois qu'elle l'a fait, on lui a conseillé de conduire Lucy aux urgences, et elle n'a pas du tout envie de lui imposer ça de nouveau. « Tâchez de la faire vivre aussi normalement que possible », lui a recommandé le spécialiste.

La respiration de Lucy s'est-elle vraiment améliorée, ou s'agit-il seulement d'une illusion ? Nell s'éloigne vers la fenêtre pour apprécier plus objectivement la situation. Ce n'est peut-être qu'une crise légère que la Ventoline suffira à soulager. Un peu de sang-froid, s'ordonne-t-elle en tirant le rideau. La chaleur exceptionnelle de ce printemps a amené une libération précoce des pollens. Si seulement la pluie pouvait venir laver tout cela ! *La faire vivre aussi normalement que possible...* Est-ce que c'est bien normal de prier pour que la pluie vienne à trois heures du matin, quand on ne croit même pas en Dieu ?

— Je crois que je vais me rendormir, signale Lucy. Tu veux bien me tenir la main ?

Nell redresse les oreillers de la fillette avant d'éteindre la lumière. Le mobile phosphorescent du système solaire, cadeau d'Alexander lors de leur visite au musée des Sciences, reste quelques instants lumineux dans le noir.

Nell caresse le front de Lucy et constate que le Salbutamol a fait son effet. Sa respiration a miraculeusement retrouvé sa régularité. Allongée près du lit à même le plancher, Nell prend la main de l'enfant qui émerge de sous le drap de coton.

Un léger frôlement contre son visage tire Nell du sommeil. Deux yeux au point de croix la dévisagent en silence : Lizzy Angel. Courbaturée d'avoir dormi à même le plancher, Nell ne sent plus son bras droit, qui lui a servi d'oreiller. Quelque chose dans l'air lui indique qu'il a plu, mais que l'averse est terminée. Elle se redresse vivement, alarmée par le silence, et constate que Lucy dort tranquillement.

Pour Nell, la peur est une émotion relativement nouvelle, qu'elle ne sait pas trop comment gérer. Avant la première hospitalisation de Lucy, elle n'avait jamais réellement paniqué. Étant petite, on leur avait lu à l'école, juste avant Noël, une histoire de fantômes intitulée *Âmes perdues*. Elle en avait eu des frissons dans le dos, et la nuit venue, elle ne cessait de se retourner pour vérifier qu'il n'y avait rien derrière elle. À l'époque, elle avait cru que c'était cela, la peur. Mais elle sait aujourd'hui qu'il s'agit d'autre chose : un petit corps d'enfant perdu entre les draps blancs d'un lit d'hôpital, un nébuliseur sur le visage ; l'impuissance absolue ; essayer de conserver une façade sereine et apaisante pendant que des pensées atroces, inconcevables, se bousculent dans votre esprit. Voilà ce que c'est, la peur. Nell se demande parfois si ce premier séjour à l'hôpital n'a pas fondamentalement modifié la chimie de son cerveau, transformant irréversiblement une optimiste en angoissée. Ces temps-ci, elle sursaute au moindre bruit, tressaille quand on la touche subrepticement.

Lorsqu'elle retourne dans sa chambre sur la pointe des pieds, elle manque trébucher sur une des chaussures qu'Alexander a négligemment abandonnées avec le reste de ses vêtements, qu'elle doit ramasser chaque matin comme des détritus. Nell dépose sur un fauteuil son peignoir couleur pêche et se glisse auprès d'Alexander, son visage niché dans la tiédeur de son dos.

— Tout va bien ? murmure-t-il, enregistrant sa présence sans se réveiller pour de bon.

— Oui, tout va bien, dit-elle simplement.

4

Alexander voudrait bien savoir s'il arrive fatalement un moment dans une relation où les choses que l'on aimait deviennent précisément celles que l'on déteste.

Il observe Nell qui feint de dormir. À sa respiration bruyante, contrôlée, il comprend qu'elle fait semblant. Quand elle est vraiment endormie, Nell est parfaitement silencieuse. Au tout début de leur liaison, il lui arrivait même de lui prendre le pouls s'il s'éveillait en pleine nuit, afin de s'assurer qu'elle était toujours vivante.

Il meurt d'envie de la voir se redresser dans le lit pour lui faire une scène, mais il sait bien qu'elle n'est pas assez égoïste pour chercher à se venger de son attitude de tout à l'heure. Elle a bien compris que le plus raisonnable était d'attendre le week-end pour discuter tranquillement. Autrefois, il appréciait énormément son bon sens, mais aujourd'hui il a envie de hurler :

Je ne sais pas si je désire un deuxième enfant !

Je ne sais pas où va ma vie !

Je ne sais pas si je t'aime encore !

Avec un soupir, Nell se retourne comme les dormeurs de cinéma. C'est complètement idiot qu'elle fasse semblant de dormir pendant que lui feint d'être

70

dupe. Il est à deux doigts de la tirer de son sommeil factice pour qu'ils rient ensemble de cette absurdité. S'il ne le fait pas, c'est pour éviter de s'engager dans une conversation de fond, car l'idée de lui avouer qu'il n'est plus très sûr de l'aimer le remplit de terreur.

Il n'exclut pas que Nell éprouve la même chose à son égard, mais il en doute fort. Elle est capable d'aborder les problèmes sans que la relation soit définitivement gâchée, elle. « Suis-moi sur cette route, semble-t-elle lui dire, il fait noir et ce n'est pas très rassurant, mais je suis là pour te tenir la main, et nous finirons peut-être par y trouver ce qui nous tient à cœur. » Lui n'a pas son courage. Il craint qu'il n'y ait plus d'avenir pour eux s'il dévoile ses pensées, pas de retour en arrière possible. Et il n'est pas certain de le vouloir.

Il se garde de poser sur sa tempe le baiser habituel, de peur de la décider à ouvrir les yeux.

Alexander descend à la cuisine, boit une lampée de jus d'orange à même le carton et se précipite dehors sans prendre son bol de céréales quotidien. L'averse de la nuit a rafraîchi l'atmosphère, mais un soleil radieux illumine le ciel lavé. Il sort de sa veste ses lunettes noires et cueille en chemin un pissenlit dans la haie.

C'est typiquement le genre de matinée qui lui laisse espérer un bouleversement dans sa vie.

Alexander pénètre dans la fraîcheur du hall de gare à l'instant où le train qui précède le sien arrive. Renonçant à acheter son journal et une barre chocolatée, il se hâte vers le quai ; il s'installe sur le dernier siège libre au moment où le convoi s'ébranle. Une ou

71

deux personnes le dévisagent comme s'il s'était incrusté dans une soirée privée. Il n'y a pratiquement que des hommes en costume dans le compartiment, des employés de la City. Son vis-à-vis en complet marine à fines rayures est quasiment chauve, mais une pellicule s'est déposée sur le col légèrement luisant de sa veste. Après un coup d'œil au pantalon de treillis d'Alexander, il se replonge dans son rapport relié. Hier encore, si l'on avait interrogé Alexander sur la couleur des sièges de son train habituel ou sur la physionomie de ses compagnons de voyage, il aurait été bien en peine de répondre. À présent, dans ce compartiment dominé par le rouge, il lui revient à l'esprit que son fauteuil coutumier est bleu et qu'il voyage dans le sens de la marche, contrairement à aujourd'hui. Parmi les habitués, il pourrait citer la quinquagénaire bavarde qui exhibe toute une collection de boucles d'oreilles en or, la fille aux mèches orangées qui retouche son maquillage avant l'arrivée en gare Victoria, ou encore ce garçon avec une tache de vin sur la joue droite, juste à côté de lui, dont le lecteur de CD portable émet, à travers son casque, des petits sons métalliques tout le long du trajet. Alexander est sensible à leur absence. Son voisin actuel se distingue essentiellement par l'imposante alliance en or qu'il porte à l'annulaire, le reste de sa personne disparaissant derrière les feuillets du *Daily Telegraph*. Alexander regarde par la fenêtre après un rapide coup d'œil aux gros titres. D'ordinaire, il anticipe les différents points de repère qui jalonnent sa ligne, mais aujourd'hui, il se laisse surprendre car il se sent un peu bizarre, la réalité lui apparaît légèrement faussée...

Un portable se met à sonner. La version électronique de la *Pastorale* de Beethoven a retenti à l'autre bout de la voiture, mais plusieurs personnes s'empressent d'extraire leur mobile de leur sac.

— Je suis dans le train, explique le destinataire de l'appel. Il est à l'heure...

Comme si ses paroles avaient déclenché un système de freinage automatique, le train s'immobilise avec des grincements aigus. Tous les passagers retiennent leur souffle tandis que le propriétaire du portable baisse le ton d'un air contrit. Lorsque le train redémarre, au soulagement général, Alexander s'aperçoit qu'il a tiré lui aussi son mobile de sa poche. D'un sourire, le bonhomme dégarni qui lui fait face lui souhaite la bienvenue au club. Alexander promène son regard entre le chauve et son portable, puis il compose le numéro de l'école. Personne n'est arrivé pour le moment, il entend s'enclencher le répondeur. Il est sur le point de laisser tomber lorsqu'il devine que son vis-à-vis est en train d'écouter.

— Ici Alexander. Je serai absent aujourd'hui.

Un bip se fait entendre au moment où il raccroche, et le signal BATTERIE FAIBLE s'affiche sur l'écran. Le bip se répétant quand il remet le téléphone dans sa poche, Alexander l'éteint définitivement d'un geste triomphal.

Alors qu'on approche de Victoria, le train fait un nouvel arrêt sur un pont. Sur les eaux gonflées de la Tamise étincelante, une brise vigoureuse dessine des vagues, prêtant à la rivière argentée l'apparence de fraîcheur accueillante d'un océan. Les compagnons d'Alexander rangent leurs dossiers, referment leur ordinateur portable, font claquer fébrilement les serrures de leur attaché-case. Pressés de descendre, certains se dirigent déjà vers les portes. Le train finit par stopper. Alexander est le dernier à sortir.

Un parfum de café fraîchement moulu flotte dans le hall de la gare. Alors qu'il prend comme de coutume la direction du métro, Alexander se souvient qu'il s'est accordé la journée. Il ne parvient pas à s'expliquer cette initiative. À présent qu'il n'est plus coincé parmi les autres passagers, il ressent moins vivement le besoin de se démarquer, mais puisque la décision est prise, il n'a pas envie de faire machine arrière. Pourquoi gaspiller cette belle journée en s'enfermant dans la salle des profs en sous-sol ? Il n'a pas de cours aujourd'hui, juste des rapports à rédiger. Un travail qu'il pourra très bien boucler en une demi-heure lundi matin.

S'il retourne chez lui maintenant, il arrivera à peu près en même temps que Nell, qui aura déposé Lucy à l'école. Il l'imagine dans l'allée de la maison, l'air songeur, puis il se voit, lui, attendant sur le seuil. Elle secoue la tête parce qu'il a encore oublié ses clés, mais la feinte contrariété laisse transparaître sa joie au moment où elle leur ouvre la porte. Néanmoins, une fois entrés, l'imagination lui fait défaut. Il ignore ce qui peut se passer à l'intérieur.

L'odeur du café et des pâtisseries toutes chaudes lance un appel irrésistible à son estomac qui crie famine. Il va s'offrir un bon petit déjeuner avant de rentrer chez lui.

Seul client à commander un café sur place, il va s'installer au fond de la salle avec sa tasse et un feuilleté aux noix de pécan. La première couche du gâteau gras et sucré reste collée à son palais encore à vif, tandis que la saveur du café le ramène en Italie, puis dans le bar de Soho où il a bu un expresso la veille. Il engloutit rapidement son café et repart sans terminer son gâteau.

Quand il se retrouve dans le hall, une foule d'individus à la mine fatiguée se pressent dans sa direction. Il éprouve l'impression fugace qu'ils sont là pour l'accuser, avant de réaliser qu'ils s'acheminent simplement vers la station de métro. Il essaie de se frayer un chemin en sens inverse, sachant que le train doit partir dans une minute.

— Ils pourraient quand même nous tenir au courant, maugrée une femme.

Un homme ajoute à l'intention d'Alexander, qui ne comprend pas immédiatement qu'il s'adresse à lui :

— Plus de trains jusqu'à nouvel ordre, mon vieux.

Près des quais désertés, un vigile inscrit au marqueur bleu sur une pancarte blanche : LE TRAFIC EST MOMENTANÉMENT INTERROMPU.

— Que se passe-t-il ? s'informe Alexander.

— Un problème sur la ligne, répond simplement l'employé.

Alexander emboîte le pas à la foule en soupirant. Au moment d'être aspiré dans la station de métro, il remarque les triangles de ciel bleu à travers les découpes de l'auvent de la gare. Combien de temps lui faudrait-il pour aller prendre un autre train à Charing Cross ?

Le vacarme de la circulation le met au supplice, mais le niveau sonore devient plus supportable quand il traverse Saint James Park. À la faveur d'une pause, il prend soudain conscience de tout ce qui l'entoure : les nuances chatoyantes des fleurs, les bribes de chants d'oiseaux, leurs mélodies improvisées. Il s'assied sur un banc. Deux hommes en costume passent devant lui

– des fonctionnaires, probablement, voire des parlementaires qui s'entretiennent à mi-voix des affaires de l'État, la mine compassée. Il replie ses longues jambes pour ne pas gêner la joggeuse qui passe au même moment. Avec son sourire étincelant et sa dentition irréprochable, elle est forcément américaine. En la regardant s'éloigner, son sac à dos vert vif tressautant sur ses épaules, il se demande si le résultat compense vraiment les années passées avec la bouche criblée de bagues. À moins que le désir anxieux de plaire qu'il a décelé dans ses yeux ne soit justement le résultat de son passé d'adolescente ingrate.

Un homme de son âge, ou peut-être un peu plus jeune, s'approche avec un landau turquoise et marine. Il prend place en souriant à l'autre bout du banc et tire une cigarette du paquet qui repose, incongru, sur la couverture bleu clair. Surprenant le regard d'Alexander au moment où il l'allume, il lui tend le paquet pour lui en offrir une. Alexander s'empresse de refuser, mais, pour atténuer sa réprobation, il demande :

— Quel âge a-t-il ?

— Quatre mois, répond le jeune père, rayonnant.

— C'est le premier ?

— Oui. Et vous, vous avez des enfants ?

— Une fille. Elle a cinq ans.

— C'est super, non ?

— Oui, quand ils sont endormis ! réplique Alexander en désignant le bébé couché sur le dos, les poings à hauteur du visage.

— Ce n'est pas faux, admet son interlocuteur en soufflant la fumée de sa cigarette.

Tous deux éclatent de rire.

Au souvenir de l'immense plaisir qu'il a ressenti ce matin en regardant Lucy dormir, aussi sereine et adorable qu'un bébé, de son odeur d'innocence quand il s'est penché pour l'embrasser discrètement sur le front, Alexander se repent de son injustice. Lucy est une enfant formidable, intelligente et jolie. Il adore voir sa langue pointer entre ses lèvres quand elle s'applique à déchiffrer un texte, ainsi que les portraits qu'elle fait d'elle-même avec ses pinceaux, tout en doigts et en orteils. Pourquoi est-il allé dire qu'il la préférait endormie, et pourquoi se sent-il dépassé par ses responsabilités envers elle ?

Il regarde son voisin tirer goulûment sur sa cigarette. « Si vous connaissiez les risques, fait-il en son for intérieur, vous arrêteriez de fumer. » Il cherche sans succès un moyen de l'alerter sans avoir l'air d'un père-la-morale. Le sentiment d'échec qui l'envahit peu à peu ressemble à un nuage qui masque le soleil et ternit les couleurs.

— Au revoir, dit-il en se levant.

— À plus, répond l'autre d'un ton jovial.

Au lieu de prendre la sortie d'Amiralty Arch, Alexander préfère continuer sa promenade dans le parc. Pour le moment, il n'a pas le courage de rentrer chez lui.

Il longe les bords du lac vers le sud en essayant de se concentrer sur les questions qui tournent dans sa tête, tel un essaim de guêpes autour d'un panier de pique-nique. D'abord, pourquoi s'est-il spontanément montré si hostile à la perspective d'un deuxième bébé ? Est-il seulement contrarié de ne pas avoir pris part à la décision, ou ne souhaite-t-il vraiment pas d'autre enfant ? Il pencherait plutôt pour la seconde solution, bien qu'il soit toujours froissé que Nell lui ait caché qu'elle pouvait tomber enceinte. Mais pour quelle raison ne désire-t-il pas d'autre enfant ? Parce qu'il le lierait davantage à Nell, ou parce qu'il refuse tous les soucis qu'occasionne un enfant ? Si on lui garantissait qu'il ne revivrait pas les mêmes inquiétudes qu'avec Lucy, serait-il plus favorable à la naissance de ce bébé ?

Et Nell ? Est-il encore amoureux d'elle ?

Il a beau s'efforcer de porter sur la situation un regard plus positif, s'interroger d'une manière simple et rationnelle, les questions ne cessent de se multiplier pour aboutir toujours à la même interrogation : À quoi aspire-t-il ?

Ce qu'il veut plus que tout, c'est s'étendre sur une plage avec le sable chaud qui lui chatouille les orteils ; nager dans le silence parfait des profondeurs marines ; s'asseoir sur une place paisible dans un village d'Italie, accueillir sur son visage la douce chaleur du soleil et regarder vivre les gens. Il veut retrouver ce qu'il possédait autrefois et qu'il pensait ne jamais abandonner.

Alexander s'installe sur un banc, à l'ombre d'un arbre, le visage enfoui dans les mains. Il rejette la tête en arrière avec un profond soupir. Quand il rouvre les yeux, il voit un ciel plus bleu que bleu à travers les fleurs roses des cerisiers...

5

— Papa a oublié sa montre, observe Lucy pendant son petit déjeuner. Il soufflait sur un pissenlit pour connaître l'heure.

L'image d'Alexander descendant nonchalamment l'allée en soufflant sur un pissenlit provoque chez Nell un sursaut viscéral d'optimisme.

— Il a oublié de me faire au revoir, précise la fillette.

À ces mots, la silhouette décontractée qu'elle vient juste d'imaginer s'efface devant un Alexander soucieux.

— Il a sans doute cru que tu dormais.

— J'espère que tu as raison, concède la fillette de cinq ans, en portant d'un air pensif une cuillerée de corn-flakes sans lait à sa bouche.

De l'autre côté de la vitre, un gros bourdon plane à quelques centimètres du visage de Nell. Elle se souvient du jour où elle est rentrée précipitamment à Londres après avoir vu la maison. « L'air de là-bas : on a l'impression de respirer du miel ! » avait-elle annoncé à Alexander pendant le dîner, dans la cuisine sombre de la petite maison de Kentish Town aux relents de maladie. « Ça nous ferait tellement de bien à tous les trois ! »

Nell contemple le vert tendre des feuilles et l'éclat des fleurs blanches sur les deux vieux pommiers, dont les branches noueuses forment un arceau au-dessus de l'allée. Même si elle en sait assez sur les allergies pour écrire un livre, elle ne peut s'empêcher par moments de les réduire à un mauvais sort qui transforme la beauté en poison.

— Tu veux bien prendre ton antihistaminique ?

Nell verse cinq millilitres de liquide transparent dans le doseur en plastique.

— Tu lèches la cuillère ?

Lucy lèche consciencieusement le sirop collant et fait un sourire. C'est un de ces moments où Nell se sent vraiment mère. Elle se souvient de la sensation de pur bonheur quand sa mère à elle lui laissait lécher la cuillère à pâtisserie, du goût farineux de la pâte à génoise encore molle, de la spatule en bois très légère- ment rugueuse qui glissait sur sa langue. Tous les enfants s'accorderont à dire que c'est un vrai régal de lécher la cuillère.

Le père de Ben, le meilleur ami de Lucy, passe au bout de leur allée en faisant son jogging matinal. Il les salue en souriant avant de disparaître de nouveau der- rière la haie d'aubépine. Au bout d'une minute, Nell réalise qu'elle n'a pas détaché les yeux du buisson vaporeux, de l'autre côté du chemin.

— Je crois que je vais demander à Mme Bunting de te garder dans la classe pendant la récréation.

— Pourquoi ? s'étonne Lucy, non sans raison.

— Il me semble que c'est le début du rhume des foins. D'après moi, ça explique que tu aies eu du mal à respirer cette nuit. Tu sais, les fleurs des arbres envoient plein de pollen dans l'air. Tu ne le vois pas,

mais il rentre dans tes narines et te fait éternu[er] [sans]
arrêt.

— Je comprends.

Malgré le stoïcisme de Lucy, Nell a le cœur serré en l'imaginant enfermée seule pendant que ses camarades s'amusent dehors. Quand ils avaient décidé d'emménager ici, elle se voyait sautillant sur les petits chemins de campagne avec sa fille, en route pour l'école. En réalité, Lucy a toutes les peines du monde à respirer en été, et le froid humide de l'hiver semble gripper ses poumons. Du coup, elles prennent presque toujours la voiture.

Nell s'entend brusquement déclarer :

— Tu sais quoi ? Vu que la journée est splendide, on pourrait aller à la mer, qu'est-ce que tu en penses ? On irait rendre visite à Frances.

Il y a six mois, calcule-t-elle, que Frances est rentrée de Tokyo. Depuis, elles se téléphonent une fois par semaine, mais elles ne se sont toujours pas revues.

— Youpi ! C'est qui, Frances ?

— Une vieille amie.

— Quel âge elle a ? Est-ce qu'elle est aussi minuscule que mamie ? Les gens, ils rapetissent en vieillissant, non, maman ?

— Elle n'est pas si vieille que ça. Je voulais juste dire que je la connaissais depuis longtemps. Plus longtemps que papa, en fait.

— Et l'école ? demande Lucy, partagée entre l'enthousiasme et la méfiance.

— Comme on est vendredi, Mme Bunting ne dira sûrement rien si tu manques pour la journée.

— Ben ne s'ennuiera pas de moi, je pense ?

Chaque fois que Lucy construit sa question avec

une négative, il faut comprendre le contraire de ce qu'elle dit.

— Pour une journée, ça ira. De toute façon, on va jouer au tennis avec lui demain matin.

— Ah oui, c'est vrai ! s'exclame Lucy avec un sourire de soulagement.

Ben et Lucy n'ont que cinq ans, mais ils forment un vrai petit couple. Ils viennent juste d'atteindre le stade où l'on trouve ridicule de se donner la main à l'école. Donc les garçons et les filles restent chacun de leur côté en classe. Cependant, ils sont encore trop petits pour songer à cacher leur amour en présence de leurs parents.

— Je pourrai aller jouer sur la plage ?

— Oui, s'il fait assez bon.

— J'ai le droit d'emmener Lizzy Angel ?

— D'accord, mais fais attention de ne pas la perdre.

Frances ne répondant pas à son coup de téléphone, Nell se reproche d'avoir fait sa proposition à Lucy avant de s'assurer que son amie était bien chez elle. Elle a horreur d'offrir quelque chose pour le retirer ensuite. Tant pis, elles iront quand même à la mer. Frances finit par décrocher juste au moment où elle allait renoncer.

— Bon Dieu, mais quelle heure il est ? grommelle-t-elle d'une voix ensommeillée. Les gens qui ont des enfants ont-ils oublié comme il est agréable de dormir, ou cherchent-ils à se venger d'être privés de sommeil ?

— J'aimerais passer te voir avec Lucy.

— Lucy et Lizzy Angel, intervient la fillette.

— Aujourd'hui ?

— Oui, ça pose problème ?

— J'ai cours ce soir, mais...

— T'inquiète pas, nous serons reparties.

— Très bien... ou plutôt... formidable... À quelle heure vous mettez-vous en route ?

— Dans une minute, fait Nell, tout excitée, avant d'ajouter en tenant le combiné en l'air : Lucy, dis à Frances que c'est ta plus préférée du monde !

— Tu es ma plus préférée du monde ! s'écrie la petite fille.

— Ma plus préférée du monde ? répète Frances.

— Quand elle était toute petite, explique Nell, je lui disais toujours qu'elle était ce que je préférais au monde. Et c'est sa version à elle qui est restée.

Elle se sent un peu mal à l'aise, car Frances ne supporte pas la mièvrerie.

— À plus tard ! conclut-elle en souriant à Lucy.

— On va à la mer ! s'égosille l'enfant en faisant des bonds sur place. Je peux prendre ma pelle et mon seau ?

— Si on arrive à mettre la main dessus.

Dans le jardin, où le soleil ne donne que l'après-midi, l'air est encore très frais. Nell soulève doucement la bâche du bac à sable. Un dépôt de moisissure verte s'est formé sur le sable de l'année précédente et sur la queue de la pelle qui en émerge, telle une sculpture d'art moderne. Alexander n'a pas fait son voyage annuel au Centre d'activités d'éveil pour acheter une nouvelle cargaison de sable. Les larmes brouillent la vue de Nell. C'est juste un bac à sable à l'abandon, se répète-t-elle, pas une métaphore de notre relation. La douleur nous pousse à donner une interprétation affective de tout ce que l'on voit. Elle repense à sa violente dispute avec Alexander, la semaine précédente, parce qu'elle avait mis le vieux tapis de sa mère à la poubelle. Elle écarte ce souvenir en frissonnant et replace la bâche en plastique rouge.

Vêtue seulement de sa petite culotte, de ses chaussures de ville et d'une paire de chaussettes grises, Lucy se tient au milieu du fatras de vêtements qui jonchent le plancher de sa chambre.

— Je ne sais pas quoi mettre, se plaint la fillette avec un haussement d'épaules bien au-dessus de son âge.

À genoux par terre, Nell entreprend de tout remettre dans la commode.

— Qu'est-ce que tu dis de ça ? Je crois bien que c'est Frances qui te l'a envoyé pour ton dernier anniversaire.

— Comment elle a su que c'était mon anniversaire ?

— J'ai dû le lui dire.

— Elle m'a déjà vue, Frances ?

— Non, jamais.

— Comment ça se fait ?

— Parce qu'elle habitait à l'autre bout du monde. Mais elle est rentrée, maintenant.

Nell ramasse un jean délavé de chez Gap brodé d'un motif de fleurs et de papillons. *Je regrette de ne plus avoir l'âge de le porter*, avait dit Frances dans son petit mot d'accompagnement.

— Il m'est trop grand, objecte Lucy. Je crois qu'elle ne connaissait pas ma taille.

— Essaie-le, tu as grandi depuis.

La fillette enfile le jean à contrecœur. Il est toujours trop ample, mais il ne glisse pas sur les hanches. Nell lui fait passer un tee-shirt blanc à manches longues avant de la serrer dans ses bras. Lucy a un corps tout frêle de petit oiseau, mais son étreinte affectueuse est d'une vigueur étonnante. Nell bout d'impatience de la présenter à Frances.

— Dis maman, je crois que tu devrais t'habiller aussi.

Son souci très mature des convenances amuse beaucoup Nell.

— Moi qui comptais partir en chemise de nuit !

Lucy hésite entre la stupéfaction et les larmes.

— Je t'ai bien eue !

Le rire déchaîné de l'enfant la remplit d'un tel bonheur qu'elle en oublie tout le reste, pendant un bref moment de répit.

En voiture, Nell a l'habitude de se brancher sur Heart FM. Elle sait qu'elle devrait plutôt écouter des émissions littéraires et politiques pour se forger une opinion sur l'actualité, mais elle préfère toujours opter pour les variétés sentimentales. Sur Heart FM, la plupart des chansons lui rappellent un événement important de son existence.

— J'adore ce morceau ! déclare-t-elle lorsque le DJ annonce *Oh Babe, What Would You Say ?* de Hurricane Smith.

À force de l'entendre en boucle, son père avait fini par lui confisquer le disque tout un week-end. Elle avait passé deux jours à sangloter dans sa chambre, persuadée qu'elle ne survivrait pas sans les envolées sirupeuses de Hurricane.

Le DJ couvre les derniers accords pour préciser la date du single. Nell en déduit qu'il remonte à ses neuf ans, un âge idéal pour s'enticher d'une pop star. Alors qu'elle s'interroge sur le nom curieux du chanteur, il lui semble encore entendre sa mère lui dire, comme pour condamner une bonne fois pour toutes son amour de vinyle : « Tu crois que ça ressemble à quelque chose, de s'appeler Hurricane, ma chérie ? » Elle avait déjà la même voix qu'aujourd'hui.

Depuis peu, Nell a remarqué que certains de ses propos, certains de ses gestes ont un petit arrière-goût de déjà-vu. Cela ressemble fort aux premiers symptômes de la quarantaine, mais elle ne se voit pas vieille du tout, elle, beaucoup moins en tout cas que ses parents quand elle était petite. Se sentaient-ils jeunes à l'époque ? Tout compte fait, c'est peut-être encore un signe de l'âge, de se prétendre jeune à trente-sept ans.

La radio diffuse *I'm not In Love*. Il est resté plusieurs semaines en tête des hit-parades, se souvient Nell, et il clôturait toujours les soirées pour jeunes à la discothèque. Elle le trouvait un peu geignard à l'époque, mais aujourd'hui elle braille les paroles en chœur en se persuadant qu'elle ne les aime que par dérision.

— Maman, tu veux bien arrêter ? proteste Lucy.

— Ça me rappelle quand j'étais jeune.

— J'étais où, moi ?

— Toi, tu n'étais pas née.

— J'étais bébé ?

— Non, pas encore.

— Je pleurais beaucoup quand j'étais bébé ?

— Pas tant que ça, lui fait croire Nell en étendant le bras pour serrer son genou. Tu étais un gentil bébé, et maintenant tu es une mignonne petite fille.

— Lizzy Angel aussi, elle a été bébé ?

— Non, pas elle.

Satisfaite de la réponse, Lucy annonce en regardant par la vitre :

— Je vois quinze chevaux dans un pré.

Chaque cheval lui rapporte dix points.

— Quinze ? demande Nell, sceptique. Tu les as comptés ?

— Un, deux, trois, quatre, cinq, six, sept, huit, neuf, dix, onze, douze, treize, quatorze, quinze !

Lucy fait le décompte à toute allure, alors qu'elles ont déjà dépassé le pré depuis un bout de temps.

— Dans ce cas, admet Nell d'un ton un peu las, ça te fait cent cinquante points.

Quand elle a inventé le jeu du « Je vois » à points, elle ne soupçonnait pas que Lucy tricherait sans vergogne, et l'esquimau en récompense des mille points semblait alors un objectif inatteignable.

— Lizzy Angel a vu un ours blanc. Ça vaut combien, un ours blanc ?

— Mais il n'y a jamais eu d'ours blancs sur la M23 !

— Si, regarde !

En fait d'ours blanc, il doit s'agir simplement du logo bleu dessiné sur le camion qui s'apprête à les doubler.

Nell observe Lizzy Angel dans le rétroviseur, étonnée qu'une petite poupée aux cheveux de laine rouge, aux yeux et au nez en point de croix arrive à lui porter autant sur les nerfs.

L'intro syncopée de *Let's Dance*, reconnaissable entre toutes, résonne dans la voiture. Nell monte le son et ondule du buste en cadence, autant que le lui permet sa ceinture de sécurité.

Elle a dû danser sur ce morceau une bonne centaine

de fois au cours des soirées étudiantes de sa jeunesse, mais c'est à Alexander que la ramène cette chanson. Alexander tout bronzé, en caleçon de bain rouge et chemisette à palmiers, buvant sa bière au goulot dans la pénombre du bar. Les guirlandes de Noël clignotantes laissent voir son visage par intermittence. Il la salue en levant sa bouteille.

C'est alors que Frances réapparaît avec deux bières et s'exclame :

« Ça alors ! Avec tous les bars qui existent au monde... »

Let's Dance, un des rares titres qui passait sur le juke-box de l'endroit, était diffusé en boucle. Ils avaient un peu forcé sur la bière, et Nell et Frances, complètement ivres, s'étaient mises à danser en s'agitant dans tous les sens, prises de fou rire. Nell sentait confusément qu'Alexander les observait depuis sa table, sa bouteille de bière à la main. Quand elle s'était immobilisée pour lui adresser un sourire, le rythme du morceau, la voix de Bowie et le sourire d'Alexander lui avaient donné une folle envie de se retrouver dans son lit.

— Pourquoi tu te fais du souci ? interroge Lucy en observant sa mère dans le rétroviseur.

— Mais non, tu te trompes ! assure Nell avec une gaieté contrainte.

— Moi j'aime bien quand tu as l'air contente !

Tout avait commencé ainsi. Après avoir vu Alexander détendu, Nell avait oublié l'expression de froideur dédaigneuse qu'elle lui avait connue. Cette nuit-là, elle était restée longtemps éveillée dans leur bungalow au toit de palmes, écoutant le souffle chargé d'alcool de Frances.

Elle avait l'impression de se trouver au seuil de quelque chose qui risquait de s'évanouir si elle fermait les yeux.

Le lendemain, ils étaient partis tous les trois faire de la plongée, mais le bateau étant plein à craquer, on avait fait redescendre deux passagers. Montés les derniers, Nell et Alexander avaient dû se sacrifier. Tandis que Frances les regardait depuis la petite embarcation ahanante qui s'éloignait vers le récif de corail, Nell avait un peu eu le sentiment de la trahir, comme si elle avait manigancé cette séparation.

« Nell est le diminutif de quel prénom ? avait voulu savoir Alexander.

— Helen.

— Helen, avait-il répété comme s'il s'agissait d'un prénom bien à part. Sais-tu qu'Hélène de Troie avait elle aussi des boucles blondes ? avait-il ajouté en touchant ses cheveux. »

Lorsque le bateau n'avait plus été qu'un point à l'horizon, il lui avait demandé :

« Alors Helen, quel est notre programme de la journée ? »

Notre programme ?

Après avoir bavardé toute la matinée allongés sur la plage, ils avaient mangé du calamar grillé avec les doigts. L'après-midi, ils avaient fait l'amour sur le plancher du bungalow d'Alexander.

Lorsque le bateau de Frances avait accosté, ils l'attendaient sur la plage, main dans la main.

« Ce n'est pas tout à fait une surprise, avait déclaré Frances.

— C'est vrai ? avait demandé Nell, abasourdie. Pourquoi tu ne m'en as pas parlé ? »

Elle lui avait répondu par un rire sans joie.

Frances en sait toujours plus que tout le monde.

— C'est encore loin ? s'impatiente Lucy en gigotant sur la banquette arrière.

— On va bientôt voir la mer.

Quand elle repense à ces vacances, Nell conserve l'image de deux personnes en train de tomber amoureuses. Ces deux personnes bavardent infatigablement, mais elle n'entend pas leurs paroles. Elles font l'amour, se lèchent, se pénètrent, essaient en riant toutes les positions possibles, mais les sensations lui demeurent inaccessibles : c'est comme si elle se voyait avec lui sur un film vidéo muet. À trois ans, Nell est tombée avec son tricycle au beau milieu des orties. Elle se revoit en larmes sur les genoux de sa mère, qui applique sur ses mollets des feuilles de patience vert sombre, mais la brûlure des orties et le son de ses pleurs ont disparu de sa mémoire. Elle n'a oublié ni combien elle trouvait à la fois excitant, surprenant, terrifiant et fabuleux de tomber amoureuse d'Alexander, ni son impression de flotter sur un nuage, complètement émerveillée ; elle détient même une preuve de son bonheur un peu exalté – une photo d'eux, souriant par-dessus leur tranche de pastèque, que Frances a prise à l'époque –, mais l'univers de sa mémoire ne possède plus que deux dimensions : la saveur fraîche et sucrée de la pastèque, le goût du charbon sur les calamars grillés, celui du sel sur la peau de son nouvel amant... tout cela est perdu pour elle.

La voiture file à travers les South Downs sur l'air des Pet Shop Boys *Always on My Mind*. Nell ignore à quel moment les débuts de leur amour sont devenus un souvenir purement visuel, coupé des sons, des odeurs et des sensations tactiles. Éteignant la radio, elle baisse la vitre pour que le vent sèche ses larmes.

6

Dans le tunnel carrelé de blanc qui passe sous Piccadilly Circus, une pancarte annonce tous les cinquante mètres : CES LIEUX SONT PLACÉS SOUS VIDÉO-SURVEILLANCE. Pourtant Alexander n'aperçoit pas la moindre caméra. Ce passage pour piétons ferait plutôt penser à un couloir d'hôpital. Le sol est blanc, les murs également, et on ne voit pas la sortie depuis l'entrée. En ce moment, Alexander est la seule personne à le traverser.

Sa démarche a quelque chose de grotesque, avec ses semelles qui adhèrent en couinant au carrelage étincelant. Il imagine l'agent de sécurité s'ennuyant dans une minuscule salle remplie d'écrans, quelque part au-dessus de sa tête, alerté soudain par la silhouette d'un homme qui se pavane sur l'écran en noir et blanc. Alexander s'arrête brusquement lorsqu'une femme en tailleur marine le croise en évitant soigneusement son regard. On ne sait jamais, s'il était porté sur la violence...

Sous l'arcade du Trocadero, trois hommes jouent à la machine à sous. Avaient-ils déjà décidé en se levant de faire quelques parties de bandit manchot, ou se sont-ils laissé séduire par l'éclairage clinquant et l'atmosphère d'intemporalité qui règne dans ces lieux privés de lumière naturelle ? À neuf heures du soir, l'endroit n'aura pas du tout changé.

Dans les théâtres proches de Shaftesbury Avenue, on joue *Brève rencontre* et *Le Lauréat*. Les pièces ont-elles été tirées des films, ou est-ce plutôt l'inverse ? Alexander ne sait pas trop. Quelle est la dernière pièce qu'il a vue ? Cela remonte à si loin qu'il ne se souvient plus.

Au moment d'entrer dans un Starbucks, il avise devant la vitre un groupe d'étudiants étrangers. Une jeune Japonaise qu'il a remarqué parmi les élèves de Mel rejoint ses amis avec un muffin sur un plateau, un petit sac à dos Vuitton suspendu au poignet. Peu enclin à discuter avec une étudiante, Alexander fait demi-tour, traverse et s'engage dans une rue latérale dont les porches d'immeubles empestent l'urine.

Une fille bâille à la porte d'un peep-show. Elle a gardé le maquillage de la nuit, un épais mélange de poudre et de fond de teint qui commence à se craqueler. Devant l'étroit miroir qui va du sol au plafond, elle farde ses lèvres en rouge sang et estompe la couleur avec un mouchoir en papier, qu'elle fourre ensuite dans la manche de son tee-shirt moulant en faux léopard. Son air de « Tu m'as jamais vue ? » lorsque leurs regards se croisent incite Alexander à presser le pas, gêné de l'avoir dévisagée.

Il commence par se tromper de café ; reflet inversé de celui de Marco, celui-ci a le bar de l'autre côté, et des parts de tarte à la crème dorées s'alignent sur la desserte en verre. La jeune fille aux longs cheveux noirs qui tient la caisse a les pommettes hautes et l'air égaré qu'il associe d'ordinaire aux Portugais. Il s'excuse avant de ressortir sous son regard ahuri.

Plongé dans la lecture du *Corriere del Sport*, Marco lève la tête à son entrée et répond à son *Buon giorno* sans avoir l'air de le reconnaître.

— *Per cortesia, un caffé !* demande Alexander, heureux d'entendre couler naturellement de sa bouche une langue qu'il ne pratique plus depuis longtemps.

— Un café ! transmet l'Italien, qui, vexé ou ennuyé, ne tient visiblement pas à converser dans sa langue maternelle.

Alexander va s'installer au fond du bar avec son expresso, face à la porte. Il n'a rien à lire, mais il craint trop de la manquer s'il fait un saut chez le marchand de journaux. Il promène son regard autour de la salle en essayant d'identifier toutes les équipes italiennes grâce à leur bannière, puis parcourt le menu crayonné sur le tableau noir en attribuant un nom à chacune des garnitures pour sandwichs exposées sur la desserte vitrée. Il se demande si Marco nettoie chaque soir la batterie de plats en inox, quelle proportion de la garniture à la mayonnaise part à la poubelle en fin de journée, quel genre de client est susceptible de choisir l'escalope de poulet, dure et froide entre les tranches de pain frit. Au bout d'un moment, il remarque le tic-tac d'une pendule invisible.

Une femme vêtue d'une jupe en cuir commande un déca au lait à emporter. Deux maçons à la salopette raidie de poussière de ciment lui succèdent, apportant avec eux une odeur de vieilles briques et de fumée de cigarette. L'un demande des saucisses au bacon, son compagnon un sandwich aux œufs. Ils viennent s'asseoir à la table voisine d'Alexander, pendant que la

93

femme s'en va avec son gobelet en polystyrène. L'un des hommes lance une plaisanterie sur ses fesses, assez fort pour qu'Alexander participe. Il devine le regard qu'ils échangent devant son air impassible.

Arrive enfin un régiment d'étudiants italiens, qui n'appartiennent pas à son établissement. Ils rapprochent bruyamment les tables et accaparent tous les sièges libres, emportant celui qui lui fait face sans lui demander la permission. Alexander s'étonne toujours que les étudiants profitent de leur séjour à l'étranger pour vociférer dans leur langue maternelle et jurer comme des charretiers. Est-ce simplement la sensation de liberté liée à l'éloignement, ou bien la bravade collective des minorités ? Alexander constate que leur vulgarité exaspère Marco, qui se démène derrière le comptoir pour s'occuper de leurs commandes.

Les deux ouvriers saucent leur assiette avec des tranches de pain de mie. Au-dessus des jeunes Italiens, la fumée des cigarettes forme un épais nuage.

Alexander ne saurait pas dire s'il a passé dans le bar cinq minutes ou une demi-heure.

Depuis son rendez-vous manqué avec Mandy Kominski, il n'avait plus connu le supplice de l'attente. Du même âge que lui, Mandy était unanimement reconnue comme la plus jolie fille du lycée. Après qu'il eut passé tout un mois à rassembler son courage pour lui faire sa proposition, son « oui » spontané avait presque été une déception. Ils étaient convenus de se retrouver au Cosmo sur Finchley Road, à onze heures le samedi matin. Un choix peu avisé, d'ailleurs, car le Cosmo comprenait deux parties séparées : un café avec sa propre entrée, et un restaurant largement plus coûteux.

Alexander s'était présenté à l'heure dite et s'était

installé à une table du café, feuilletant un Stendhal pour se donner une contenance. Il avait commandé un expresso après quelques minutes d'attente, patienté encore un peu, fini par boire son café et en avait demandé un deuxième au bout d'un moment. Ne la voyant toujours pas arriver après la troisième tasse, il avait payé la note et était sorti. Mais en longeant la vitrine de la partie restaurant, il l'avait aperçue à l'intérieur, penchée sur le menu, bien décidée à ne pas lever les yeux. Ayant dépensé presque tout son argent, il n'avait pas osé entrer pour lui expliquer sa méprise. Il n'avait pas les moyens de lui offrir un repas – surtout pas dans un endroit pareil – et il n'aurait pas supporté d'affronter les regards entendus des serveurs entre deux âges qui faisaient la navette entre les deux salles de l'établissement. Il avait donc préféré s'en aller.

Le lundi matin, Mandy lui avait tourné le dos lorsqu'il l'avait rencontrée au vestiaire.

« J'ai attendu une demi-heure, s'était-il justifié, mais tu n'es pas venue.

— Non, j'ai pensé que c'était une idée débile », avait-elle rétorqué en secouant sa chevelure teinte au henné.

Choqué de voir avec quelle adresse elle tournait à son avantage ses excuses pataudes, il avait conçu de la méfiance envers les filles trop sûres de leur beauté.

C'est une gêne semblable qui l'envahit en ce moment, un sentiment de vide devant l'absence de Kate, même s'ils n'ont pas fixé de rendez-vous.

Une des Italiennes signale à grands cris qu'il est l'heure d'aller en cours. Le groupe se lève alors dans un raffut de chaises bousculées et va régler les consommations. Quand ils ont quitté les lieux, le café est de nouveau vide.

Alexander hésite entre plusieurs solutions. Il est encore tôt, et s'il rentre chez lui maintenant, il pourra consacrer sa journée de congé à réaménager le jardin pour l'été. Il pourra même s'arrêter au magasin bio pour prendre une brique de soupe et des petits pains frais, et déjeuner avec Nell. Ils parleront du futur bébé, et elle dissipera ses angoisses.

Il se voit, assis avec elle à la table de la cuisine, en train de lui sourire. Nell lui prend la main, lui chuchote qu'ils ont plusieurs heures rien que pour eux avant le retour de Lucy. Sa voix contient l'ombre d'une invite. Il se défile maladroitement, essaie de lui dire à quel point il apprécie leur conversation, mais elle demande d'une petite voix pleine de tristesse : « Où est le problème ? Pourquoi es-tu rentré plus tôt ? Pourquoi ce jour de congé ? Tu peux me dire ce qui se passe ? »

Son absence de réponse les renvoie au même point que la veille au soir, dans un silence lourd et oppressant.

Il décide de renvoyer son travail à plus tard.

Occupé à essuyer les tables, Marco appelle un jeune employé qui préparait des toasts à l'arrière pour qu'il encaisse Alexander. Il a laissé passer sa chance de lui demander si Kate était venue. Le serveur s'essuie les mains à son tablier et réclame d'un ton bourru :

— Quatre-vingts pence.

Sur le point de lui donner une pièce d'une livre, Alexander s'entend demander :

— Je voudrais un cappuccino, pour emporter.

Le serveur referme brutalement le tiroir-caisse et va préparer le cappuccino en choquant méchamment la vaisselle.

— Une livre quatre-vingts.

Quand il pose un couvercle sur le gobelet en poly-styrène, un peu de lait mousseux et de poudre de cacao giclent à travers le trou. Alexander ressort au soleil avec sa tasse.

C'est agréable d'être en plein air, parmi les sons et les odeurs d'une ville qui se prépare à une nouvelle journée de travail. Beaucoup mieux en tout cas que d'étouffer dans les profondeurs du métro, cramponné aux barres d'acier à essayer de se défendre des sensations importunes. Les jours de beau temps, il gagnerait peut-être à faire le trajet à pied depuis Victoria. En prenant le chemin le plus court il ne mettrait pas plus de quarante minutes, et l'exercice lui ferait le plus grand bien.

Au loin, on entend sonner neuf heures au clocher d'une église. En comptant les coups, Alexander se laisse gagner par une curieuse nostalgie.

Dans la rue qu'il a choisie, des fanfreluches et des passementeries voyantes pour robes de soirée s'étalent en devanture des boutiques. L'enseigne indique PARTI-CULIERS UNIQUEMENT. L'oncle de Mandy Kominski travaillait dans la fripe, et son père dirigeait une fabrique de bagels. Comme il est étrange que le dossier Mandy Kominski soit resté stocké pendant vingt ans dans un coin secret de son esprit qui, une fois sollicité, se met à régurgiter une foule d'informations inutiles. Il se demande ce qu'elle a pu devenir. Mariée, sans doute, probablement à un homme fortuné. Elle doit habiter une superbe villa à Golden Greens. Deux enfants ont un peu épaissi sa silhouette, et un maquillage sophistiqué souligne ses yeux noirs et ses lèvres déjà pleines. Elle sacrifie certainement aux habitudes ritualisées que semble exiger l'approche de la quarantaine. Les cours d'aérobic et l'esthéticienne une fois par semaine, les mèches chez le coiffeur tous les deux mois, les visites chez le dentiste pour l'émail de ses dents. Camoufler le plus léger défaut avant que surgisse une nouvelle imperfection. Il ne comprend pas bien que sa contrariété persiste lorsqu'il repense à elle. Après tout, son seul tort est de l'avoir attendue dans la mauvaise salle du Cosmo.

Sa vie serait-elle la même aujourd'hui s'ils s'étaient installés tous les deux côté bar ? S'il avait poussé la porte vitrée en l'interpellant : « Hé ! je suis là ! Je t'attendais à côté. »

Seraient-ils encore ensemble, Mandy et lui ? Éprouverait-il moins d'incertitudes face à son avenir ? Seraient-ils heureux ?

C'est drôle de penser qu'une action minuscule peut suffire à changer une vie.

Alexander fixe le gobelet qu'il tient à la main.

Si Kate était entrée chez Marco à cet instant, il aurait fait semblant de la croiser par hasard ; pourtant ce n'aurait pas été un accident, puisqu'il est venu précisément pour provoquer une rencontre.

Y a-t-il vraiment une différence entre cette coïncidence fabriquée et une tentative délibérée pour la revoir ? D'un point de vue moral, existe-t-il bien une différence ?

7

Avec le temps, Kate a appris à distinguer les différents bruits qui entrent par l'interstice entre le cadre et le rebord de la fenêtre à guillotine, qui refuse de se soulever de plus de quelques centimètres. Allongée dans la demi-obscurité du studio, elle ressemble à une aveugle qui reconstruirait une image de la rue en écoutant les sons : le grincement des camions des éboueurs, la puanteur de chou des ordures en décomposition, le bruit métallique des éventaires du marché que l'on monte, l'odeur d'orange pressée qui lui rappelle les fêtes de Noël.

On est en train de livrer du pain à la boutique italienne qui fait l'angle. Un grincement de freins, quelques nouvelles échangées par la vitre ouverte du chauffeur, puis le hayon se referme en claquant. L'odeur de pain frais s'attarde un moment dans l'air, si délicieusement évocatrice qu'elle suffirait presque à calmer la faim de Kate au moment du réveil.

La place de Marie est déjà vide. Elle est partie alors que la ville dormait encore, escortée par les senteurs de boudoir de son Allure de Chanel, le martèlement de ses talons résonnant dans l'allée. Depuis son départ, Kate a seulement somnolé. Le bout de son nez est glacé. Le froid qui règne dans la pièce lui donne envie de quitter son lit pour s'activer un peu, mais en se réveillant, elle est toujours tiraillée entre l'impression euphorisante de flotter au-dessus du cœur de la ville et l'idée paralysante qu'elle ne devrait pas être là.

Recroquevillée sur elle-même, elle se blottit dans le cocon des couvertures, remettant à plus tard son retour à la réalité.

Des images de lui l'assaillent dès qu'elle baisse les paupières : son visage devant les eaux dorées de la rivière, son expression quand elle dit une bêtise – une légère grimace qui se change en sourire. Le contact doux de ses lèvres est resté sur sa bouche tel un Post-it invisible, l'expression ambiguë de son regard s'est gravée dans son esprit.

Allez, ça suffit !

En sortant du lit, le genou écorché de Kate tire douloureusement. Elle attrape ses clés, une bombe de désinfectant et un rouleau de papier toilette sur l'étagère près de la porte. Situées sur le palier de l'étage inférieur, les toilettes sont communes à trois locataires, qui gardent chacune une clé. Les filles les entretiennent correctement, mais Kate passe toujours un coup de désinfectant avant de les utiliser. Le froid du siège contre ses cuisses la ramène à la réalité. C'est bien comme ça. Il faut que je vive ma vie. Elle tire la chasse d'eau d'un geste énergique.

Rentrée au studio, Kate enlève son slip et son tee-shirt et se frotte énergiquement dans la baignoire, comme pour chasser ses chimères. Le courant d'air qui entre par la fenêtre lui donne la chair de poule. Elle s'enveloppe dans une serviette et rabat les couvertures, rejetant la tentation de s'enfouir un moment dessous pour se réchauffer. Accroupie au bord du lit, elle attrape sa valise pour y prendre son guide de Londres.

Elle est persuadée que seule la méthode permet de s'en sortir dans cette ville et s'oblige donc à avoir une activité culturelle par jour, de même qu'elle se force à manger son fruit quotidien. On a vite fait d'oublier quand on n'a pas de règles, vite fait de passer toute une semaine sans culture ni vitamine C. Un vrai gâchis. Promenant ses doigts le long des rues entre Soho et Bloomsbury, elle se demande si elle a le temps de s'attaquer au British Museum avant l'heure du travail. Elle garde toujours le British Museum pour plus tard, et plus elle diffère sa visite, plus elle se sent intimidée par ses gigantesques colonnes noires de suie.

Les galeries d'art lui ont demandé plus de temps que prévu. Elle avait réservé une semaine pour la National Gallery, mais une fois placée à une longueur de pinceau d'un tableau – à l'endroit même où se tenait Van Gogh –, en train de réfléchir à ce qui était passé par la tête du peintre, elle avait changé d'avis. Elle aimerait comprendre ce qui rendait Van Gogh si furieux contre les choses ordinaires, même les tournesols. Marie a beau prétendre que c'est juste un bouquet dans un vase, Kate trouve leurs pointes folles passablement inquiétantes.

Elle ne parvient à se concentrer que sur deux toiles avant le travail, et il arrive aussi qu'elle retourne plusieurs fois voir les mêmes. Elle n'a pas encore foulé le sol de toutes ces vastes salles sombres.

Il lui vient parfois l'idée saugrenue qu'elle pourrait franchir les portes imposantes du British Museum et ne jamais en ressortir. Quand elle s'agenouille pour ranger le guide, une vive douleur la pousse à se relever. La croûte de son genou s'est ouverte, laissant filtrer un peu de sang clair. Elle attrape le rouleau de papier toilette pour découper une feuille, mais avec une seule main, elle n'arrive qu'à arracher grossièrement un morceau. La colère s'empare d'elle : sa blessure cicatrisait bien, et voilà qu'elle va devoir porter un pansement. Vu que son pantalon est déchiré et que Tony n'apprécie pas les jeans, il ne lui reste plus qu'une jupe, qui – comme dirait Marie – s'assortit plutôt mal avec un tampon de papier toilette. Une boîte de pansements fera un trou d'une livre dans son budget, ce qui implique qu'elle devra remplacer le cappuccino bien corsé de chez Marco par une tasse de Nescafé maison. Depuis son arrivée à Londres, Kate a réussi à éviter les dépendances plus coûteuses que cette dose quotidienne de caféine.

Toujours aussi fâchée, elle remplit la bouilloire et attend que l'eau chauffe sans avoir retrouvé sa bonne humeur. C'est alors qu'elle pense à Vincent Van Gogh. S'il vivait aujourd'hui, il peindrait peut-être un grille-pain furibard ou une bouilloire irascible. Il faudra qu'elle en touche un mot à Marie, qui répliquera comme à son habitude : « C'est celui qui s'est coupé une oreille ? Tu m'étonnes qu'il était en pétard ! »

Kate flaire son tee-shirt de la veille. Pas d'odeurs de sueur, mais il est imprégné de celles du pub. Elle va donc en chercher un noir et farfouille un moment dans la valise en quête de sous-vêtements propres. Il n'en reste plus et elle a horreur de garder le slip dans lequel elle a dormi. Marie ne lui en voudrait peut-être pas si elle lui empruntait quelque chose, juste pour cette fois. Même si elles font la même taille, elles n'ont pas l'habitude d'échanger leurs vêtements. Avec une légère appréhension, Kate s'approche de la commode de sa sœur.

Le premier tiroir contient des menottes, un bâillon, un boa en plumes et une cravate d'écolière à rayures. Kate se souvient que Marie lui a demandé d'envoyer la cravate l'année précédente, en racontant un bobard sur une soirée déguisée. Pourquoi n'a-t-elle pas acheté une cravate d'uniforme à Londres, tout simplement ? Cherchait-elle à exprimer quelque chose, à faire un dernier bras d'honneur aux bonnes sœurs de l'école ? Au-dessous, encore enveloppée dans le plastique fin de la blanchisserie, se trouve une robe noire très courte, à manches ballon, avec un tablier blanc garni de volants. Une tenue de soubrette. Tony ferait une drôle de tête si elle débarquait au restaurant dans cet accoutrement ! Elle la sort du tiroir pour la plaquer devant elle. Difficile de faire plus court. Au fond du tiroir, elle découvre une robe à rayures bleues et blanches avec un petit calot blanc frappé d'une croix rouge. Un uniforme d'infirmière, apparemment. Il a l'air aussi innocent qu'un déguisement pour le jardin d'enfants.

Le second tiroir est bourré de lingerie, chatoyante et bariolée comme une boîte de Quality Street.

Le soir où elle est arrivée à Londres, Kate déballait ses effets sur le lit lorsque Marie a décrété :

« Je t'aurais bien laissé un tiroir, mais j'en ai besoin pour mes affaires de travail. »

Kate a dû reléguer ses vêtements sous le lit, toujours pliés dans la valise.

« Fais bien attention de ne pas laisser traîner ton barda », lui a recommandé sa sœur par la même occasion.

En d'autres termes, interdit aux culottes Petit Bateau.

Kate sort du tiroir des soutiens-gorges et des porte-jarretelles dans des teintes de pourpre, de rouge et d'or bordés de dentelle noire, une guêpière en satin rose fuchsia qui se lace dans le dos et un body en latex noir qui dégage une odeur de talc et de sac poubelle. Elle caresse du bout des doigts un teddy chocolat aux bretelles de guipure café au lait et le sort du tiroir pour le tenir devant elle. Après un bref coup d'œil par-dessus son épaule, elle laisse tomber la serviette humide et enfile le sous-vêtement à l'étoffe délicate : c'est de la soie véritable, car elle sent en passant les mains sur sa poitrine une très légère résistance.

Kate va décrocher le petit miroir et se contorsionne en le tenant à bout de bras pour contempler les diverses parties de son corps. Le bas du teddy ressemble à un short ample autour de ses cuisses. Ça lui plairait beaucoup de sentir l'air à cet endroit quand elle marche, en même temps que le doux contact de la soie. Elle fait passer le miroir derrière elle, glissant un doigt sous la ganse de guipure pour dénuder la courbe d'une fesse.

La sonnette retentit à ce moment précis. Kate décroche le combiné de l'interphone. Les parasites l'empêchent d'entendre, mais c'est sûrement Marie qui a la flemme de chercher ses clés. Elle lui ouvre la porte et s'empresse de fourrer la lingerie dans le tiroir. Elle croirait presque qu'il y en a plus que tout à l'heure, le tiroir refuse de se fermer entièrement. Marie va pester en découvrant qu'elle a essayé ses affaires. Tandis que le bruit de pas se rapproche, Kate bondit dans son lit et tire la couverture jusqu'au menton.

Les pas sont bien plus pesants que ceux de sa sœur. Des pas d'homme.

Un des clients de Marie ?

Ou alors le type qui vient collecter les loyers avec l'air de chercher un peu plus que les billets qu'elle lui remet ?

Kate décide de ne pas bouger pour faire croire qu'il n'y a personne.

Mais puisqu'elle a ouvert la porte, il saura forcément qu'elle est là.

Depuis son lit, elle ne voit pas si elle a bien refermé les verrous à son retour des toilettes.

Les pas s'arrêtent devant la porte.

Son cœur fait des bonds dans sa poitrine.

— Kate !

C'est *sa* voix !

Elle doit rêver, ce n'est pas possible !

— Kate ?

Mais non, c'est bien lui !

Elle sort du lit et s'approche de la porte à pas de loup, drapée dans sa serviette comme dans un sarong. Quand elle colle l'oreille au panneau, il est si proche qu'elle entend son souffle précipité après la montée de l'escalier.

— Je ne suis pas habillée, chuchote-t-elle.

Elle ne s'imaginait pas une telle entrée en matière pour une deuxième rencontre.

Un silence prolongé succède à ses paroles.

Une odeur de lait chaud portée par un nuage de vapeur invisible se glisse jusqu'à ses narines par le trou de la serrure.

— Vous préférez que je parte ?

— Non !

Elle entrebâille la porte, dissimulée derrière le panneau.

— Non, ne partez pas ! répète-t-elle en s'efforçant de contrôler sa voix.

105

Il porte une large chemise kaki sur un pantalon de treillis bien repassé, et une veste qu'il retient de l'index sur son épaule. Avec ses cheveux noirs, il ressemble à un révolutionnaire cubain qui se serait habillé pour la messe. Quelque chose dans ce goût-là...

— Je me demandais si on pouvait refaire une promenade... suggère-t-il en évitant son regard.

— Je travaille à onze heures.

Mais qu'est-ce qui cloche chez elle ? Son fantasme se tient là devant elle, en chair et en os, il ne manque même pas le cappuccino, et elle ne s'y prendrait pas autrement pour le faire fuir.

— J'ai cru que c'était Marie. On n'entend rien là-dedans, explique-t-elle en décrochant le combiné pour appuyer ses dires.

Il avance un peu la tête pour écouter les grésillements.

— Ç'aurait pu être n'importe qui, conclut-il.

— Heureusement que ce n'était pas le cas.

Son regard a maintenant croisé le sien. Peu importe ce qu'il y a entre eux, il ne s'agit plus désormais d'une rencontre de hasard.

Kate baisse les yeux.

— Vous n'avez pas pris de café pour vous, remarque-t-elle, un brin soupçonneuse, en ouvrant un peu plus largement la porte.

— J'en ai déjà bu un.

— Ça vous dit d'en prendre un autre ?

— Super.

Ils restent un moment sans bouger, puis elle ouvre la porte en grand, toujours cachée derrière le panneau dans sa serviette de bain.

— Bonjour ! fait-il en entrant.

Il regarde autour de lui comme s'il n'était jamais venu.

— Bonjour, répond-elle en refermant derrière lui.

Il lui tend le gobelet de polystyrène protégé par un couvercle. Elle le prend de sa main libre, retenant toujours la serviette de l'autre, et le contourne en restant le plus loin possible de lui. À l'autre bout du studio, elle met la bouilloire en route et allume la radio, histoire de donner à la situation un semblant de normalité.

La voix gazouillante de Chris Tarrant résonne dans l'appartement. Si seulement Marie avait choisi une autre station, Classic FM par exemple ! Ce n'est pas le genre de type à écouter des variétés. Assis sur le canapé près de la porte, il allonge ses longues jambes devant lui.

— Pourquoi vous ne vous habillez pas ? Je promets de ne pas regarder.

Toujours sanglée dans sa serviette, elle s'accroupit près du lit pour attraper sa valise.

Tee-shirt noir et jupe noire. Ça ne va pas aller, c'est du coton qui colle à la peau. Difficile à porter avec le teddy en soie un peu lâche, mais elle ne va quand même pas changer de sous-vêtements s'il reste dans la pièce. La bouilloire émet un jet de vapeur et s'éteint automatiquement. Toujours couverte de sa seule serviette, Kate va mélanger l'eau bouillante et le Nescafé dans une tasse rose.

— Il n'y a pas de lait, s'excuse-t-elle. Vous comprenez, on n'a pas de frigo. Avant, on gardait toujours un petit carton sur le rebord de la fenêtre, mais un jour un pigeon l'a fait tomber. On a entendu un boucan pas possible en bas, Marie était écroulée de rire, elle a essayé d'ouvrir cette saleté de fenêtre pour mieux voir, mais elle reste toujours coincée...

Elle secoue le cadre pour qu'il se rende compte par lui-même.

— C'est bien qu'elle soit peinte, observe-t-il en traversant la pièce.

Il est juste derrière elle, à présent.

La radio braille *My Love Won't Cost a Thing*.

Pétrifiée, elle sent son visage se rapprocher de sa nuque.

Passant un bras de chaque côté d'elle, il essaie de faire coulisser la fenêtre, qui ne bouge pas d'un millimètre.

Kate serre la serviette si fort sur sa poitrine que ses doigts lui font mal. Elle ne se retourne que lorsqu'il a écarté ses bras.

— Votre café est là, fait-elle en désignant la tasse fumante sur la table.

— Je ne sais pas trop ce que je fais ici, avoue-t-il en esquissant un mouvement de recul.

— Moi non plus.

Ce n'est pas du tout le ton qu'elle aurait voulu employer.

Soudain incommodée par la musique, Kate éteint la radio. Le silence est à peine moins gênant que la chanson.

— J'ai eu tort de venir, reprend Alexander.

— Non, vous avez bien fait.

Kate se trouve à court de mots.

— Un instant, je vais finir par vous répondre.

Quand il lui fait un sourire, on dirait que son air préoccupé n'a jamais existé.

— Je ferais mieux de partir.

— Oh non ! Restez ! s'écrie-t-elle en attrapant son bras alors qu'il fait mine de sortir.

La serviette humide a glissé à ses pieds.

Ils la regardent tous les deux un instant, puis les yeux d'Alexander remontent lentement le long de son corps, de ses pieds nus jusqu'au teddy de soie, puis à ses épaules et son visage.

— Mon Dieu, tu es superbe !

Est-ce qu'il a vraiment dit cela ? Trop occupée à se demander si elle a bien entendu, si elle devrait lui répondre quelque chose, elle en oublie de savourer ce moment. Tout l'intérieur de son corps est secoué de tremblements si violents qu'elle s'étonne de la parfaite immobilité de ses membres. La caresse de son regard et celle de la fine lingerie de soie lui donnent des frissons. Quand elle fait un geste pour ramasser la serviette, il lui prend la main et la tient à bout de bras, comme si elle venait de lui faire la révérence avant de danser la gavotte.

— Je ne sais pas ce que je fais ici, dit-il à nouveau.

— Je n'ai pas l'habitude de porter ce genre de dessous, bredouille-t-elle, légèrement contrariée.

Il doit la trouver complètement ridicule de protester de son innocence, à demi nue dans un studio de raccrocheuse.

— Pourquoi donc ? demande-t-il avec un petit signe de tête.

— Je voulais juste savoir ce que ça faisait d'être quelqu'un d'autre.

Il médite un moment ses paroles en fourrageant dans ses cheveux noirs, observant tour à tour la baignoire rose, le tapis aux teintes fatiguées de rouge et d'or, le lit à tentures. Il lâche un petit rire sans joie.

— Alors, ça fait comment ?

— C'est bien, admet-elle en souriant.

Il se rapproche insensiblement.

— Tout cela n'est pas vrai, si ?

— Non ?

Il avance la main, effleure une des bretelles café au lait et se retire vivement, comme s'il s'était brûlé. La chair de poule semble lui plaquer la peau sur les os.

— Tu as froid.

— Oui.

Il la prend dans ses bras de la manière la plus naturelle au monde. Le visage contre sa poitrine, elle respire son odeur, fraîche et étonnamment innocente, un mélange de lessive et de linge tout juste repassé. Elle se presse contre lui, essayant de lui parler avec son corps. Pas de réaction. Elle plante son regard dans le sien pour lui demander en silence ce qu'il attend d'elle.

Il s'écarte légèrement et la conduit vers le lit, sa main toujours dans la sienne.

Après avoir retiré ses chaussures, il l'enveloppe de ses bras et remonte la couverture. Il n'a pas quitté ses vêtements. Elle sent son souffle dans ses cheveux, les battements de son cœur contre sa joue. Tant de questions se bousculent dans sa tête qu'elle parierait qu'il les entend aussi. Un de ses bras est coincé sous son corps. Elle devra bientôt déplacer le membre ankylosé, rompant ainsi la magie du moment. Elle ne sait où mettre son autre bras. Doit-elle le toucher ou le laisser tranquille ? L'homme de ses rêves est couché dans son lit, et elle ne sait pas quoi faire !

Dans un des studios de l'étage inférieur, le saxophoniste du club de jazz lance son premier arpège de la journée.

Alexander pousse un soupir.

— Quand j'étais petit, commence-t-il en se calant sur les oreillers, il y avait un tapis dans ma chambre. Un tapis persan orné de fleurs et d'oiseaux, avec des motifs compliqués, comme ces labyrinthes où l'on finit toujours par se perdre quand on les suit avec le doigt. Il avait une odeur bien particulière de souk et de vieille poussière. Quelquefois, quand ma mère était en bas en train de travailler, je me couchais dessus, je me laissais bercer par le bruit de sa machine à écrire et je m'envolais vers des contrées exotiques.

Son regard se perd dans les couleurs chatoyantes des tentures.

— Ça fait un peu penser à ça.

Kate dégage son bras et le remue pour faire circuler le sang.

— Moi j'allais à la bibliothèque, confie-t-elle. Pas du côté enfants, du côté adultes. À cause du calme. Bon, il y avait bien quelques vieux types un peu crades, mais l'endroit n'était pas très fréquenté, en dehors de quelques gamins comme moi qui n'avaient pas le silence à la maison. Tu ne trouves pas qu'il est bien spécial, le silence des bibliothèques ? Tout le monde s'applique tellement à ne pas faire de bruit qu'on a l'impression de sentir le silence, comme une présence.

Silence, silence, silence... C'est le seul mot qui lui vienne à l'esprit. Elle ferait peut-être mieux de se taire.

— En hiver, on entend bourdonner les radiateurs, et au bout d'un moment, on oublie qu'on est en train de lire. On entre complètement dans l'histoire, tu vois ce que je veux dire ? On ne dort pas pour de bon, mais quand on entend annoncer la fermeture, on a l'impression de se faire réveiller...

Elle laisse sa phrase en suspens, ne sachant pas trop comment elle en est venue à évoquer la bibliothèque miteuse de son quartier alors qu'il lui parlait de son beau tapis. Elle a dû faire une association d'idées avec les *Mille et Une Nuits*.

— Quel genre de livres préférais-tu ?

— Les vieux livres, tu sais, ces histoires d'enfants qui doivent se débrouiller tout seuls parce qu'ils sont orphelins ou qu'il leur est arrivé quelque chose d'affreux. Ma préférée, c'était E. Nesbit. Tu sais ce qu'il veut dire, le E ?

— Aucune idée. Ce n'est pas elle qui a écrit *The Railway Children* ?

— Si, mais j'aimais mieux *The Story of the Amulet*.

Silence. Pourquoi ne s'est-elle pas contentée d'abonder dans son sens ? Oui, elle a écrit *The Railway Children*. Point.

Elle aimerait bien savoir ce qui lui trotte dans la tête, mais elle ne trouve aucune façon subtile de l'interroger.

— À ce que j'entends, il a l'air de faire beau, finit-elle par dire.

Elle a peine à croire qu'elle en est réduite à parler météo.

Il tourne la tête pour voir son visage.

— À ce que tu entends ?

— Les marchands sifflotaient ce matin, explique-t-elle. Ça n'arrive que les jours de beau temps.

— Et les jours de pluie ?

— Les pneus des camions font le même bruit qu'une saucisse plongée dans l'huile bouillante, et l'air sent comme la boutique d'un fleuriste.

Il s'accorde un moment de réflexion avant de répondre :

— C'est tout à fait ça.

— Il faut fermer les yeux, fait-elle en l'invitant à l'imiter, faire le vide dans sa tête et se concentrer sur les bruits et les odeurs.

Kate voit les traits de son beau visage se détendre à sa demande, dans le silence. Elle se rallonge dans le lit, sa tête près de la sienne sur l'oreiller.

— Une livre les deux livres de bananes, dit-elle en écho à l'appel lointain d'un marchand.

— *Pour* deux livres de bananes, rectifie Alexander. Les marchands de primeurs londoniens utilisent toujours le « pour ».

— Ils sont pas beaux, mes fruits ? reprend-elle en singeant de son mieux l'accent cockney.

Ils restent étendus côte à côte, couchés sur le dos, à écouter les bruits de la rue.

— Charcuterie, déclare au bout d'un moment Alexander.

— Cette odeur de salami froid et fumé ? C'est le traiteur italien du coin.

— Tu as pris ton petit déjeuner ?

— Il faut que je parte au travail.

Assise dans le lit, elle soulève le couvercle de son cappuccino. Elle sait qu'il est déjà dix heures, car les deux portes du peep-show en bas de l'allée s'ouvrent toujours à ce moment-là, et la fille qui se tient devant l'entrée aime écouter Liberty Radio. Les sons argentins de l'inimitable *Chiquitita* montent jusqu'à l'appartement.

— Tu n'as qu'à prendre ta journée, suggère Alexander.

— C'est impossible, réplique-t-elle.

Pourtant, elle est déjà en train de calculer une bonne excuse pour Tony.

Est-ce qu'il parle sérieusement ?

— Moi c'est ce que j'ai fait.

— Tu as pris un jour de congé, comme ça ?

— Oui.

— Pourquoi ?

— Parce que c'est le printemps. Il fait beau... et j'avais envie de te revoir.

Son corps déborde de plaisir, la joie semblant se matérialiser en un fluide.

— Et si tu ne m'avais pas trouvée ? demande-t-elle malgré elle, s'efforçant de maîtriser son excitation.

Pourquoi est-elle incapable de se taire, comme lui, de laisser planer une aura de mystère ?

— J'aurais sûrement tenté ma chance au restaurant.

— Tu as pensé à moi toute la nuit ? bredouille-t-elle.

— Non, dit-il en passant un doigt sous son menton pour attirer vers lui son visage à l'expression dépitée. Seulement ce matin.

Elle ne pourrait pas se sentir plus bête.

— Où aimerais-tu prendre ton petit déjeuner ?

Elle a l'impression qu'il a l'habitude d'obtenir tout ce qu'il veut. Parle-t-il de la réalité présente, ou du monde de ses rêves ?

— Chez Selfridges.

La proposition convient aux deux éventualités.

— Selfridges ?

Il renverse la tête avec cette expression bien à lui, un mélange de surprise et d'amusement.

— Moi, je passerais ma vie chez Selfridges, lui révèle Kate. Parfois, j'ai envie de me cacher derrière un canapé à la fermeture et de rester toute la nuit dans le magasin.

Apparemment, son projet ne l'enthousiasme pas.

— Il y a des tonnes de nourriture gratuite dans l'espace restauration, ajoute-t-elle pour le motiver.

— De la nourriture gratuite ?

— J'y vais les jours de repos, quand je ne peux pas manger au travail.

— Laisse-moi t'emmener dans un endroit agréable, lui dit-il en se redressant.

— Pourquoi pas Selfridges ?

— Je n'y suis pas retourné depuis que je suis allé voir le Père Noël.

— Tu vas adorer ! Au quatrième étage...

Elle n'achève pas sa phrase.

— Alors ?

— Surprise !

— Qu'est-ce que c'est ?

— Tu n'as qu'à venir voir.

Elle aussi, elle est capable d'arriver à ses fins.

8

— Tu as mal dormi ? demande Frances.

Nell la serre dans ses bras et recule d'un pas pour qu'elles puissent se regarder.

— C'est joli, tes cheveux, déclare-t-elle.

— Toi, tu dois être Lucy.

— Oui, c'est moi.

Lucy descend prudemment la volée de marches raides qui mènent à l'appartement de Frances, passe devant les deux amies en trottinant et traverse la cuisine pour gagner le petit jardin clos par la porte-fenêtre. On croirait apercevoir la cour d'une maison romaine depuis la rue sombre et suffocante, avec ses fleurs qui débordent des pots et des paniers, et un bruit discret d'eau qui coule. Lizzy Angel passe en revue les pots en terre cuite.

— Ceux-là ne sont pas très jolis, observe Lucy avec la voix qu'elle prête à sa poupée, étrangement distinguée et sévère.

— Il y a des herbes aromatiques, explique Frances en la suivant à l'extérieur.

— Ton jardin est adorable. Ça te fait une pièce supplémentaire.

— L'intérieur est petit, non ?

116

— Petit mais très bien agencé, commente Nell en s'asseyant devant la table de la cuisine.

L'odeur d'humidité propre aux sous-sols flotte dans l'appartement, qui a tout d'un meublé pour étudiant. Le sol de la cuisine est recouvert d'une vieille moquette en piteux état, parsemée de taches indéfinies autour de la cuisinière. C'est le genre de détails que Nell ne remarque que depuis la naissance de Lucy.

— On dirait que tu as passé une nuit blanche.

— C'est à peu près ça. Il faisait tellement lourd...

— Tu veux un café ?

— Plutôt du thé. Ou une boisson fraîche. Oui, c'est ça, une boisson fraîche.

Frances lui lance un regard suspicieux.

— Quelque chose ne va pas ?

— Non, non, tout va bien !

On jurerait qu'elles n'ont été séparées qu'une semaine au lieu de six ans.

Habituée à dissimuler sans peine le fond de sa pensée, Nell est un peu effrayée de constater que son amie la connaît si bien. L'espace d'un instant, elle en vient même à regretter sa visite.

Frances ouvre un carton de jus de pomme.

— Il ne sort pas du frigo, tu voudras un glaçon ?

— Je veux bien, si tu en as.

N'ayant pas réussi à ouvrir le freezer, Frances s'empare d'un couteau sur l'égouttoir et s'attaque à grands coups de lame au bloc de glace qui en obstrue l'entrée.

Nell ne peut s'empêcher de noter que le réfrigérateur ne contient que quatre articles : une bouteille de sauvignon pleine, un reste de vinaigrette, un morceau de Port-Salut dont elle reconnaît la croûte orange et un demi-avocat dont la chair a viré au gris-brun.

117

— Laisse tomber les glaçons !

Agenouillée par terre, Frances entaille résolument la glace.

— Je vais y arriver !

Nell lui demande en désignant sa chevelure :

— Depuis quand es-tu...

Elle allait dire aubergine, puisque c'est ce que la teinte lui évoque, mais la couleur tire plutôt sur le rouge.

— Acajou cuivré ? complète Frances sans cesser de manier le couteau.

— C'est ça.

— C'est un nom magnifique, tu ne trouves pas ? C'est ce qui m'a attirée d'abord.

Frances s'interrompt pour s'essuyer le front du revers de la main.

— Ça te va bien.

Nell n'est pas tout à fait franche en disant cela. La couleur très soutenue est bien dans les goûts de Frances, mais elle accentue la pâleur de son amie et la vieillit légèrement.

— Mon Dieu !

Un énorme morceau de glace vient de se détacher du freezer pour s'effondrer sur la dernière étagère du réfrigérateur, en plein sur les restes de nourriture. Frances jette la glace dans l'évier et inspecte l'avocat avant de le balancer à la poubelle, avec l'air de quelqu'un qui découvre sur son canapé un invité de la veille dont la tête ne lui rappelle rien.

Elle retire à grand-peine le plateau à glaçons du réfrigérateur et fait tomber deux cubes dans le verre de Nell.

— Lucy ! Tu veux du jus de fruit ?

— Oui, je veux bien ! répond la fillette depuis le

jardin, cachée derrière un gigantesque bac d'hydrangeas roses.

— Elle peut boire du jus de pomme ? s'assure Frances.

— Oui, mais sans glaçons, s'empresse de répondre Nell.

Elle-même se passerait bien de ces glaçons qui ont traîné si longtemps au freezer. Ils ont pris les odeurs du frigidaire, et il est hors de question que l'estomac de Lucy doive s'en accommoder.

Frances se prépare un café instantané bien fort dans un mug sommairement rincé sous le robinet de l'évier. Elle vient s'asseoir avec Nell et prend une cigarette, qu'elle remet aussitôt dans le paquet devant l'air réprobateur de son amie.

— Je me suis trouvé des cheveux gris, confesse-t-elle d'un ton morose. Ça t'est déjà arrivé ? Berk ! C'est un mauvais moment à passer. Tu es là en train de te brosser les cheveux, et tout à coup tu en repères un. Comme tu ne le retrouves pas après, tu te dis que c'était la lumière, mais tu finis par retomber dessus. Là tu l'arraches, et tu t'aperçois qu'en réalité il est blanc et plus dru que les autres. Comment tu expliques ça ? Tes cheveux sont normaux, châtains quoi, avec des fourches, d'accord, mais il suffit de quelques prières et d'un soin aux huiles essentielles pour arranger ça, et puis brusquement, ils se mettent à muter sous tes propres yeux. Je ne plaisante pas...

Nell a très envie de rire, mais le ton de Frances est de plus en plus sérieux.

— Le lendemain, tu en trouves un nouveau, et au bout d'un moment tu t'arrêtes devant tous les miroirs que tu croises. Quand je dis miroir, c'est plutôt n'importe quelle surface réfléchissante. Quand tu t'es surprise à balancer compulsivement la tête pour te voir dans tes couverts – elle se saisit du couteau qui lui a servi à briser la glace pour faire une démonstration –, tu comprends que le moment est venu de passer à la teinture. Je me demande bien pourquoi je t'en parle, à toi et à tes fichus cheveux blonds.

— Un blond de moins en moins naturel, corrige Nell en attrapant quelques mèches de ses cheveux mi-longs, prête à sacrifier un peu d'amour-propre en échange des aveux de Frances. Mes cheveux ont perdu de leur éclat pendant ma grossesse, et je fais un balayage tous les trois mois.

— De ta part, c'est une petite vanité qui me remonte le moral. Toi qui es déjà si jolie sans rien faire... D'ailleurs, si tu veux le fond de ma pensée, je t'en veux terriblement depuis qu'on s'est rencontrées.

Nell est consciente qu'elle ne plaisante qu'à moitié. Frances exprime franchement des sentiments que certains préfèrent cacher – la jalousie, la vanité –, ou son envie irrépressible de chanter en chœur avec Tammy Wynette, malgré ses convictions féministes. Nell a perçu quelquefois la haine de Frances, dont l'intensité l'a effrayée tout autant que celle de son amour. Qu'elle adore ou qu'elle déteste, Frances reste une passionnée. En comparaison, Nell a parfois l'impression de souffrir d'anémie.

— Nous autres femmes au foyer de la campagne, nous nous échinons tous les jours à tirer le meilleur parti de ce que nous a donné la nature. Il y a un institut de beauté qui s'appelle le Beauty Spot. Wayne s'occupe de mes mèches, Lorna me soigne les mains pendant que la couleur prend et Lucy s'amuse avec Suzette.

— C'est le chien de la maison ?

— Non, c'est le bébé.

— Tu n'as pas peur de devenir comme ta mère ?

— Si, en permanence. Je me persuade que c'est juste un sujet de recherche. Ça me fournit une matière pour écrire.

Un petit silence gêné salue ces paroles.

— Je lis régulièrement ta chronique, lui dit Frances d'un ton grave, et je me demande parfois si la vie ne s'est pas mise à imiter l'art.

— Que veux-tu dire par là ? interroge Nell avec une légèreté forcée.

— Eh bien, c'était censé relever de la satire, non, les us et coutumes désopilants de ces villageois chauvins ? Pourtant, on ne peut pas rester éternellement en marge, si ? Un sentiment d'appartenance se développe à votre insu.

— Ça m'aide à payer les factures, réplique Nell, un peu déstabilisée.

— D'accord, mais quelle part de ton âme es-tu obligée de vendre pour cela ?

Nell se sent au bord des larmes. Elles restent coincées au fond de sa gorge, l'empêchant de parler.

Frances la dévisage, consciente de l'avoir blessée.

— Il y a des côtés marrants, concède-t-elle.

Nell se lève et sort dans le jardin.

— On entend la mer de chez toi ? demande-t-elle à Frances sans la regarder, essayant de surmonter son trouble.

— Oui, par temps orageux, répond-elle en entourant son amie de son bras. Excuse-moi, il n'y a rien de mal à s'intégrer à la communauté dans laquelle on vit. Tu as toujours su t'adapter.

Même ces mots sonnent comme un reproche.

— Quel est le thème que tu as choisi ce mois-ci ?

— Ma visite chez une thérapeute qui soigne par la couleur. Tu sais, c'est par rapport à mes recherches que j'y suis allée...

— Une de ces bonnes femmes hypermaquillées qui scrutent votre teint en déclarant qu'il vous faut modifier votre garde-robe, sous prétexte que vous êtes sous le signe de l'hiver et pas du printemps ?

— Non, c'est bien plus cérébral... même si elle a prétendu que redécorer ma chambre dans des tons de pêche et de corail ferait le plus grand bien à ma vie sexuelle.

— Le corail et le pêche n'ont jamais eu d'influence sur la vie sexuelle de quiconque. De quoi s'agit-il, alors ?

— Eh bien, il faut choisir quatre couleurs puis donner sa date de naissance, et elle te parle avec force détails de ton présent et de tes vies passées et futures.

— Fabuleux ! Et alors...

— J'en suis à ma neuvième incarnation et je devrais progresser vers une sphère plus élevée. Elle est convaincue que je viens de l'Atlantide et que j'étais professeur, explique Nell avec un grand sérieux.

Son air impassible semble donner de vives inquiétudes à Frances. Et puis le fou rire les prend toutes les deux, comme au bon vieux temps. Ça fait du bien de faire marcher Frances, même pour un instant. Il y avait longtemps que Nell n'avait pas ri d'aussi bon cœur.

— En fait, reprend-elle en retrouvant son calme, c'était vraiment intéressant.

— Tu ne vas quand même pas me dire que ce qu'elle t'a raconté était d'une exactitude troublante ?

— Elle m'a dit qu'un événement avait chamboulé

122

ma vie il y a cinq ans, déclare Nell avec un peu plus de sérieux.

— Ce serait vrai pour à peu près n'importe qui.

— Dans ce cas, que t'est-il arrivé il y a cinq ans ?

— Vous avez quitté Tokyo.

— Ça remonte à plus de six ans.

— Mais bon sang, ça veut dire quoi, un an, rapporté à une échelle temporelle qui englobe l'île engloutie de l'Atlantide ? Cela dit, j'avoue que la référence à ton métier d'enseignante est d'une exactitude troublante, même si ta carrière n'a pas vraiment décollé au fil de tes incarnations.

— Arrête, tu veux ?

— Et ensuite ?

— Tu m'as l'air bien intéressée, pour quelqu'un d'aussi cynique ! se défend Nell.

— Oh, je t'en prie !

Frances emporte sa tasse, ses cigarettes et son briquet et traîne sa chaise dans le jardin pour s'asseoir à côté de Nell. Elle allume une cigarette, rejette la fumée en levant le menton.

— Et ta vie présente ? Que te réserve l'avenir ?

Nell n'est plus du tout sûre de vouloir révéler à Frances ce que lui a dit la thérapeute. Elle préfère donc aiguiller la conversation vers son amie.

— Et toi, tu as l'impression de te trouver là où tu voudrais ?

— Là, en ce moment ? répond Frances après une minute de réflexion. Être assise dans mon jardin avec ma meilleure amie par une belle journée de printemps ? Je crois que ça me va.

— L'instant te convient, mais pas le lieu.

— Louer un appartement en sous-sol à Brighton et donner des cours à des étudiants japonais ? Qu'est-ce

123

que tu t'imagines ? rétorque Frances en aspirant une longue bouffée de tabac.

— Alors pourquoi ?

— Pourquoi je suis ici, alors que je pourrais enseigner à des classes de Japonais à Tokyo et vivre dans un appartement microscopique ?

— Tu pourrais changer complètement de cap.

— Par exemple ? demande Frances en fumant sa cigarette d'un air absorbé.

— Voyager ?

— Pour les voyages, j'ai déjà donné. J'ai rencontré un bon millier de personnes, j'ai dormi dans mille lits différents et je ne suis pas plus avancée que lorsque je suis partie, sauf que mon estomac ne s'est jamais tout à fait remis de son séjour en Inde. Ce n'est pas vrai que les voyages ouvrent l'esprit. Quand tu vas à l'étranger, ton cerveau est complètement phagocyté par des questions prosaïques du style : « Mais comment je vais me débrouiller pour faire sécher mon jean pendant la mousson ? », ou bien : « Comment je peux m'assurer que je ne fume pas de la bouse de vache ? » On ne fait pas de nouvelles connaissances, pas dans le vrai sens du terme ; on fait juste semblant de s'intéresser au passé des autres, untel qui travaillait en tant que comptable à Chislehurst et qui vous montre que son sac à dos peut se convertir en canadienne avec sac de couchage, canif, selle à chameau et toilettes portatives intégrés.

— Pourquoi tu n'écrirais pas ? suggère Nell en riant.

— Pour un de ces suppléments sur papier glacé ? Je doute qu'ils puissent caser de la pub en face de ma chronique. Je sais bien que je devrais m'activer un peu, mais j'ai la flemme. À moins que ma vie ne soit

124

pas assez horrible pour que je me décide à y changer quelque chose. Et toi ?

— Moi ? demande Nell comme si elle ne comprenait pas le sens de la question.

— Ta vie est assez horrible ?

Brusquement, Nell sent que les larmes montent malgré elle. Elle regarde droit devant elle, s'efforçant de les refouler, mais elle sait que Frances les a vues.

— Tu n'es quand même pas enceinte ? lui demande-t-elle doucement.

— Qu'est-ce qui te fait dire ça ?

— Tu ne bois pas de café, et tu avais l'air d'humeur pleurnicheuse la dernière fois...

— Tu trouves ?

Paradoxalement, l'idée que son état s'explique moins par un désespoir existentiel que par des problèmes hormonaux la réconforte énormément.

— Ça veut dire quoi, enceinte ? demande Lucy de but en blanc.

Elle semble occupée par un jeu compliqué auquel participent un Bill et un Ben invisibles, plus Lizzy Angel dans le rôle de Little Weed.

Nell n'avait pas prévu de lui en parler dans l'immédiat. Pas avant un bon bout de temps.

— C'est quand une femme a un bébé dans son ventre, explique Frances.

— Tu veux dire quand elle a un gros ventre ?

Nell se souvient que la mère de sa copine Emma est enceinte jusqu'aux yeux. Pourvu que Frances ne se lance pas dans un exposé sur les choses de la vie !

— Maman, elle n'a pas un gros ventre.

— Bon, eh bien alors tout va bien ! conclut Frances, devinant que Nell ne tient pas à s'étendre sur le sujet.

Elle articule discrètement un « Je suis navrée ».

Nell ne comprend pas bien comment son secret a pu s'étaler au grand jour en l'espace d'une minute.

— Tu veux un cornichon ? propose Frances.

— Oh, la ferme ! lui dit Nell en s'esclaffant.

— Il faut pas dire « la ferme », maman ! la réprimande Lucy.

— Tu as raison. (Et elle argumente devant le regard exaspéré de Frances :) Si, elle a raison. Quand on est grossier soi-même, on ne peut pas décemment leur demander d'être polis.

— Je l'avais bien dit ! Tu es comme ta mère !

— Va te faire foutre ! chuchote Nell.

Vu qu'elle a habité avec elle pendant deux semaines, Frances fait partie des gens qui connaissent bien la mère de Nell. Quand Lavinia s'était décidée du jour au lendemain à venir voir sa fille à Tokyo, Alexander venait juste d'emménager chez Nell. Sa mère pouvait largement se payer l'hôtel, mais elle semblait déterminée à se passer de confort et à dormir par terre, indifférente aux protestations de Nell qui lui expliquait qu'il n'y avait pas la place. Son avion devait atterrir le matin, et Nell comptait l'envoyer dans un hôtel correct après lui avoir démontré *de visu* pourquoi elle ne pouvait pas l'héberger. Cependant, le vol avait eu du retard, et à dix heures du soir tout le monde était sur les nerfs. Nell et Alexander en étaient encore à ce stade délicat de leur relation où ils se sentaient follement amoureux sans bien se connaître. Elle n'avait pas eu le cœur à lui demander de vider provisoirement les lieux pour céder la place à sa mère, et lui n'avait pas proposé de le faire.

Pour compliquer encore les choses, Alexander et

126

Lavinia s'étaient pris immédiatement en grippe devant le tapis roulant de l'aéroport, après qu'elle eut déclaré d'un air las que, si elle s'était habituée à l'incompétence des employés britanniques, celle des Japonais la surprenait beaucoup. La remarque avait piqué au vif la sensibilité de gauche d'Alexander. Un peu plus tard, Lavinia avait fait part à sa fille de sa méfiance envers les hommes très beaux, qui n'ont jamais à se mettre en quatre pour se faire adorer des femmes. « Et je ne parle pas que du bricolage à la maison... » avait-elle ajouté avec un petit signe de tête entendu.

Frances ayant pris l'initiative d'offrir un lit à Lavinia, elles avaient passé deux semaines dans une inconfortable promiscuité, telles deux voisines de dortoir dans un pensionnat.

Ce fut Frances qui comprit avant Nell les raisons du départ précipité de Lavinia, elle encore qui l'aida à formuler ses doutes sur la fidélité du père de Nell, elle enfin qui la persuada qu'elle serait mieux sans lui – ce qui d'ailleurs s'avéra exact.

Nell se rappelle avoir demandé à Frances ce qu'elle pouvait bien apprécier chez sa mère, comme s'il n'était possible d'aimer Lavinia que par sens du devoir.

— Elle a du cran, elle est intelligente, et ce n'est pas parce qu'elle a raté le coche du féminisme pendant trente ans qu'elle ne peut pas s'y mettre sur le tard.

— Mais elle soutient Thatcher !

— Quand j'en aurai fini avec elle, je te jure que ça lui passera !

— Et ta vieille mère, comment elle va ?

— Très occupée par le Mouvement rural !

— Ne me dis pas qu'elle va à la chasse ! réplique Frances, horrifiée par l'idée.

Elle se targue de savoir accepter les points de vue insolites, mais il ne faut quand même pas dépasser les bornes.

— Non. Son truc à elle, c'est de s'assurer que tout le monde a bien emporté son casse-croûte pour se restaurer pendant la marche. Elle essaie toujours de me fourguer un de ses plateaux recouverts de papier d'alu : « Ma chérie, tu veux bien prendre ce rôti de porc dans ton four, le mien est déjà plein de tourtes au gibier ? »

— Je parie que ça plaît à Alexander.

— En général, c'est quand il est au travail, répond Nell d'un ton évasif.

Frances a des côtés formidables, mais elle a le chic pour semer la pagaille.

— Comment ça se passe entre eux, ces temps derniers ?

— Ils se voient rarement. C'est justement un des avantages d'habiter si près. Nous ne sommes jamais obligés de la recevoir pour le week-end. Elle peut jouer les grands-mères à sa guise, mais son rôle de belle-mère reste très limité.

Cette analyse de la situation semble satisfaire Frances. C'est tellement beau que ça pourrait même être vrai.

— Ce n'est pas un peu étouffant, de vivre aussi près de ses parents ? Pour toi, mais aussi pour lui ?

— Le lieu où l'on se trouve n'a pas tant d'importance, si ? objecte Nell, désireuse de glisser du particulier vers le général. Le bonheur est avant tout dans la tête, et quand on est heureux, on se sent bien à peu près partout.

Nell a longuement réfléchi là-dessus ces temps derniers. Est-ce qu'un déménagement ne serait pas bénéfique ?

— Je n'ai jamais été si heureuse qu'à Tokyo, et pourtant je détestais cette ville.

CQFD.

— Et moi, c'est l'endroit où j'ai été le plus malheureuse.

— Comment ça ? fait Nell, sidérée. Tu ne me l'as jamais dit.

— Votre bonheur vous absorbait tellement que vous n'avez rien remarqué, réplique Frances avec un sourire enjoué qui éveille sa mauvaise conscience plus sûrement que des jérémiades.

Frances est tellement cynique que Nell n'a jamais soupçonné qu'elle pouvait se soucier d'une chose aussi commune que le bonheur.

— Et aujourd'hui, tu es heureuse ? questionne-t-elle avec une pointe d'anxiété.

Elle a toujours ressenti un malaise à renvoyer à Frances les questions très personnelles dont elle-même l'assaille, craignant que son amie ne lui déclare brusquement sa passion. En règle générale, on se sent en position de force devant quelqu'un qui vous aime plus que vous ne l'aimez, mais sa relation avec Frances produit justement l'effet inverse.

— Aujourd'hui ?

Nell sent de la dérision devant la bêtise de sa question.

— Je voulais dire en général.

— Si je suis heureuse en général ? reprend Frances, sarcastique. Comme peut l'être une célibataire déprimée qui frise la quarantaine.

— Je vais te faire un dessin, intervient Lucy. Ça te remontera le moral.

Les deux femmes échangent un regard.

— Je n'ai pas de crayons de couleur, mon cœur, s'excuse Frances.

— On aurait dû en apporter.

— Attends une minute.

Frances s'absente un instant et réapparaît avec un paquet de craies de couleur.

— Mon école actuelle n'est tellement pas à la page que son côté rétro en deviendrait presque branché. Ils en sont encore au tableau noir. Tu pourrais dessiner mon jardin, suggère-t-elle à la fillette en se penchant à sa hauteur.

— Comme Bert ! glapit la petite.

— Qui est ce Bert ?

— Dick Van Dyke dans *Mary Poppins*, explique Nell.

— Mince alors ! s'écrie Frances en reproduisant maladroitement la calamiteuse imitation de l'accent cockney par Dick Van Dyke.

— Après, annonce solennellement Lucy, on sautera toutes dans l'image pour partir en vacances.

— Ça ne marchera que si ton dessin est très beau, la prévient Nell.

— Qu'est-ce que je dessine, alors ?

— Un endroit où tu serais très contente de partir en vacances, propose Frances, un peu agacée par l'enfant.

Lucy s'attelle à la tâche sous les yeux des deux femmes et appuie tellement fort pour tracer une raie jaune sur une dalle du jardin que la craie se casse dans sa main.

— Je crois que je vais changer de couleur.

Elle barre d'une ligne bleue le haut de son dessin, si attentive à ne pas dépasser du cadre de la dalle que sa langue pointe entre ses lèvres.

130

— Elle est incroyablement sérieuse, non ? dit Frances à mi-voix.

— Ils le sont tous à cet âge-là, réplique Nell, prenant instinctivement la défense de son enfant. Surtout les filles.

— Tu aimerais une seconde fille, ou un garçon ?

Ça ressemble bien à Frances, de poser les questions à brûle-pourpoint. Nell est d'autant plus désarçonnée qu'elle n'avait même pas réfléchi au sexe du bébé.

— Ce n'est que le début, se borne-t-elle à répondre.

Frances ne renchérit pas. C'est quelqu'un qui sait utiliser le silence à bon escient, un talent propre à certains enseignants. Nell n'a jamais bien su maîtriser le silence, qui l'embarrasse trop pour qu'elle le laisse durer longtemps.

— Ç'a été une vraie surprise, en fait, confie-t-elle à voix basse.

— Un accident ?

— Non, pas un accident, bredouille-t-elle en perdant pied.

— Et Alexander, qu'est-ce qu'il en pense ?

— Je n'en ai pas la moindre idée.

Il lui faut dans un même temps tenir une conversation cohérente avec Frances et veiller à protéger Lucy des propos trop explicites. Son amie n'est pas familière du langage codé dont les gens se servent pour communiquer devant leurs enfants.

— Tu ne lui en as pas parlé ?

Il y quelque chose de si pressant dans la voix de Frances que Nell l'imagine se réjouir qu'elle n'ait rien dit à Alexander.

— Mais si je lui en ai parlé ! se récrie-t-elle en recouvrant son sang-froid. Mais le temps nous a manqué pour en discuter convenablement.

— Comment va-t-il ? s'enquiert Frances.

Elle emploie toujours un ton pincé quand elle parle de lui, comme si elle devait tenir la bride à son animosité pour l'empêcher de déborder.

— Il va bien, il travaille beaucoup.

C'est la réponse toute prête qu'elle sert à ses amis du village quand ils lui demandent des nouvelles. Dans cette ville-dortoir, la plupart des gens prennent le train de Londres tous les jours. La majorité travaille à la City, et certains hommes rentrent fort tard chez eux, l'haleine chargée après un passage par le bar à vins. Nell sait qu'Alexander va souvent prendre une bière avec ses collègues, au pub le plus proche de l'école. Il boit assez pour être trop fatigué pour lui parler, mais pas au point de tituber en remontant l'allée. Les gens le voient rentrer en verrouillant leur porte ou en rappelant le chat pour la nuit.

« Alexander rentre bien tard, ces temps-ci », entend-elle observer devant les portes de l'école.

« Il travaille beaucoup », répond Nell à chaque fois.

Les voisins se contentent de cette explication.

— Il travaille beaucoup ? s'étonne Frances. Ce n'est pas son genre.

— On peut sauter dans mon dessin, maintenant ? demande Lucy.

— Voyons un peu ça.

Nell se lève promptement, ravie de cet intermède. Une plage jaune, un personnage rose et un seau orange presque aussi grand que lui.

— C'est toi, là, ma chérie ?

— Oui, confirme fièrement Lucy.

Le petit personnage se réduit à un triangle surmonté d'un cercle, avec quatre bâtons qui se ramifient en cinq branches. Nell constate avec joie que le visage dessiné a le sourire.

— J'aime bien leur façon de passer du bleu en haut du dessin à rien dessous.

— C'est le ciel, argumente Lucy en entendant la réflexion de Frances.

— Mais le ciel doit rejoindre la mer, ergote celle-ci.

Lucy la dévisage comme si elle disait n'importe quoi et lève les yeux vers le ciel, bleu au-dessus de sa tête.

— L'air n'a pas de couleur, s'entête l'enfant en agitant les bras.

— C'est vrai, mais si tu regardes la mer... Allez, viens, je vais te montrer.

Frances tient toujours à avoir le dernier mot.

9

L'étroitesse des trottoirs de Soho empêche de marcher à deux de front. Comme la veille, Kate le précède de quelques pas. Il la rattrape et glisse son bras sous le sien, pour bien montrer qu'ils sont ensemble. Surprise, elle lève les yeux vers lui.

— Qu'as-tu raconté à ton patron ?

— À toi de deviner, réplique-t-elle avec un petit sourire faraud.

Sur les trottoirs plus larges de Regent Street, ils peuvent marcher en se tenant la main. Le pouce de Kate caresse la paume d'Alexander. Il se rappelle que, adolescent, la façon dont les filles plaçaient leurs doigts pour tenir la main d'un garçon avait une signification bien précise. Comme tous les codes liés aux relations amoureuses, celui-ci était l'œuvre des filles, qui étaient d'ailleurs les seules à le comprendre. Pendant ce temps, les garçons tentaient de maîtriser leurs érections juvéniles tout en cherchant dans leur mémoire quelle position du pouce signifiait, aux dires de leur ex, l'intention d'aller jusqu'au bout.

Alexander a eu sa première relation sexuelle avec une dénommée Juliet, dont les parents – d'irréprochables libéraux de Hampstead –, non contents de leur laisser la maison pour la soirée, avaient pressé leur fille d'accepter leur grand lit pour cet événement. Alexander a toujours un peu regretté la facilité de sa première véritable expérience, qui l'a dispensé des préliminaires furtifs imposés à ses camarades moins chanceux. Le seul secret concernant Juliet avait rapport à sa mère, qui l'avait informé de l'air le plus naturel qu'elle était seule tous les après-midi, au cas où il aurait envie de s'arrêter en passant...

— Regarde ça ! s'écrie Kate devant la vitrine de Hamleys.

Affichant son insupportable sourire perpétuel, Thomas le Petit Train nouvelle version se déplace sur un circuit élaboré en plastique jaune.

Enfant, Alexander n'avait pas le droit de lire les livres du révérend Awdry, que sa mère jugeait mesquins et sexistes. Alors que certaines choses défendues le faisaient rêver – Action Man (un peu pervers) ou le chewing-gum (résolument vulgaire) –, les aventures de Thomas, James et Gordon le laissaient plutôt froid. Il s'étonne même de leur popularité auprès des enfants d'aujourd'hui. Ce n'est que récemment qu'il s'est aperçu que la plupart des gamins du Sud-Est ne connaissaient des trains qu'une locomotive à vapeur affublée d'un sourire bêta, que les amateurs font circuler pour le Thomas Day sur un tronçon de voie ferrée restaurée.

— C'est génial, non ? s'extasie Kate en regardant Thomas dévaler une montagne et s'engager dans un tunnel.

— Vu le prix de l'ensemble, on doit pouvoir s'acheter une voiture pour la même somme.

Ils quittent la grande artère pour les petites rues plus calmes parallèles à Oxford Street. Kate garde le silence, mais on devine qu'elle cherche un moyen d'aborder quelque chose qui lui tient à cœur.

— Qu'est-ce qu'il y a ? finit par demander Alexander.

— Pardon ?

— À quoi tu penses ?

Quand elle prend une profonde inspiration, comme pour faire une déclaration capitale, il regrette de l'avoir sollicitée.

— Hé, regarde !

Elle s'arrête sans prévenir à l'angle de Bond Street en montrant quelque chose du doigt. À travers la vitrine du magasin de matériel vidéo, elle désigne un écran sur lequel ils apparaissent tous les deux. Sur l'écran de télévision, elle est prise sous un angle curieux et paraît plus imposante. Alexander inspecte la devanture à la recherche de la caméra qui les filme, puis reporte son attention sur l'image, sur laquelle il voit se profiler son visage. Après un geste d'adieu parfaitement synchronisé, ils tournent les talons.

Il ne l'interroge pas sur ce qu'elle s'apprêtait à lui dire, et elle ne lui en reparle pas non plus.

— Tu avais quel âge quand tu es venu pour le Père Noël ? demande Kate en poussant les portes à tambour du rayon cosmétiques de chez Selfridges.

Il se souvient de la cohue à cette même porte, des sacs d'emplettes des autres clients, de l'odeur bien spéciale de la serge humide et de la mauvaise humeur ambiante.

Aujourd'hui, l'air délicieusement frais qui règne à l'intérieur est chargé de milliers de fragrances.

— Dans les cinq, six ans.

— Et tu as cru au Père Noël jusqu'à quel âge ?

— Cinq, six ans aussi. On a fait la queue pendant une éternité, et ma mère n'arrêtait pas de fulminer : « Si ça t'aide à comprendre que le Père Noël est juste un acteur au chômage qui empeste l'ail et se colle une barbe en coton, je ne regretterai pas le prix scandaleux de l'entrée. »

Il contrefait la voix dédaigneuse et haut perchée de sa mère, telle une actrice d'autrefois jouant les Anglaises distinguées dans un film en noir et blanc. Était-elle vraiment aussi autoritaire ? Légèrement choqué, il se rend compte qu'il ne s'en souvient plus.

Kate se demande s'il a dit ça pour plaisanter.

— N'importe quoi, fait-elle d'un ton neutre.

Elle choisit un tube de rouge sur un présentoir – une console en verre, blanche et vert pâle, qui irait fort bien dans une clinique – et l'essaie sur sa main, entre le pouce et l'index, l'endroit préféré des femmes pour tester les rouges à lèvres.

Devant ce mouvement, une des pièces du puzzle se met en place dans l'esprit d'Alexander.

— C'est ici que tu te fais les ongles ?

Kate acquiesce d'un signe de tête.

— Marie a plus de culot que moi. Elle reste assez longtemps pour se peindre tous les ongles. Elle a un de ces airs, tu verrais, du style « Essayez un peu de me faire déguerpir ». Moi je n'en fais qu'un par rayon.

Elle lève les deux mains pour contempler ses ongles en arc-en-ciel. Ses petites mains mal soignées sont tellement touchantes qu'il ne peut s'empêcher de lui dire :

— Moi je les aime comme ça.

— C'est vrai ? demande-t-elle avec un sourire radieux. On va se parfumer un peu, d'accord ? Il y a des eaux de toilette qui vont aux hommes et aux femmes... (Guettant sa réaction, elle conclut devant son froncement de sourcils :) C'est l'idée la plus conne du monde...

Elle asperge son poignet de Miracle de Lancôme, la promotion du moment, et approche son nez.

— Un peu trop sucré à mon goût, décrète-t-elle.

Alexander prend alors un flacon de Chanel nº 5, attrape son autre poignet et lui applique quelques gouttes d'eau de toilette à l'endroit où la peau est si fine qu'elle laisse transparaître les veines. Sa main tremble sur sa paume tandis qu'elle rend son verdict.

— Mmm, assez classique.

Alors qu'ils s'enfoncent plus avant dans le magasin, les effluves entêtants du santal et de la citronnelle couvrent peu à peu les notes florales qui les ont accueillis en arrivant.

Devant un stand de grande marque tendu de cuir beige et vert sombre se tient une femme outrageusement maquillée, vêtue d'un uniforme entre l'infirmière et l'hôtesse de l'air. Alexander se laisse parfumer le dos de la main.

— Il sent bon, celui-ci, déclare Kate.

— Cire pour selles, foin fraîchement coupé, et un soupçon de groseille, énumère Alexander, pince-sans-rire.

Kate met bien trois secondes à comprendre qu'il plaisante.

— Allez, viens, fait-elle en le tirant par la main vers un escalator. C'est l'heure de ta surprise.

L'intérieur du magasin s'est considérablement transformé depuis sa dernière visite. Très design, des escalators suspendus desservent les étages. En se penchant par-dessus la rampe, il peut embrasser du regard l'ensemble du magasin.

— Moi je ne peux pas me pencher, signale Kate en regardant droit devant elle. J'ai le vertige. Au quatrième niveau, il y a un ascenseur qui, d'après Marie, mène tout droit au paradis. C'est l'espace beauté, précise-t-elle en constatant qu'il ne rit pas.

— Je vois, fait-il d'un ton hésitant.

— Ce n'est pas là que nous allons, naturellement.

Elle lui prend la main au moment où ils atteignent le quatrième étage.

— Et maintenant, ferme les yeux ! ordonne-t-elle.

Comme il n'y a personne à proximité, il se prête au jeu et la laisse l'entraîner où elle veut.

— Tu ne vas pas en revenir, promet-elle. Ils vendent d'énormes pains de savon, et ils vous en découpent une portion comme si c'était du caramel. On a plus envie de le manger que de s'en servir pour la toilette. Il est marron, celui-là. Tu ne devineras jamais ! Il y a même un savon qui s'appelle Marmelade, tu te rends compte ? Moi je sais à qui il plairait : à l'ours Paddington !

Un mélange de lavande et d'orange flotte dans l'air.

— Paddington fait ses courses chez Selfridges à un moment, non ?

— Non, corrige Kate, c'est chez Barkridges. On veut l'obliger à enlever son chapeau.

— Tu as raison, admet Alexander avec un sourire.

Il raffolait des aventures de Paddington, et sa mère avait beau désapprouver les animaux qui parlent, elle aussi aimait bien ces histoires.

— Et voilà ! claironne Kate. Fais juste un grand pas en avant.

L'odeur de l'endroit, laine vierge et encens, lui

évoque le passé. Sous ses pieds, la texture du revête-
ment a changé.

— Assieds-toi !

Alexander cherche un siège à tâtons. Kate s'installe
par terre et tire sur sa manche pour qu'il fasse de
même.

— Ça y est, tu peux ouvrir les yeux !

La salle est pleine de tapis persans. Au sol, sur les
murs, roulés et entassés, accrochés à des tringles
comme des journaux démesurés. Il est pris dans une
farandole de rouges et de bleus, de roses et de jaune
d'or, plus somptueux les uns que les autres. Ils prennent place sur un tapis à poils ras orné d'oiseaux posés
sur des branches aux fleurs rose vif. Quand il passe la
main sur les poils, la texture sèche et rugueuse fait
affluer ses souvenirs.

Allongé sur le ventre près de Kate, il sent l'odeur
du tapis lui emplir les narines et lui picoter les yeux.

— Vers où tu voudrais t'envoler ? lui murmure-
t-elle.

Un vendeur s'approche en faisant claquer ses sou-
liers noirs et s'arrête, insistant, au bord de leur tapis.

— Je peux vous aider ?

Alexander lève la tête. Tout jeune et emprunté, le
vendeur fait penser à un adolescent qui se rend à un
entretien d'embauche dans le costume de son grand
frère.

— Nous ne faisons que regarder, merci, répond
Alexander.

— Je vous demanderai de ne pas marcher sur les
tapis.

— Mais nous ne marchons pas, intervient Kate.

Le vendeur ne bronche pas.

— Bon, je crois bien qu'on doit décoller ! déclare-

140

t-elle en sautant sur ses pieds, chassant de ses vêtements une poussière invisible.

Elle aide Alexander à se relever en le tirant par la main, et ils s'éloignent en gloussant bêtement, pareils à des gamins qui lancent une blague que l'institutrice ne peut pas comprendre.

Le rayon literie se trouve juste à côté ; certains matelas sont protégés par une housse en plastique, d'autres exhibent des draps de designers connus.

— Si j'étais riche, dit Kate, je me demande si je choisirais des couleurs aussi vives que ça (elle désigne un couvre-lit écossais en indienne, dans des tons éclatants d'émeraude, d'orange et de violet) ou plutôt du coton blanc. Qu'est-ce que tu en penses ?

— Si tu étais riche, tu pourrais acheter les deux.

— Dans les films, les gens ont toujours du blanc, non ? C'est de bon goût, il me semble.

— C'est certainement pour que le visage des acteurs ressorte mieux.

— Ah, je n'y avais jamais pensé. Qu'est-ce que tu dis de celui-ci ?

Le drap, blanc avec un liseré de fleurs brodées, ressemble à ces mouchoirs artisanaux qu'on rapporte de Suisse.

— Le bonheur de coucher là-dedans ! On doit se sentir comme une princesse, mais je suppose qu'il ne survivrait pas à un lavage en machine.

— À mon avis, les princesses confient leur lessive à leurs domestiques.

— C'est marrant de rêver un peu, juste pour le plaisir. On a beau savoir que ses rêves ne se réaliseront jamais, on peut les prendre très au sérieux.

— Tu y arrives, toi ?

Ses yeux se posent sur la main qui caresse le drap blanc, puis ils échangent un regard à travers le lit.

Les clients sont rares ce matin, et les deux seuls vendeurs en vue sont accaparés par leur discussion sur leurs projets du week-end. Alexander parie qu'ils ne remarqueraient rien s'il se glissait avec Kate sous l'épais duvet blanc et moelleux. Il a encore envie de la serrer contre lui. Son corps menu est porteur d'une telle énergie qu'il a l'impression de recharger ses batteries en l'étreignant.

Ils détournent les yeux en même temps.

— On redescend par l'ascenseur ?

— Alors on revient sur terre ?

— On revient sur terre, répète-t-elle d'un air mélancolique, sans déceler la raillerie dans ses paroles.

Les portes de l'ascenseur restent ouvertes un bon moment. Lorsqu'elles se referment enfin, il se tourne vers Kate, et l'instant d'après ils sont en train de s'embrasser. Le contact de ses lèvres pendant qu'il tient entre ses mains son visage délicat, la pression de son corps frêle mais ferme satisfont délicieusement son désir tout en l'aiguillonnant ; il brûle de l'embrasser plus passionnément, de resserrer son étreinte en la plaquant contre la paroi de la cabine. Quand l'ascenseur s'immobilise au rez-de-chaussée avec une petite secousse, il découvre en rouvrant les yeux son reflet dans le miroir derrière elle. L'espace d'un instant, il ne reconnaît pas ses propres traits. Une femme attend pour monter avec une poussette. Alexander et Kate la contournent pour sortir, chacun d'un côté.

Ils ont atterri au rayon hi-fi-télévision. Kate semble un peu désorientée, puis son visage s'éclaire.

— On est descendus trop bas. C'est le sous-sol, ici. La librairie est juste là-bas.

Tandis qu'elle se dirige vers sa nouvelle mission, il observe l'ondulation de ses hanches étroites, ses jambes fines, ses chaussures invraisemblables.

Trois grands écrans plats dont le son est coupé diffusent les images d'un train calciné entouré d'une nuée de secouristes. Suit un gros plan sur un journaliste qui interroge un homme en parka jaune fluo et casque de protection. On passe ensuite à un studio de Westminster où un ministre trône devant une image de Big Ben. Alexander n'entend pas son discours, mais il connaît par cœur la vieille rengaine déprimante sur les leçons que l'on ne tire jamais à temps. Derrière le présentateur du journal télévisé, on voit un plan fixe de la catastrophe.

— Encore un accident de train, apparemment, dit-il en rejoignant Kate à la librairie.

— Quelle horreur !

Plongée dans un roman du rayon nouveautés, Kate serait manifestement enchantée de passer le reste de la journée ici. Au fond de la section enfants, Alexander repère une édition en coffret des livres de sa mère.

— Tu viens ? Où sont donc ces montagnes de nourriture que tu m'as promises ?

En regagnant l'escalator, ils longent des tables dressées pour des dîners-fantômes.

— Il y a vraiment de tout dans ce magasin. Tout ce qu'il faut pour embellir la vie. Ils ont même des fourchettes avec un épi de maïs, et elles servent juste à manger le maïs en épi ! C'est quand même pas tous les jours qu'on en mange !

Elle se tourne pour le regarder en disant ces mots.

Lui, il a simplement envie de l'embrasser encore.

10

— Tu vois, dit Frances. Le bleu descend jusqu'à l'horizon.

— C'est quoi, l'horizon ?

— L'endroit où le ciel rencontre la mer.

Elles se tiennent toutes les trois face à la mer, exposées à la puissance du vent. Avec à peine un peu moins de soleil, il ferait un froid mordant.

— Frances, demande Lucy en passant du coq à l'âne, tu sais que le petit rond noir au milieu de ton œil est en fait un trou ?

L'école a prévu quelques rudiments de biologie humaine pour les élèves de première année. Lucy sait nommer sans faute toutes les parties de son corps et situer assez précisément les reins et le cœur. Si l'idée que sa poitrine renferme une pompe et quatre tubes ou que deux petits organes l'aident à éliminer ne la perturbe pas le moins du monde, la pupille de l'œil en revanche la remplit de perplexité. Elle interroge tous les adultes qu'elle croise, comme si on la menait en bateau et que quelqu'un allait bien finir par lâcher la vérité.

— Oui, c'est vrai, lui répond Frances.

— C'est incroyable, non ? fait Lucy en contemplant d'un air songeur l'étendue indigo de la mer

144

agitée et le vaste ciel clair. Voir tout ça à travers un si petit trou !

La joie adoucit les traits de Frances.

— Tu viens juste de penser à ça ? demande-t-elle en se penchant vers l'enfant pour fermer son anorak jusqu'au cou.

— Oui.

— C'est une charmante idée, fait-elle en tapotant les manches matelassées du blouson de Lucy.

Pendant un instant, Nell rayonne d'orgueil maternel en se répétant la réplique de Lucy, qui ira rejoindre l'album de souvenirs imaginaire qu'elle se force à ne pas regarder trop souvent.

— Et si on faisait une partie de golf ? suggère Lucy.

— Elle veut parler du putting, explique Nell devant la surprise de Frances.

Au kiosque en forme de cabane de jardin, elles louent deux clubs pour adultes et un pour enfants, ainsi que trois balles multicolores. Lucy fait rebondir sa balle vers le premier trou à la façon d'un joueur de hockey et se proclame gagnante sous prétexte qu'elle est arrivée avant les autres. Il n'y a qu'elles trois sur le parcours de gazon bien vert, entre la promenade et la route qui longe la plage.

Frances laisse tomber sa balle.

— Si on m'avait dit que je ferais ça... Tu sais quoi ? On va prendre des paris, toi et moi. Une livre par trou ?

— Et si la perdante offrait le déjeuner ?

— Je te trouve beaucoup d'assurance.

— Je me suis sans doute entraînée plus que toi ces temps derniers.

Frances frappe trop fort dans sa balle, qui s'en va rouler au-delà du trou.

— Un enfant change complètement une vie, non ? demande-t-elle en surveillant le trajet de sa balle. Non seulement il vous empêche de dormir pendant deux ans, mais il faut aussi être d'assez bonne composition pour accepter de jouer avec lui à onze heures du matin.

— Et le laisser gagner en prime ! achève Nell en visant le premier trou.

La trajectoire de la balle n'est pas mauvaise, mais elle prend un peu trop de vitesse et passe par-dessus le trou.

— Ça te plaît ? demande Frances en continuant le parcours.

Lucy est déjà au quatrième trou.

— Quoi, le putting ?

— Tu sais très bien de quoi je parle.

— Je l'adore, commence prudemment Nell, et ça me plaît beaucoup d'être sa mère. Mais la maternité en soi ne m'attire pas plus que ça, si c'est bien le sens de ta question.

Peut-on vraiment établir ce genre de distinction entre le général et le particulier ? Elles ont beaucoup manqué à Nell, ces conversations avec Frances qui l'obligent à mettre de la rigueur dans ses réflexions sur sa vie.

— Je sais que je ferai avec plaisir tout mon possible pour le bonheur de Lucy. Je n'ai jamais éprouvé cela pour personne auparavant, et c'est un sentiment merveilleux. Mais quand je me dis que je suis responsable d'elle jusqu'à ce qu'elle ait l'âge de s'assumer, il m'arrive d'être folle de panique.

— Il te suffit de faire de ton mieux, non ?

— Tu sais, on n'en fait jamais assez...

146

— Mais tu es un modèle de dévouement et d'abnégation !

Dans la bouche de Frances, on dirait presque qu'il s'agit d'un défaut.

— Non, il m'arrive parfois de trouver ça monotone, la maternité. L'ennui, c'est quelque chose que les femmes de notre génération n'ont pas intégré. On ne sait pas y faire face. Certains jours, j'ai l'impression de jouer le jeu sans m'intéresser pour de bon à ce qu'elle me raconte. Si elle m'interrompt pendant que je lui lis une histoire, il m'arrive d'oublier où on en était quand je veux reprendre le fil. C'est comme si j'étais en pilote automatique. Je ne suis pas sûre d'être une bonne mère pour elle.

— Tu rigoles ! Tu as abandonné ton travail pour te consacrer à elle.

— Oui, mais l'enseignement ne me passionnait pas outre mesure.

— De nos jours, les gens ne s'occupent plus eux-mêmes de leurs enfants, souligne Frances en visant le deuxième trou.

— Mais si. La plupart des camarades de Lucy sont pris en charge par l'un des parents.

— C'est la campagne, coupe Frances d'un ton sans réplique.

— On peut esquiver une partie des corvées en payant une nourrice, mais il y a un revers à la médaille...

— Oui, tu peux vivre un peu ta vie.

— Tous les enfants ne demandent pas autant d'attention, réplique Nell, sur la défensive.

Frances voulait-elle marquer sa désapprobation, ou est-ce simplement son statut inconfortable de mère au foyer qui donne à Nell l'impression d'être agressée ?

— C'est un métier à plein temps de lui administrer les médicaments adéquats à la bonne heure, de préparer des plats qui ne lui font pas mal, de limiter autant que possible la présence d'acariens. Ces choses-là, je ne peux m'en décharger sur personne.

— On peut aussi tomber dans l'excès d'attention.

— Ce dont je te parle, c'est d'assurer à un enfant qui n'a pas demandé à naître un maximum de sécurité. Ce n'est pas un excès d'attention, mais un des droits fondamentaux de la personne humaine.

Elle frappe la balle qui tombe pile dans le trou, puis Frances fait à son tour deux nouvelles tentatives.

— Je n'avais pas regardé les choses sous cet angle, concède-t-elle en retirant la balle du trou.

Elle adresse à Nell un sourire approbateur qui lui fait regretter son ton péremptoire.

— Quoi qu'il en soit, ça m'a décidée à écrire. Je ne me serais jamais lancée si j'avais continué l'enseignement.

— Tu as de la chance de pouvoir écrire, dit Frances d'un air songeur. Ton travail te manque un peu ?

— Seulement l'aspect communication.

Frances la regarde comme si elle avait dit une énormité.

— Che m'appelle Miguel et ch'ai deux frères et une sœur, ânonne-t-elle avec un fort accent espagnol.

Nell éclate de rire.

— Tu te souviens de M. Sato ?

— M. Sato ?

— Mais si, on parlait des superstitions. Tu te rappelles forcément !

Nell imite un Japonais au débit haché :

— Nous au Japon, pas de superstitions, mais très mauvais de manger anguilles avec prunes...

148

Frances reste sans réaction.

— On était littéralement pliées de rire. Genre
« Merci de nous prévenir, la prochaine fois que j'irai
au restaurant, je me souviendrai de ne pas commander
d'anguille aux prunes... »

Frances la dévisage toujours comme si elle nageait
en plein délire. C'est alors que Nell se souvient que ce
n'est pas avec elle qu'elle a reçu les tuyaux culinaires
très sérieux du Japonais, mais avec Alexander.

L'anecdote fait partie de ces blagues d'initiés que
les couples adoptent toujours au début, et qu'ils ne
cessent de ressortir en s'esclaffant dès qu'un des mots
clés survient dans la conversation, excluant le reste du
monde de leur toute nouvelle intimité. Elle se revoit
chercher sur les menus l'idéogramme de l'anguille
et le montrer à Alexander qui la mettait en garde d'un
air lugubre : « S'il te plaît, pas de prunes. Je sais que
c'est tentant, mais je dis ça pour ton bien. » Et ils
riaient tous les deux à gorge déployée – ce qui n'est
plus arrivé depuis si longtemps qu'elle en a oublié
l'existence.

— Ce que je regrette, c'est le côté « on est entre
nous » de la salle des profs.

Frances fait la grimace.

— Le sentiment d'être parachutés ensemble dans
un pays étranger. On est tous venus là pour s'ouvrir à
une autre culture, évidemment, mais ça fait un bien
fou de se retrouver avec des gens qui mangent leurs
Weetabix le matin et qui regardaient *Blue Peter* quand
ils étaient petits. Le comble, c'est que les seules
conversations adultes qui me restent aujourd'hui tournent autour des Weetabix et de *Blue Peter*.

— Tu dois être au trente-sixième dessous, si tu en
viens à regretter les discussions de salle des profs.

— Je crois que ce qui me manque le plus, c'est de ne pas entendre la sonnerie du réveil et de débuter la journée sans savoir comment elle va finir.

— Moi je sais d'avance comment elle va se conclure, maugrée Frances. Un cours avec le niveau supérieur, et un maximum de bières avant la fermeture.

— L'herbe est toujours plus verte dans le pré du voisin... déclare Nell, qui n'a rien trouvé de plus convaincant pour réconforter son amie.

— Lucy a-t-elle été un accident ? s'enquiert Frances alors qu'elles marchent sur le green.

Nell détourne son regard vers sa fille qui se concentre sur son swing, son anorak rose gonflé par le vent. L'amour qui l'envahit alors est aussi violent que la faim.

— Non, dit-elle, on avait bien prévu son arrivée.

Ils avaient très vite décidé d'avoir un bébé ensemble, même si Nell avait mis plus d'un an pour tomber enceinte. Ironie du sort, la question avait été abordée suite à un accident contraceptif, un épisode très intime de leur histoire auquel Nell repense aujourd'hui encore en souriant.

Ils étaient ensemble depuis deux ou trois mois. Sa mère venait de repartir de Tokyo, le printemps était froid et lumineux, et ils faisaient inlassablement l'amour, souvent le matin, après un petit déjeuner au lit. Ils buvaient du thé, refaisaient l'amour et sortaient faire un tour avant le début des cours, le soir. Ils utilisaient des capotes, à l'époque, et leur réserve de préservatifs anglais étant épuisée, ils avaient dû se contenter des japonais, moins commodes à enfiler. Nell se rappelle le poids alangui de la poitrine d'Alexander sur la sienne, puis le léger sursaut de panique quand il s'était retiré. Le préservatif était resté en elle, et lorsqu'elle l'avait extirpé dans un chuintement ignoble, dénué de tout romantisme, ils s'étaient aperçus qu'il était percé.

Jusque-là, leur liaison n'avait pas connu le moindre heurt. Quand elle le regardait dormir le matin, elle s'attendait presque à ce qu'il constate en s'éveillant qu'elle n'était pas assez bien pour lui. Comme ce n'était pas le cas, elle en était venue à redouter la réapparition d'une ex. Elle imaginait son dilemme, qu'il résolvait en se laissant arracher à elle par la force irrésistible de la complexité des choses.

Elle avait déjà connu ce genre de situation. Nell était le stéréotype de la gentille fille qui repère les hommes mal en point et les remet sur pied. Une fois requinqués, ils s'empressaient de s'envoler vers des contrées plus exotiques. De tous les mots de la langue anglaise, « gentille » est celui qu'elle exècre le plus.

« Que va-t-on faire ? lui avait alors demandé Alexander à propos du préservatif troué.

— Je ne tiens pas trop à prendre la pilule du lendemain. Ça m'est déjà arrivé, et ça m'ennuierait de recommencer. De toute façon, il n'y a pas beaucoup de risques, je viens juste d'avoir mes règles.

— Et dans le cas contraire ?

— Eh bien, j'aviserai le moment venu », avait-elle répliqué avec un grand sourire.

En disant ces mots, elle était quasiment sûre qu'il allait lui servir n'importe quel prétexte pour justifier son départ en catastrophe. Au lieu de cela, il s'était tourné vers elle et l'avait regardée bien en face.

« Tu as envie d'avoir un bébé ? »

Elle avait détourné le regard.

« Pourquoi pas ? Je pense que oui, avait-elle répondu sans détour, maudissant intérieurement sa franchise.

— Je devrais peut-être reformuler la question. Je voudrais savoir si tu désires un enfant de moi. »

Elle lui avait avoué qu'elle l'aimait la semaine précédente, mais elle l'avait d'abord laissé déclarer son amour. D'ailleurs, elle avait attribué ses paroles à l'attirance sexuelle. Ça n'engageait vraiment à rien.

« Qu'est-ce que tu en penses ? avait-elle demandé prudemment.

— Je crois que c'est une belle idée, avait-il répondu avec un sourire. Je serais ravi d'avoir un bébé avec toi.

— C'est vrai ?

— Ça te surprend ?

— Oui », avait admis Nell sans oser en dire plus.

Ils avaient encore fait l'amour après ça, sans préservatif. Leur étreinte avait été différente des autres, pleine de tendresse et de beauté, comme s'ils avaient quitté le domaine des sensations charnelles ancrées dans l'instant présent pour une sphère plus élevée, qui englobait aussi l'avenir.

Ils s'étaient ensuite rendus au parc Ueno et s'étaient assis sous un cerisier en fleur avec un groupe de collègues. Nell et Alexander avaient beau bavarder chacun de son côté, à quelques pas l'un de l'autre, ils se cherchaient souvent du regard pour échanger un petit sourire de connivence.

Quand elle avait eu de nouveau ses règles, ils s'étaient sentis curieusement déçus que leur élan tellement spontané n'ait pas abouti à la conception d'un enfant. Ils étaient cependant convenus qu'ils n'auraient pas vraiment souhaité que leur bébé naisse à Tokyo.

Par la suite, le bon sens avait semblé imposer un retour au préservatif. Ils n'en avaient même pas parlé. Nell supposait qu'Alexander avait oublié leur conversation ou qu'il préférait ne plus s'en souvenir, et elle s'était donc efforcée de faire de même jusqu'à ce fameux soir où ils étaient rentrés trempés du travail – un jour de la saison des pluies où la ville était plus crasseuse et intenable que jamais.

Pendant qu'elle préparait le thé, elle avait senti son regard rivé sur son dos, attentif au moindre de ses gestes. Il lui avait demandé lorsqu'elle s'était retournée :

« Pourquoi on n'irait pas s'installer dans un endroit agréable pour avoir enfin ce bébé ? »

— Tu as vu ? lui crie Frances de l'autre bout du green.

— Quoi donc ?

— J'ai encore fait rentrer la balle du premier coup.

— Ah bon ? Je te félicite ! répond Nell comme si elle s'adressait à Lucy.

— Il n'y a pas de quoi, grosse gourde ! Tu bêtifies complètement. Moi qui croyais que le cerveau ne partait en compote qu'*après* la naissance de l'enfant !

— L'enfant ?

Pendant une fraction de seconde, Nell a l'impression que Frances a entendu chacune de ses pensées. Et puis elle fait le lien. L'enfant. Celui qu'elle porte en ce moment. Elle n'a pas encore admis pour de bon sa grossesse. Ça lui donne mauvaise conscience que cet embryon microscopique qui grandit dans son ventre soit oublié sitôt apparu.

Lucy en est à son deuxième parcours. C'est une petite fille qui arrive très bien à s'amuser toute seule.

Nell ne sait pas trop comment l'enfant unique qu'elle est va réagir à l'arrivée d'un frère ou d'une sœur. Elle trouve assez injuste de lui imposer cela sans son accord, mais d'un autre côté, la venue de ce bébé lui fera peut-être du bien. C'est parfois un terrible fardeau d'être le seul enfant de la famille. Bien que sa mère soit décédée depuis plusieurs années, Alexander a encore l'air de porter le poids de son amour sur ses épaules. Nell a une pensée pour son frère, pour les enfants de celui-ci qui gambadent dans le jardin avec Lucy quand ils leur rendent visite.

— Je me suis moi-même demandé si je n'en voulais pas un, déclare Frances.

— Un quoi ?

— Mais bon sang, de quoi tu veux que je parle ?

— Un bébé ? demande Nell, qui commence à mieux comprendre l'humeur un peu étrange de son amie.

— Tu peux parler au petit Jésus quand tu es malheureuse, non ? suggère Lucy avant de taper dans sa balle.

— Mme Bunting est un peu grenouille de bénitier, précise Nell.

— Qui est donc cette Mme Bunting ? s'énerve Frances, contrariée qu'on ait volé la vedette à sa grande nouvelle.

— L'institutrice de Lucy. On a assez joué comme ça, non ?

— Tu as raison, on va déjeuner quelque part.

— Tu es enceinte ? chuchote Nell en remontant la promenade.

Lucy ouvre la marche en trottinant et se retourne fréquemment pour lancer des questions dont l'invariable réponse est : « Tout à l'heure ».

— Si je l'étais, repartit Frances, ce serait un cas d'immaculée conception.

Nell a toujours eu des doutes quant aux préférences sexuelles de Frances. Elle mentionnait bien ses anciens petits amis, mais Nell ne l'a jamais vue en compagnie masculine. Elle a toujours éprouvé la sensation un peu gênante que Frances était amoureuse d'elle, à cause de ses sempiternels compliments sur sa beauté. Même son animosité à l'égard d'Alexander ressemble à de la jalousie envers celui qui lui a volé Nell.

— On peut aller sur la jetée ? réclame Lucy.

— Tout à l'heure, promet Nell avant de glisser à Frances : Tu as quelqu'un ?

— Je rêve ou tu es la pire des conformistes ?

— Je veux dire, tu as une liaison avec quelqu'un ?

— De nos jours, on n'a plus besoin de « liaison » pour avoir un enfant. Ni même pour le faire, finalement.

Frances cherche manifestement à éluder la question.

— Soit tu récupères le sperme d'un ami beau et intelligent, probablement homosexuel, soit tu vas dans un pub dégotter un lascar qui cherche un coup pour un week-end sexe. Je n'ai pas encore choisi la méthode de conception...

— Je peux avoir une sucette ? interrompt Lucy.

— Après le repas.

Nell réfléchit à une réponse judicieuse. Elle n'imagine pas du tout Frances avec un bébé.

— C'est formidable, dit-elle sans grande conviction. D'où t'est venue cette idée soudaine d'avoir un enfant ?

— Égocentrique comme je le suis, je serais trop malheureuse de ne pas transmettre mes gènes.

155

— Je n'ai jamais entendu d'argument plus saugrenu.

— C'est l'évolution de l'espèce, je présume.

Nell éclate de rire.

— Tu dois avoir raison.

— En plus, l'idée d'avoir de la compagnie sur mes vieux jours ne me déplaît pas. Pas pour que quelqu'un me prenne en charge, mais pour me changer un peu de ma solitude.

— Un enfant n'empêche pas forcément de se sentir seule.

— Je vais chercher une étoile de mer pour la rapporter à Mme Bunting, annonce Lucy en balayant la plage du regard, agrippée à la balustrade.

— Ce n'est pas sûr que tu en trouves une.

— Mais puisqu'elles viennent de la mer !

— C'est exact, ma chérie, confirme Frances. Je connais une jolie boutique où tu pourras en trouver une belle. Avec une étiquette indiquant qu'elle vient des Philippines.

— On peut y aller ? Dis, maman, on y va, à la boutique d'étoiles de mer ?

— Je crois que tu aurais mieux fait de te taire, observe gentiment Nell. On peut passer à la boutique ?

— Tout de suite ! complète triomphalement Lucy.

— Non, on ira plus tard. Frances, comment feras-tu pour t'occuper de lui ?

— Mais bon sang, je ne suis pas encore enceinte ! Je crois qu'il me reste pas mal de marge avant d'y réfléchir.

Nell s'apprête à la contredire, mais elle se souvient d'avoir répliqué exactement la même chose à l'époque. Tout le monde sait bien que les gens sans enfants imaginent toujours que ceux qui en ont exagèrent les bouleversements occasionnés par leur naissance.

— Je veux acheter une étoile de mer ! serine Lucy.

— Après déjeuner, lui répond Frances. Tu vois, poursuit-elle à l'intention de Nell, j'ai déjà pris le pli.

— Pour quoi ?

— Pour mener deux conversations de front.

11

Kate regarde les petites parts de sushis défiler lentement sur le tapis roulant, pendant qu'Alexander lui
explique que les liserés en couleurs des assiettes servent à indiquer le prix. Elle a du mal à se concentrer.
Pas facile de réfléchir à son repas quand quelqu'un
vous fait vibrer au point que votre estomac ne cesse de
se retourner et que votre corps ressemble à un ressort
tendu prêt à se relâcher au moindre contact.

Elle n'a jamais raffolé du poisson, et surtout pas du
poisson cru. Qu'est-ce qu'on ne ferait pas par amour !

Amour.

Malade.

Malade d'amour. C'est peut-être l'origine de l'expression.

L'odeur de poisson n'est pas trop forte, c'est déjà
ça. Kate se mord les doigts de ne pas avoir refusé,
mais il semblait tellement enthousiaste en découvrant
le restaurant à sushis ! Vu que c'est elle qui l'a traîné
ici, elle aimerait bien qu'il passe un bon moment.

— Par quoi veux-tu commencer ?

— Choisis à ma place.

Elle a vraiment eu tort d'accepter. Il lui en voudrait
moins d'avoir décliné l'invitation que de régurgiter
son repas. Elle revoit la photo d'un président américain

en train de vomir copieusement sur son hôte au cours d'un dîner officiel au Japon. Pendant qu'elle se creuse la tête pour retrouver son nom, Alexander choisit une portion de saumon et la pose entre eux deux sur le comptoir. Kate considère les trois petits morceaux de poisson dans leur assiette bordée de turquoise.

— Je dois mettre tout ça dans ma bouche ?

Il la dévisage sans comprendre.

— Comme disait Monica à Bill Clinton... achève-t-elle en se repentant aussitôt de sa blague.

Mais qu'est-ce qu'elle a, à la fin, avec tous ces présidents américains ?

— Je n'en reviens pas que tu n'aies jamais goûté aux sushis, déclare Alexander, enchanté de lui faire découvrir un bon plat.

Il engloutit un morceau de poisson.

Après quelques hésitations, Kate en saisit un entre le pouce et l'index, ouvre grand la bouche et l'enfourne tout entier, comme lui.

Par chance, le goût de poisson est moins fort qu'elle ne l'aurait cru, mais le gros morceau est difficile à mastiquer et le riz horriblement sec.

— Qu'est-ce que tu en dis ?

Kate a la bouche tellement pleine qu'il lui est impossible de mâcher. Elle mime le geste de prendre un verre et de boire. Alexander comprend et demande au serveur un verre d'eau, mais la première gorgée ne lui est pas d'un grand secours. Quand il arrive la même chose à un enfant, on lui met la main sous le menton pour qu'il recrache la nourriture. Kate palpe ses vêtements à la recherche d'un mouchoir, même si elle est sûre de ne pas en avoir.

George Bush. C'est bien lui, le président qui a vomi... Le père de George W.

Alexander, qui a déjà avalé deux morceaux de saumon, recommence à inspecter le tapis roulant. C'est bien un homme pour ne pas remarquer qu'elle est près de s'étouffer ! À moins qu'il fasse ça par simple politesse.

— Tout va bien ? finit-il par lui demander.

Avec un grand geste de la main pour lui expliquer qu'elle ne peut pas parler, elle se demande, affolée, comment elle va pouvoir se pencher au-dessus de lui pour attraper une serviette sans qu'il comprenne aussitôt qu'elle veut tout recracher. Sur le point de foncer aux toilettes, elle s'aperçoit que le poisson s'est amolli dans sa bouche et devient plus facile à mâcher. Il lui faudra quand même une éternité pour pouvoir répondre à sa question.

— On dirait du saumon fumé avec moins de saveur, déclare-t-elle enfin.

En parlant, elle projette un grain de riz qui va se coller à la chemise d'Alexander. Elle ne peut pas détacher les yeux de la petite tache blanche et de l'auréole de salive plus foncée. Il ne s'agit peut-être que d'un grain de riz, mais il est le symbole flagrant de ce qu'elle sait déjà. Leurs univers n'ont rien de commun, ils sont absolument incompatibles.

Il éclate de rire en regardant sa chemise. Puisque c'est ça, elle se met à rire à son tour. Après tout, il y a peut-être un espoir de compatibilité.

— Tu as aimé ?

— Ça fait un peu drôle de manger du poisson sans avoir pris de petit déjeuner, explique-t-elle, soulagée de ne pas avoir lâché un « non » franc et définitif.

— Goûte ceci.

Les lumières crues du restaurant font luire les

grappes de petites boules orangées enveloppées dans une espèce de plastique noir.

— Qu'est-ce que c'est ? Non, ne me dis rien...

Elle cueille du bout des doigts un des globes orangés, qui éclate dans sa bouche telle une capsule d'eau de mer. On ne peut pas dire que ce soit désagréable. Si on l'interrogeait pour un sondage, elle qualifierait le goût de « fascinant ». Elle picore un deuxième grain, puis un troisième, et ne prend le restant d'un seul coup que lorsqu'elle est certaine de pouvoir l'avaler.

— Ça me fait penser à ces bonbons, tu sais, une fois qu'on a commencé, les bulles n'arrêtent plus d'éclater.

— Il s'agit d'une variété de caviar, mais celui-ci est issu du saumon, pas de l'esturgeon.

— Et le plastique noir ?

— Ce sont des algues.

Des algues ? Heureusement qu'elle a déjà dégluti.

— Comment ça se fait que tu sois aussi bien renseigné là-dessus ?

— J'ai vécu au Japon.

— Waouh !

Il lui fait un sourire, mais il est empreint de tristesse. Un de ces sourires qui laissent pressentir qu'il ne lui livrera jamais qu'une infime partie de ses pensées.

Avec qui était-il au Japon ? Une petite amie ? Une Japonaise comme cette héroïne d'opéra ? Elle se figure une femme au visage poudré, dans un kimono orné de caractères japonais. Elle la déteste déjà.

— Ils mangent tout le temps des trucs comme ça ?

— Oui.

— Jamais de plats chauds ?

— Si, ils en cuisinent également. Des nouilles par exemple, ou de la soupe...

Téméraire, Kate choisit une deuxième assiette sur le tapis roulant. Une chose toute jaune et spongieuse, attachée à la portion de riz par ce fameux plastique noir.

— Ça ressemble à une omelette, mais c'est sucré.

— C'est bien de l'omelette, confirme-t-il.

— Du poisson en omelette ? Ça ne tient pas debout !

Elle le surprend à réprimer son fou rire.

— Qu'est-ce qu'il y a ?

— C'est de l'omelette, pas du poisson.

— Mais ça ne peut pas être de l'omelette au poisson ? s'obstine-t-elle, comme si elle savait très bien de quoi elle parle depuis le début.

Ah oui, cette Japonaise, elle s'appelle Madame Butterfly !

— Ça ressemble à quoi, le Japon ?

Après une lampée de bière à même le goulot, Alexander promène son regard entre le cuisinier et les serveuses japonaises debout près de la caisse.

— Ça ressemble beaucoup à ici.

— Hier tu as déjà dit ça pour l'Italie.

— Ah bon ?

Quand il se ferme ainsi pour esquiver une question, Kate se fait l'effet d'une pauvre cruche indiscrète, mais elle se sent aussi encore plus amoureuse.

— Je veux dire que de nos jours, tous les endroits du monde sont assez semblables. Tu retombes toujours sur Gap, Starbucks, Kentucky Fried Chicken...

— Pokémon.

— Tout à fait.

162

— Trouve-moi juste une différence entre le Japon et l'Angleterre.

— Les trains sont à l'heure, répond-il au bout d'un instant.

— Et puis ?

— Les gens se déchaussent quand ils entrent quelque part.

— D'accord, et ensuite ?

— Les femmes se cachent le visage quand elles rient, parce qu'il est soi-disant incorrect de montrer ses dents.

— Et les Japonais ?

— Ils ne livrent pas facilement leurs pensées.

— Oh ! alors, tu devais te sentir à ton aise.

Elle ne sait pas ce qui lui a pris de faire cette remarque, mais puisqu'il le prend avec le sourire, ce n'est pas bien grave.

— Manger du poisson cru et ne pas rire comme on veut, c'est pas un endroit pour moi.

— Tu as assez mangé ?

— Oui, merci.

De toute façon, elle en avait déjà assez avant de commencer.

— L'idée du tapis roulant est sympathique, dit-elle en quittant le restaurant, histoire de faire un commentaire positif. Mais ça serait encore mieux avec des chocolats, par exemple.

— Où elle est, cette nourriture gratuite dont tu me parlais ?

— Il y a des petits bouts de jambon cru, par là-bas. J'ai l'impression qu'ils deviennent radins.

— Ils se sont peut-être aperçus que certaines femmes se faisaient les ongles et déjeunaient à l'œil...

La vitrine de hors-d'œuvre contient un assortiment

163

de terrines de poisson enrobées de gelée brillante et des demi-homards coiffés d'une noix de mayonnaise. Leur aspect faussement sucré aiguise l'appétit de Kate.

— Quel est ton plat préféré ? demande-t-elle à Alexander.

Cela fait partie des menus détails qu'elle ignore à son sujet. Comment peut-elle être amoureuse de lui ? C'est pourtant évident qu'elle est amoureuse, car son excitation est presque insupportable. On dirait qu'une partie d'elle-même, au plus profond de son être, communique avec lui. Marie prétendrait qu'ils se sont connus dans une autre vie.

— La pizza, fait-il avec un sourire – très chaleureux cette fois, le genre de sourire qui vous convainc qu'il est profondément gentil en plus d'être aussi beau.

Elle se demande s'il cherchait un moyen subtil de la complimenter. A-t-il choisi la pizza parce qu'elle est liée à leur rencontre ? En dehors des gamins de sept ans, personne ne raffole des pizzas à ce point.

— Je connais une petite boutique à Rome, avec un gros mastodonte qui sort de son four rudimentaire de grandes plaques à pizzas à l'aide d'une pelle. Il découpe des parts rectangulaires et les enveloppe dans du papier sulfurisé. Ainsi on peut manger en se promenant dans la rue. La meilleure de toutes, c'est celle aux pommes de terre.

— Aux pommes de terre ?

— Oui, des pommes de terre coupées en fines lamelles, bien salées, assaisonnées d'huile d'olive et de romarin. Aussi simple que délicieux.

Il devait être à Rome avec quelqu'un qu'il aimait, déduit Kate, parce que ce n'est pas la nourriture qui l'a marqué, mais toutes leurs flâneries au soleil. Les gens sensés ne citeraient jamais la pizza aux pommes de terre comme leur plat préféré.

— Les meilleures pizzas sont les moins compliquées, renchérit-elle en réprimant de son mieux les accents suraigus de la jalousie. Chez nous, les clients demandent souvent les plus simples. En fait, les gens n'ont pas envie de pizza aux crevettes, ça ne va pas ensemble. Ce qui plaît, c'est la tomate et une bonne quantité de fromage. Au fond, c'est juste du pain chaud et du fromage, non ? Sauf que la tienne était garnie de pommes de terre.

Elle se sent bête comme tout.

— Et toi, lui demande-t-il, quel est ton plat favori ?

Kate réfléchit quelques instants. Elle a un faible pour le chocolat, mais elle trouve un peu puéril de l'avouer. Alexander la regarde délibérer, comme si elle était un spécimen rare et lui David Attenborough. Elles lui font très plaisir, ces marques d'intérêt. Elles lui laissent imaginer que son avis a de l'importance.

— Les poires mûres à point, finit-elle par décréter. Tu sais comment sont les poires : trop vertes un jour et pourries le lendemain. Elles sont bonnes pendant environ deux heures. C'est là que je les aime.

Lorsqu'une odeur sucrée de pâtisserie vient lui chatouiller les narines, elle regrette de ne pas avoir cité à la place les feuilletés aux fruits. Elle avalerait bien quelque chose de bon pour calmer les aigreurs d'estomac provoquées par le poisson cru et la jalousie. Le rayon pâtisserie exhibe divers gâteaux d'anniversaire glacés. Une voiture de sport rouge, un château rose, un gros gâteau rond déguisé en pizza, avec de fausses tranches de saucisson rougeâtre et des lamelles de poivrons d'un vert anémié. Les couleurs sont tellement criardes que Kate a l'impression qu'on lui fait une farce.

Elle aspire longuement l'arôme de beurre cuit.

— Tu sais, ces histoires de molécules ?

— Oui, répond-il sans s'avancer.

— Bon, si les odeurs viennent des molécules qui se détachent et flottent dans l'air, est-ce que tu crois qu'on peut se nourrir rien qu'en les respirant assez longtemps ? Si on absorbe suffisamment de molécules...

— Tu as encore faim ? demande-t-il en riant.

— Oui, un peu...

— Il te faudrait combien de temps pour inhaler une huître ?

Elle avise sur sa gauche un comptoir en inox qu'elle n'avait pas vu jusque là, avec des tabourets de bar, un rebord carrelé et un tableau noir pour les tarifs.

— Ça ne me dit pas grand-chose, répond-elle en essayant vainement d'attirer son regard vers l'étalage de gâteaux voisin.

— Tu as déjà essayé ?

— Ça non !

— Alors suis-moi !

Il l'entraîne par la main vers le bar à huîtres et se perche sur un tabouret. Tandis qu'elle s'installe près de lui à contrecœur, il s'incline vers elle pour chuchoter tout doucement :

— Il paraît qu'elles ont des vertus aphrodisiaques.

Son souffle est tiède et légèrement humide contre son oreille gauche, et ce côté de son corps est parcouru de fourmillements. Au point où elle en est, il serait capable de lui faire avaler un serpent vivant. Elle simule la désinvolture, mais son cœur semble

166

s'être déplacé entre ses cuisses, palpitant contre le siège en plastique noir.

— Je vais te dire, si je m'aventure à manger une huître, il faudra que tu acceptes de faire quelque chose que tu n'as jamais essayé.

— Marché conclu.

Il commande une demi-douzaine d'huîtres et deux coupes de champagne.

— Du champagne ? s'étonne Kate. Pourquoi du champagne ?

— Il faut vraiment une raison ?

— Je ne bois pas, d'habitude.

— Moi non plus. En tout cas pas au déjeuner.

Dès que le serveur a apporté le plat, Alexander arrose d'un filet de jus de citron les huîtres humides et argentées. Elle jurerait que l'une d'elles a frémi. Elle ne sont quand même pas vivantes ! Maintenant qu'elle y pense, il lui semble se souvenir que quelqu'un lui a dit que si.

— Sers-toi la première !

— Qu'est-ce que je suis censée en faire ?

Il lui apprend à détacher la chair de la coquille nacrée.

— Tu peux la mettre directement dans ta bouche ou bien la piquer avec une fourchette.

Kate choisit la fourchette.

— Quelle horreur !

Elle la porte à ses lèvres, lui fait un sourire. Le goût lui emplit alors la bouche comme une vague d'eau de mer sale. Elle boit son champagne à grands traits, de la même façon que s'il s'agissait de Coca en canette.

— Ça te plaît ?

Sa bouche n'a gardé que le goût du champagne.

Elle termine d'ailleurs son verre, aussitôt étourdie par l'alcool, les bulles lui picotant agréablement la langue.

— J'aime beaucoup le champagne.

Elle prend bien soin de lui cacher qu'elle n'a jamais goûté à ça non plus. Alexander commande une deuxième coupe. Le jeune serveur coiffé d'un calot bleu marine essaie manifestement de deviner la nature de leur relation. « Garde tes pensées dégoûtantes pour toi », a envie de lui lancer Kate.

Elle boit quelques gorgées de champagne pendant qu'Alexander termine ses huîtres. Kate a peine à croire qu'on puisse avaler une telle quantité de poisson froid.

— Le goût pourrait aller, à la rigueur, s'il ne fallait pas mâcher et s'il n'y avait pas cet aspect « animal ».

Elle se rend compte trop tard qu'elle a pensé à voix haute.

— Je suis désolé, fait Alexander tandis que le serveur débarrasse les coquilles vides. Je ne suis qu'un égoïste. Mais j'adore les huîtres.

— Comment ça se fait ?

— Autrefois, on allait passer le week-end à Mersea, dans l'Essex.

— Qui ça, on ?

Elle n'en revient pas d'avoir osé demander ça.

— Et l'odeur des huîtres était partout.

— Bah !

Elle n'est pas sûre de l'avoir dit, elle l'a peut-être juste pensé.

— Ma mère avait un bungalow, pour faire de la peinture. Moi je rôdais dans les alentours en ramassant des débris apportés par les vagues. On mangeait des huîtres tous les soirs, parfois crues, d'autres fois frites dans une tranche de bacon. On avait une cuisinière à un seul feu, tu sais, alimentée par une bonbonne de gaz.

De peur de commettre un impair, Kate se borne à hocher la tête.

— Il y avait des anges à cheval dessinés dessus, à moins que ce ne soit des démons...

— Des chevaux.

Réalisant ce qu'elle a dit quand il la regarde d'un drôle d'air, elle essaie de rire comme si elle venait de sortir une boutade. Elle est complètement ivre !

Elle l'imagine petit garçon, en écumeur des plages. La mer est calme, la grève couverte de galets. Le soleil vient de se coucher, et la flamme de la gazinière Calor de sa mère sera bientôt la seule lueur dans la nuit. Cette idée la remplit d'une indéfinissable tristesse.

— Et ton papa ?

— Mon père est parti quand j'avais cinq ans, répond Alexander avec un haut-le-corps.

Il s'est raidi tout entier, et elle a envie de l'entourer de son bras pour le sentir se détendre contre son épaule. Mais il est probable qu'il la repousserait, érigeant une barrière autour de sa souffrance pour l'empêcher d'y accéder. Elle juge plus sage de ne pas intervenir.

Les bruits ambiants sont décuplés par l'effet du champagne. Le serveur dépose la note dans une soucoupe métallique qui résonne contre la table. Alexander cherche du liquide dans son portefeuille, puis se rabat sur une carte Switch qu'il remplace au dernier moment par une Connect.

Kate en tire la conclusion qui s'impose : s'il a deux comptes séparés, c'est qu'il est marié. D'après sa façon de regarder la carte, le serveur l'a compris lui aussi. La machine semble mettre une éternité pour accorder l'autorisation de paiement. Elle crache enfin le reçu en faisant assez de vacarme pour qu'on l'entende dans tout l'espace restauration.

« Je suis soûle, se dit Kate, j'ai trop bu et je n'ai plus les idées claires. Les deux comptes en banque peuvent s'expliquer de mille façons. Et puis quelle importance s'il est marié ? Il ne s'est rien passé entre nous, après tout. »

— Alors, quelle est cette chose que je dois faire et que je n'ai jamais essayée ? lui demande Alexander.

Le son de sa voix a quelque chose de lointain, comme s'il lui parlait depuis une autre pièce.

— Viens avec moi, répond-elle en se laissant glisser de son tabouret.

Elle lui prend la main et l'entraîne vers l'escalator, traversant en chemin le rayon chocolaterie avec ses vendeurs snobinards qui mettent des gants en plastique pour servir les clients, ses pyramides de chocolats vernissés dans les vitrines étincelantes, ses montagnes de boîtes en forme de cœur.

12

Nell et Frances font la queue dans un fish & chips pendant que Lucy jette quelques pièces dans le chien en plâtre grandeur nature qui sert à recueillir les dons à la SPA.

— Je suppose qu'Alexander ne me rendrait pas ce service ?

— Quoi donc ?

Nell était en train de réfléchir aux questions dont elle allait bientôt devoir bombarder le restaurateur.

— Me donner du sperme, pour mon bébé.

— Tu plaisantes ? fait Nell en la regardant bouche bée.

— Vu ta réaction spontanée, ce doit être le cas.

« Qu'est-ce qui t'est passé par la tête ? a envie de répondre Nell. Alexander et toi ne pouvez pas vous supporter. » Mais elle se contente d'objecter à la place :

— Ça le gênerait de ne jamais voir son enfant.

Sa repartie est plus assurée qu'elle ne l'escomptait.

— Et toi, ajoute Frances, je suppose que ça te dérangerait.

— Bien sûr que non !

Elle ne voudrait surtout pas lui paraître mesquine, mais tout de même, il ne s'agit pas là d'une requête sensée et naturelle, même de la part de sa meilleure amie !

— J'ai déjà assez de mal à intéresser Alexander à son propre enfant, réplique-t-elle – une réponse qu'elle regrette aussitôt.

Le caractère excessif de Frances rend ses secrets à elle si dérisoires qu'il devient absurde de les cacher.

C'est maintenant leur tour de passer leur commande.

— J'ai quelques questions à vous poser, commence Nell, parce que ma fille fait une allergie aiguë aux cacahuètes.

La caissière avenante porte un de ces grands tabliers à fleurs que l'on voit sur les femmes de service, dans les cantines. Nell se réjouit d'être tombée sur elle et non sur le garçon dégingandé qui plonge les morceaux de poisson dans l'huile bouillante.

— Quel genre d'huile utilisez-vous pour cuisiner ?

— De l'huile de palme.

— Vous êtes absolument certaine que ce n'est pas de l'arachide ?

Nell sent que les clients suivants s'impatientent déjà. Elle se fait un peu l'effet de ces gens qui insistent pour payer par carte au supermarché alors qu'ils n'ont pris que deux malheureux articles.

— Absolument certaine, ma belle.

— Y a-t-il de la cacahuète dans un de vos plats ?

— Pas de soucis, ma jolie. Ma petite-fille a une copine de classe qui est allergique aux cacahuètes, et on fait bien attention de ne pas en employer. On sait à quel point il faut être prudents.

Soulagée, Nell lui sourit. En général, elle a tant de mal à s'expliquer qu'elle finit par montrer Lucy en déclarant qu'elle risque de mourir pour convaincre son interlocuteur de lui répondre avec précision. Mais cette femme-là lui inspire confiance.

— Merci, je vais prendre du cabillaud et des frites, pour deux personnes. Et toi Frances ? Bon, pour trois personnes, alors. À consommer sur place.

— Installez-vous, je viendrai vous servir, fait la femme en pointant son doigt vers une table libre près de la vitre.

Nell prend place avec Lucy, bientôt rejointe par Frances qui apporte une bouteille de vin blanc et deux verres, plus un petit carton de jus de pomme qu'elle a calé sous son bras.

— Merci, j'avais complètement oublié les boissons.

— Tu te tracassais tellement pour les ingrédients que tu as oublié le principal, plaisante Frances en lui versant à boire.

Le ton est peut-être badin, mais Nell n'en est pas moins froissée.

— Je suis bien obligée de demander !

Elle coule un regard vers Lucy qui observe le défilé incessant des passants, le nez collé à la vitre.

— Cela dit, tu avais peu de chances de tomber sur de la cacahuète dans un fish & chips, non ?

— En Écosse, un enfant a perdu la vie parce que quelqu'un avait plongé un Mars dans l'huile de friture du poisson.

— Tu as bien dit un Mars ?

— Marre ? répète Lucy en gloussant.

À son âge, le terme fait encore partie des vilains mots. La petite fille trace son prénom en grosses lettres sur le cercle de buée que son haleine a laissé sur la vitre.

— C'est du chocolat fourré aux amandes, explique Nell.

— Miam ! s'exclame Lucy en levant ses couverts à la verticale.

— On connaît la cause de ces allergies infantiles ? s'informe Frances.

— Pas vraiment. On sait que la tendance allergique est d'origine génétique, mais personne n'est capable de dire pourquoi les allergies à la cacahuète se sont multipliées en si peu de temps.

— Tu crois que c'est un gène à toi ou à Alexander ?

— Plutôt à Alexander. Il a souffert d'asthme quand il était petit.

— Raison de plus pour ne pas solliciter son sperme.

— Ça t'ennuierait beaucoup de changer de sujet ?

— C'est quoi, le sperme ? ne manque pas de demander Lucy.

L'arrivée des assiettes dispense Nell de répondre.

— Bon appétit, dit la serveuse.

Elle sent la friture et cette odeur chaude et douce-reuse que dégagent parfois les gens corpulents. Elle adresse un sourire compatissant à Nell, qui aurait presque envie de la serrer dans ses bras. Elle a remarqué récemment qu'elle éprouvait quasiment de l'amour pour quiconque témoignait de la gentillesse à Lucy.

Nell plante sa fourchette dans la chapelure du pois-son de sa fille, et un nuage de vapeur s'échappe.

— Il sort tout juste de la poêle, l'encourage Nell. Tu vas te régaler.

— C'est trop chaud, proteste l'enfant.

— Trempe-le là-dedans, conseille-t-elle en retirant l'opercule du petit carton de ketchup.

Elle perce ensuite la brique de jus de pomme avec la paille.

174

— Qu'est-ce que c'est ? demande Lucy à Frances qui asperge son assiette de vinaigre.

— Du vinaigre, c'est très acide.

— Je peux en avoir ?

— Si tu veux, mais essaie d'abord sur un petit bout pour voir si tu aimes.

Lucy en verse docilement une goutte sur une de ses frites.

— Miam ! s'écrie-t-elle en prenant une infime bouchée, ce qui ne l'empêche pas de laisser de côté le reste de la frite.

— Tu manges souvent dans les fish & chips ? demande Nell à Frances.

Elle sait que sa question est sans intérêt, mais elle en veut trop à Frances d'avoir pris les allergies à la légère pour trouver autre chose. C'est déjà assez pénible de devoir poser sans arrêt des questions. Si en prime on vous traite d'imbécile...

— Pas assez. J'ai tendance à oublier combien c'est bon, répond Frances, la bouche pleine. Les gens qui vivent au bord de la mer font rarement les activités typiques du lieu. C'est pour cela que c'est si agréable, conclut-elle en posant la main sur celle de Nell. Je suis désolée, ce doit être horriblement stressant d'être toujours sous la menace d'une catastrophe.

Avec sa pertinence habituelle, Frances vient de décrire avec beaucoup de justesse le sort d'un parent dont l'enfant peut succomber d'un instant à l'autre à la maladie. Elle est si intelligente que sa conversation a toujours quelque chose de stimulant.

— C'est vrai, reconnaît Nell en retrouvant sa bonne humeur.

— As-tu des amis qui te soutiennent ? D'autres parents, par exemple.

175

— Oui, un ou deux. En fait, les gens ne te comprennent pas si leur enfant n'a pas les mêmes problèmes. Soit ils pensent que tu en rajoutes, soit ils te battent froid, considérant que tu portes la poisse et que tu risques de les contaminer.

— Comme si une maladie se transmettait par le seul fait d'en parler !

— Tout à fait. Sans vouloir l'avouer, les gens se persuadent que tu es responsable, d'une manière ou d'une autre – soit à cause de tes gènes, soit parce que tu es une mauvaise mère. Vu que c'est toi la fautive, il ne risque pas de leur arriver la même chose, à eux et à leurs enfants.

— Je suis navrée pour toi, lui assure Frances en pressant sa main.

— Moi aussi, intervient gaiement Lucy, qui ne veut pas être en reste.

Nell suit des yeux le trajet hasardeux d'un morceau de poisson jusqu'à la bouche de sa fille, qui n'est pas habituée à manier ces grandes fourchettes.

— Encore une frite, la presse Nell avant que son appétit ne retombe complètement.

En effet, Lucy a tendance à chipoter dans son assiette après trois ou quatre bouchées, et elle s'estime rassasiée bien avant d'avoir emmagasiné suffisamment de calories. Nell se surprend dans la vitre à la couver d'un regard anxieux, les lèvres entrouvertes, tandis que l'enfant s'apprête à avaler une nouvelle bouchée. Elle détourne les yeux. C'est peut-être vrai, dans le fond, qu'elle a un comportement trop protecteur. Elle pourrait au moins faire semblant d'être détendue.

Nell goûte son vin, qu'elle ne s'attendait pas à trouver si frais et si sec. Son côté astringent contraste à merveille avec la nourriture grasse. Une longue gorgée, et l'alcool se diffuse agréablement dans tout son corps. Il y a longtemps qu'elle n'avait pas bu, et l'effet, somme toute plaisant, ne se fait pas attendre. Elle fait pivoter la bouteille pour lire l'étiquette. Frascati. Il se marie bien avec le poisson. Elle s'accorde le plaisir d'en reprendre un peu dans son verre.

— Je n'ai pas beaucoup à conduire, si ?

— Ça ne t'inquiète pas, de boire ?

— M'inquiéter ?

Nell se demande un instant de quoi elle veut parler. Ah oui ! Le futur bébé.

— Ce n'est qu'un verre, dit-elle avec un calme apparent, manière de se rassurer.

Enceinte de Lucy, elle ignorait tout des précautions à prendre pendant la grossesse. Plus tard, en apprenant la liste des aliments déconseillés, elle s'était demandé si plus de vigilance dès le départ aurait épargné à sa fille tous ces ennuis de santé.

Désireux d'un nouveau cadre pour accueillir l'événement et attirés par la campagne après les années de stress passées dans le bruit de Tokyo, ils s'étaient installés avant la naissance de Lucy dans une petite ville d'Ombrie, au sommet d'une colline. L'université voisine assurait assez de cours d'anglais pour leur fournir du travail à tous les deux. Ils vivaient modestement, faisaient des repas tout simples à base de produits régionaux, qu'ils agrémentaient souvent d'un verre de vin du pays. Ils étaient extraordinairement heureux. Lucy était un bébé gracieux et en pleine santé, qui riait jusque dans son sommeil. Lorsque Nell avait voulu la sevrer, la contrariété lui avait fait sortir une méchante éruption. Le lien était si évident que Nell avait recommencé à la nourrir au sein. Les rougeurs, diagnostiquées ensuite comme de l'eczéma, avaient fait des réapparitions sporadiques et inexpliquées, mais les allergies de Lucy ne s'étaient réellement aggravées qu'après le retour en Angleterre.

Quand Nell se replonge dans cette époque encore préservée des soucis, elle revoit toujours leur week-end à Rome, pour les un an de Lucy. C'était leur premier voyage avec elle, et tout s'était déroulé à merveille. Ils occupaient une belle chambre très spacieuse au deuxième étage d'un hôtel proche de Saint-Pierre, pourvue de deux balcons. Lucy dormait bien et ils faisaient souvent l'amour, excités par le changement de rythme, le vrombissement des deux-roues et les odeurs faisandées de la ville qui contrastaient avec l'abandon de leurs siestes estivales à la campagne.

Le matin, ils partaient en balade en emmenant Lucy dans sa poussette, à travers les rues partagées entre l'ombre et la lumière ; la fraîcheur automnale de l'air était idéale pour les promenades en ville. Il y avait tant de choses à voir qu'ils déjeunaient sur le pouce, émiettant des petits morceaux de pizza pour la fillette sans se préoccuper le moins du monde de leur composition. Le dimanche après-midi, ils avaient visité la villa Borghèse, où les chants d'oiseaux rivalisaient avec le vacarme de la ville. Ils avaient acheté des olives vertes dans un cornet de papier. En les mangeant, Nell avait eu une pensée pour les nombreuses générations d'Italiens qui, depuis l'époque romaine, avaient senti dans leur bouche cette saveur immémoriale. Les yeux clos, Nell essayait de graver dans son esprit leur flânerie sur les allées gravillonnées, bordées de grands arbres dont l'ombre se tachetait de soleil. Elle voulait conserver à jamais dans sa mémoire ce sentiment de béatitude devant leur bonheur sans nuage. Elle se souvient des glaces achetées chez Gioliti, de la saveur du sorbet à

178

la pêche, de son arôme frais et sucré, comme un nectar céleste par cet après-midi ensoleillé. Elle s'était accroupie près de la poussette pour que Lucy puisse lécher sa délicieuse glace.

C'était par pur hasard qu'ils avaient choisi les olives et pas les cacahuètes, la pêche au lieu de la pistache. C'est curieux de se dire qu'une décision différente aurait pu faire basculer instantanément l'idylle dans le cauchemar.

« Il y a cinq ans, avait dit la thérapeute, un événement a bouleversé votre vie.

— Oui, avait répondu Nell, j'ai eu un bébé. »

Elle n'avait pas trouvé honnête de répondre cela, car ce n'était pas Lucy la cause du changement. Au contraire, sa naissance avait encore embelli leur vie, portant leur bonheur à son comble. N'avaient-ils fait que jouer à la famille modèle dans une Arcadie de rêve ? Leur relation était-elle trop fragile pour survivre à la réalité ?

Le vrai bouleversement dans leur vie était survenu avec leur retour en Angleterre, lorsque Lucy était passée près de la mort.

— Dis Frances, demande Lucy, tu sais ce que c'est, mon plat préféré ?

— Les saucisses ?

— N'importe quoi, c'est la cuisine chinoise !

— Ah bon ? s'étonne Frances en interrogeant Nell du regard.

— On a fait une expédition à Soho pour le nouvel an chinois. J'ai rarement connu un stress pareil. Tu imagines, essayer d'énumérer les aliments interdits à un serveur débordé qui comprend tout juste l'anglais !

179

— On a vu un dragon chinois ! Tu sais ce qu'il avait aux pieds ?

Il lui tarde tellement de rapporter l'anecdote qu'elle n'attend même pas la réponse.

— Des tennis !

Quand Lucy avait fait sa première crise d'anaphylaxie, ils habitaient Kentish Town, dans la maison de la mère d'Alexander. Ils se sentaient dépassés devant la perspective des nombreux rangements qui les attendaient. C'était l'hiver, et ils avaient l'impression de ne jamais voir la lumière. Petit détail cocasse, Nell considérait les courses au supermarché comme une charmante distraction. Après s'être embêtée toute la journée à trier les affaires d'une femme qu'elle connaissait à peine, les allées illuminées du Sainsbury de Camden Town lui avaient rappelé la caverne d'Ali Baba, riche d'expériences inédites. Elle se souvient même du jour où ils avaient décidé de prendre du beurre de cacahuète. C'est Alexander qui avait repéré le pot. Tout excité, il lui avait expliqué en l'agitant que sa mère en tartinait ses sandwichs à la banane du samedi soir, et qu'il associait le goût de la cacahuète au générique trépidant de *Dr Who*. Nell avait été ravie qu'il parvienne enfin à libérer de sa mémoire quelques bons souvenirs. Lors de leurs déambulations dans les rayons avec Lucy qui babillait dans le chariot, elle l'avait invité à évoquer d'autres habitudes qu'il partageait avec sa mère, lui révélant en échange les petits riens qui avaient jalonné son enfance à elle.

C'était peut-être elle, tout compte fait, qui avait suggéré d'acheter du beurre de cacahuète. Elle se demande si l'image de lui le flacon à la main, si fondamentale dans leur histoire, se serait effacée de son esprit sans les conséquences qui avaient suivi.

Pour le goûter, elle avait étalé du beurre de cacahuète sur des tranches de pain blanc tout frais et les avait généreusement recouvertes de banane en compote. Elle avait hésité à les lui servir dans le salon, de peur qu'il ne l'accusât d'usurper la place de sa mère, mais quand il lui avait crié : « Je peux espérer un sandwich au beurre de cacahuète ? », elle avait écarté ses sombres pensées pour lui apporter l'assiette. La chambre étant plongée dans une obscurité complète, protégée par les rideaux de la nuit pluvieuse de Londres et des lueurs de l'écran de télé, elle avait d'abord entendu Lucy sans comprendre ce qui se passait.

Rien n'est aussi terrifiant qu'un bébé qui s'épuise à respirer tandis que ses bronches se contractent à toute allure. Elle avait tiré Lucy de son lit en la secouant, pensant qu'elle avait avalé quelque chose, et la fillette lui avait vomi dessus. Les sifflements atroces dans sa gorge n'avaient pas cessé pour autant. Elle avait hurlé à Alexander, qui semblait cloué au sol :

« Appelle une ambulance ! »

Alexander s'était précipité dehors, comme s'il comptait la héler dans la rue, et était revenu avec un voisin qui les avait conduits au Royal Free. Assise avec Lucy sur la banquette arrière qui empestait l'odeur de chien, Nell ne cessait de répéter : « Respire ! Ne t'arrête pas de respirer ! » Jamais elle n'oublierait les gémissements apeurés de sa fille. *Si elle pleure, c'est qu'elle respire.* Elle s'était engouffrée dans le bâtiment des urgences en appelant un médecin : « Faites vite ! Mon bébé est en train de mourir ! »

Les cris des docteurs, l'injection d'adrénaline, le nébuliseur qui déformait les lèvres et le cou enflés de Lucy, et puis la nuit de veille auprès de sa fille cachée

181

sous une coque en plastique – la première d'une longue série. Il s'était passé plusieurs heures avant que Nell s'aperçoive que les vomissures du bébé avaient séché sur son pull, et qu'elle était partie sans chaussures.

— Dépêche-toi de finir, maman, la presse Lucy. J'ai envie de jouer sur la plage.

— D'accord.

— Tu ne manges plus ? demande Frances en voyant qu'elle a à peine touché à son plat.

— Non, ça ira.

— Tout va bien ?

— Mais oui.

13

— De quoi j'ai l'air ?

Les mains sur les hanches, Kate se campe gauche-
ment devant lui. Ses pommettes ont pris la teinte délicate d'un pétale de rose, le verre d'alcool exceptionnel
du déjeuner lui fait briller les yeux.

— Ravissante !

— Mais non, proteste-t-elle en s'empourprant un
peu plus, je demandais juste si je pouvais passer pour
quelqu'un qui fait ses courses ici.

Il s'efforce de porter sur elle un regard objectif.
Avec sa veste en jean, sa jupe et son tee-shirt noirs,
elle fait penser à une Spice Girl – en un peu moins
racoleuse. La croûte à son genou et les énormes godil-
lots évoqueraient plutôt les adolescentes fugueuses de
la série *EastEnders*.

— J'ai envie de savoir ce que ça fait d'essayer un
vêtement à mille livres, avoue-t-elle. Ici, je n'ai jamais
osé.

Il sait de quoi elle a besoin.

— Ils vendent des chaussures ?

— Oui, mais elles sont bien à un kilomètre.

— On y va en premier.

Concernant l'élégance vestimentaire, sa mère pré-
tendait toujours qu'on reconnaît la classe de quelqu'un

à ses chaussures. Même quand elle avait adopté la mode ethnique, sa mère s'opposait formellement aux sandales. Il revoit ses chaussures soigneusement alignées dans le placard, sur des étagères tendues de calicot. Il se souvient du *scratch* du Velcro quand il les avait ôtées de leur support, gêné à l'idée de les donner à une œuvre caritative : il avait l'impression de livrer un précieux album de famille au regard désinvolte des étrangers.

Kate enfile une mule ornée de strass et de lamé. Elle a également repéré des bottines à talons très XIXᵉ siècle, un peu comme en portaient les patineuses d'alors, sauf que celles-ci sont en soie violine, avec des boutons en tissu. Les bas de nylon gris du magasin arrêtés à mi-mollets, elle ressemble à une petite fille qui vient de découvrir une malle de déguisements. Sur un présentoir en verre, Alexander choisit une mule en joli daim noir – talon bobine et bout pointu – et prie la vendeuse d'aller chercher la pointure de Kate.

— Alors, comment on s'y sent ? demande-t-il lorsqu'elle glisse son pied dans la chaussure.

— Très très bien, répond Kate, étonnée. Vu leur forme on ne croirait pas, mais le cuir est très doux à l'intérieur. Ça change ma démarche, remarque-t-elle en esquissant quelques pas.

Ces chaussures ont transformé en grande dame la gamine des rues. Non sans embarras, Alexander la voit sous les traits d'Audrey Hepburn dans *My Fair Lady*, et lui-même dans le rôle de Rex Harrison.

— Alors on les prend.

Les yeux écarquillés, Kate fait non de la tête.

— Vous les gardez aux pieds ou je vous donne une boîte ? demande la vendeuse.

— Elle les garde.

— Très bien, je vous donne juste un sac pour celles-ci, fait-elle en ramassant les bottes noires. Si vous voulez bien me suivre à la caisse...

— Elles coûtent quatre-vingt-dix-neuf livres, souffle Kate.

— C'est moi qui te les offre.

— Mais non, ce n'est pas possible !

Visiblement, la perspective d'un cadeau la séduit et la répugne en même temps.

— Pourquoi donc ?

— Mais parce qu'on se connaît à peine.

La vendeuse surprend leurs paroles mais ne bronche pas.

— Pour quelle raison veux-tu me les offrir ? lui chuchote Kate.

Sensible aux non-dits comme toutes les femmes, elle veut savoir si l'achat des chaussures correspond à un engagement tacite.

— Je te les achète simplement parce qu'elles te vont bien, d'accord ?

Kate baisse les yeux vers ses chaussures. Pour un peu, il entendrait son débat intérieur.

— Tu as raison, finit-elle par déclarer, elles me vont bien.

Il présente sa carte Connect, et une fois le paiement effectué, la vendeuse enveloppe les bottes de Kate dans un sac jaune vif.

En s'éloignant vers le rayon des vêtements de marque, Kate lui glisse un « merci » en lui pressant le bras. Elle est assez proche pour qu'il sente dans son haleine l'odeur aigrelette du champagne.

Plus loin, elle s'arrête sur une robe en velours de soie rose.

— Qu'est-ce que tu en dis ?

— Plutôt jolie, approuve-t-il, même si la robe lui fait l'effet de la version adulte d'un déguisement de princesse. Essaie aussi celle-ci.

Il lui montre une robe gris pâle, rehaussée de petites perles de verre qui s'irisent à la lumière.

Devant les cabines d'essayage, il se sent aussi mal à l'aise et déplacé que d'habitude. Kate se trompe lourdement si elle s'imagine qu'il n'a jamais fait ça. Quand il était petit, il a passé plus d'un samedi à attendre sa mère lors de ses essayages.

Le magasin était plus fréquenté à l'époque, et dans son souvenir il n'y avait pas un emplacement réservé pour chaque couturier. Sa mère faisait défiler les cintres sur les grandes tringles circulaires pour trouver la bonne taille, avant d'aller faire la queue auprès des cabines dont le rideau ne la cachait jamais entièrement. Debout devant le grand miroir, il apercevait quelquefois sa main passant dans une manche, ou un pied en train de se caser dans la chaussure.

Il avait appris à rester dans le vague quand elle sollicitait son avis. Un commentaire comme « C'est trop vif » suscitait en effet des reparties inconfortables, du style « Et pourquoi je ne porterais pas de couleurs vives, moi ? » Vu qu'elle avait déjà son opinion avant de lui poser la question, il avait tout intérêt à s'en tenir à des « Pas mal » ou à des « Si tu veux ». Sa mère approuvait alors en lissant l'étoffe d'un air satisfait, ou s'engouffrait avec humeur dans la cabine pour ôter le vêtement en maugréant.

Un jour où il avait réclamé de rentrer à la maison, elle avait rétorqué hargneusement : « Si tu n'es pas capable de patienter un moment, je ne t'emmènerai plus avec moi. » Et puis un grand sourire avait fendu son visage, et elle lui avait dit en s'agenouillant devant lui pour déboutonner son gros manteau d'hiver : « Dis donc, mon chéri, tu n'as pas l'air très impressionné par mes menaces. »

Ce jour-là, il avait bu son premier Coca-Cola pendant le déjeuner au Golden Egg. Chaque fois qu'il pense à sa mère, une nostalgie teintée de culpabilité succède à la rancœur vivace.

Telle une apparition, Kate émerge de la cabine en tirant sur la lourde porte. Le bustier bâille légèrement, mais la couleur rose bonbon la flatte étonnamment, sa coupe à la garçonne prêtant un raffinement inattendu aux reflets de la robe.

— Magnifique !

Enhardie par le compliment, elle redresse ses frêles épaules et fait une pirouette.

— Je ressemble à un fondant d'anniversaire, dit-elle. Il ne me manque plus que la violette en sucre sur la tête.

Alexander devine que la remarque n'a pas arraché un sourire à la vendeuse qui s'est postée derrière lui.

— Essaie l'autre, suggère-t-il.

Pendant qu'elle se change, il patiente en regardant les différents modèles, s'attardant sur chacun comme s'il visitait une galerie d'art et qu'un examen assez scrupuleux allait lui révéler leur signification. Un siècle lui semble s'être écoulé quand la porte de la cabine s'entrebâille.

— Je ne m'en sors pas avec les boutons !

Hésitant, il jette un regard alentour. La vendeuse n'est plus en vue.

— C'est immense là-dedans, lui dit Kate en ouvrant un peu plus la porte.

Il n'en revient pas que la cabine soit aussi vaste. On pourrait presque y recevoir quelques amis à dîner.

Le corps de Kate est drapé dans la robe grise, dont la délicate mousseline de soie ornée de perles semble tissée avec des filaments de toile d'araignée humides de rosée.

— À quoi je ressemble ?

Alexander réfléchit au mot le plus juste. Il y a quelque chose de trop humain chez elle pour qu'on la compare à une nymphe des bois.

— À un de ces enfants que les fées déposent pour remplacer le bébé volé.

— C'est gentil ou pas ?

— C'est magique.

— Un enfant magique dans un magasin magique, ça me plaît bien.

Il adore l'humanité dont sa voix résonne, mais elle le ramène brusquement à la réalité quand il est au bord du rêve.

— Tourne-toi. Mais il n'y a pas de boutons ! constate-t-il en découvrant son dos.

— Non, fait-elle avec un petit rire rauque qui lui donne aussitôt une érection.

Il s'approche d'elle en regardant son visage dans le miroir qui leur fait face, abaisse les bretelles de sa robe et pose les lèvres sur peau satinée de sa nuque gracile. Elle ferme les yeux, renverse la tête contre lui. Il aime la tenir comme ça, en regardant son visage dans le miroir. Il remonte sa robe sur ses hanches. Elle a retiré son teddy. Il défait son pantalon et se presse contre ses fesses, dont les globes ont la douceur d'une pêche.

Les paupières toujours closes, elle s'appuie d'une main au miroir et referme l'autre le long de son corps. Elle rouvre les yeux, contemple un long moment le visage d'Alexander reflété dans le miroir. L'impression qu'elle lui laisserait faire tout ce qu'il veut sans protester porte à leur paroxysme son excitation et sa panique. Elle rouvre son poing serré à l'instant précis où il plonge une main dans sa poche. D'un même geste, ils brandissent chacun devant le miroir un des préservatifs à l'étui bariolé qu'ils ont discrètement fauché dans le bocal de Marie. Le sourire qu'ils échangent alors est plein d'une merveilleuse complicité. La terreur d'Alexander s'est complètement envolée.

— Ça se passe bien ? s'informe la vendeuse derrière la porte de la cabine.

— Tout va très bien, répond Kate d'une voix tellement altérée par l'excitation qu'on dirait qu'elle va pleurer.

— Je peux vous aider ?

— Je crois que ça ira, réplique la jeune fille, qui éternue pour déguiser son fou rire.

Mais le charme est rompu.

Alexander sent les arêtes coupantes des perles appuyer contre les parties les plus sensibles de son anatomie. Il dépose un nouveau baiser sur l'épaule de Kate et l'attrape doucement par la taille pour qu'elle se tourne vers lui. Floraison spectrale, l'empreinte de sa paume subsiste un instant sur la paroi de verre avant de s'évanouir. Après ce moment de débauche, elle n'ose plus le regarder en face et se blottit contre sa poitrine. Il sort de la cabine pour qu'elle se rhabille tranquillement.

Sans prononcer un mot, ils rendent à la vendeuse le vêtement chatoyant.

Redoublant d'efforts pour retrouver l'esprit du shopping, Alexander montre à Kate une minirobe argentée dont le tissu, semblable à de l'aluminium, est néanmoins très doux au toucher.

— C'est le genre de robe que l'on porte pour le réveillon de Noël... si on est une dinde, plaisante la jeune fille.

Elle avance à grands pas dans le magasin, accordant tout juste un regard aux vêtements. Il est évident qu'elle a quelque chose derrière la tête.

L'espace Armani est situé à l'autre extrémité du magasin. On y trouve tout un choix de tailleurs noirs pour cadres carriéristes, sobres et impeccablement coupés – un uniforme que l'on peut acheter à moindre prix chez Marks & Spencer. Une veste dans une main et une jupe dans l'autre, Kate demande à la vendeuse combien d'articles elle peut essayer.

— Autant que vous le désirez.

— Tu peux m'aider à les porter ? demande Kate à Alexander, comme si elle parlait au garde du corps bien dressé qui l'escorte régulièrement dans ses sorties.

Il la suit avec une série de vestes sombres taille 36, qui diffèrent légèrement par la coupe ou la teinte. Comme les cabines sont installées sur un des côtés du magasin, la lumière du jour y pénètre par de grandes fenêtres. Toutes les portes sont ouvertes.

Une pensée curieusement terre à terre lui traverse l'esprit : vu qu'ils sont les seuls clients de l'étage, le magasin devrait être en faillite.

190

Dans la cabine, Kate ne porte plus que sa lingerie en soie chocolat.

— Essaie donc ça, fait-il en lui tendant une jupe noire et un spencer assorti.

Il l'aide à passer la veste dès qu'elle a enfilé le bas. Lorsqu'elle se retourne, elle lui fait penser à une actrice française un jour de funérailles, très guindée dans ses beaux vêtements stricts, mais dont la sensualité affleure sous l'austérité des apparences.

Elle recule d'un pas pour qu'il puisse apprécier sa tenue. Une hanche en avant, elle esquisse la petite moue boudeuse qui correspond à son idée du raffinement. Il s'agenouille devant elle et remonte sa jupe pour plonger son visage entre ses jambes, contre la lingerie humide. Elle arque le dos avec un léger soupir, aussi imperceptible que le souffle, lorsqu'il commence à y passer sa langue.

Il se tient derrière elle pour pénétrer son sexe doux et étroit, une main refermée sur son pubis, caressant du bout de l'index son clitoris aussi glissant que du satin. Dans le miroir, il regarde son cou flexible se tendre tandis qu'elle renverse la tête en arrière. Il se détourne en fermant les yeux au moment de la jouissance, incapable d'affronter l'image de son propre abandon.

Il enveloppe le préservatif dans un mouchoir en papier. Kate remet la jupe sur le cintre en vérifiant qu'elle ne l'a pas tachée, avant d'enfiler ses bottes qu'elle attache solidement par un double nœud.

— Je n'avais pas compris ce que ça voulait dire, fait-elle en rangeant amoureusement les mules de velours dans le sac jaune canari.

— Quoi donc ?

— Les chaussures à la baise-moi, réplique-t-elle avec un petit sourire.

Oscillant entre l'émerveillement et une dureté inflexible, chacune de ses phrases part dans une direction qu'il n'avait pas prévue.

Après avoir rendu les vêtements à la vendeuse, ils s'éloignent en se tenant par la taille.

— Ça ne m'était jamais arrivé, tu sais...

— Moi non plus, tu sais, répond-il en traînant comme elle sur la fin de la phrase.

— Ça doit venir des huîtres, suggère-t-elle en gloussant.

— Ça me paraît clair.

Tout ce qu'il connaît d'elle, c'est qu'elle s'appelle Kate et qu'elle est serveuse. Son dos se cambre tel celui d'une gymnaste au moment de l'orgasme, et elle lui communique son énergie. En sa compagnie, il a l'impression de se tenir tout près d'un bonheur incroyablement tentant, dont un bond suffirait à le rapprocher.

Près de l'escalator, le pull gris-bleu sur le mannequin a un air de déjà-vu. Nell a le même, c'est ça.

Nell.

Il vient tout juste de tromper Nell.

Ce mot sonne tellement vieux jeu qu'il ne lui paraît pas convenir à la situation. Il le répète dans sa tête en se cuirassant par avance contre une vague de culpabilité. Pourtant, le sentiment qu'il éprouve ressemble plutôt à une singulière exaltation, comme s'il avait longtemps attendu cet événement. Il l'a appréhendé à la manière d'un examen, mais à présent que tout est fini, il peut dire qu'il surestimait sa difficulté. Il sait désormais avec quelle facilité on peut tromper quelqu'un, comment les choses arrivent sans qu'on les ait décidées.

Il s'engage sur l'escalator, curieusement détendu.

14

La promenade est quasiment déserte.

Deux adolescents qui sèchent sûrement l'école sla-
lomment en scooter autour d'un retraité en balade.

— Pas vraiment *L'Équipée sauvage*, se moque
Frances.

— Avec un si petit scooter, on n'a jamais l'air bien
méchant.

À quelques pas devant elles, Lucy improvise un jeu
de marelle sur les pavés de la promenade. Le couple
de personnes âgées qui passe lentement près d'elle
semble amusé par la candeur de sa concentration.

— Je voudrais bien savoir pourquoi tous les vieux
bonshommes que l'on croise en bord de mer portent
une casquette et des chaussures beiges, observe
Frances dès qu'ils se sont éloignés. Tu crois qu'on les
leur fournit systématiquement passé un certain âge ?

— Comme les tickets de bus gratuits ?

— Exactement. D'après toi, est-ce que l'idée nous
viendra un jour de porter un foulard sur la tête ?

— Ou une robe plissée avec ceinture ?

— Ça t'arrive de te dire en essayant un vêtement
que tu as passé l'âge ?

Nell éclate de rire.

— Je trouve surtout des choses qui font trop mémère pour moi.

— Quoi, par exemple ?

— Les fuseaux et les gros pulls.

— Mon Dieu, je vois très bien. Très prisés par les gens qui s'imaginent qu'un grand pull lâche va masquer leur embonpoint.

— Cela dit, je me sens un peu à l'étroit dans certaines marques.

— Moi aussi, mais je me dis que c'est un signe. Quand tu commences à penser que les couturiers lésinent sur le tissu, c'est que la jeunesse fiche le camp.

— Bizarrement, je n'ai pas pris de poids, c'est plutôt que je me sens lourde.

— En tout cas ça ne se voit pas. À part toi, je ne connais personne qui puisse porter ce type de pull sous une veste sans avoir l'air d'un boudin.

Elle jette un regard envieux au jean étroit de Nell, à son gros pull bleu et à sa veste en daim assortie.

— C'est affreux, non, de vieillir ? reprend Frances. La seule chose qui me remonte le moral, ce sont les gens de ma génération qui font plus que leur âge.

— Qui, par exemple ?

— Jerry Hall.

— Jerry Hall ? Mais c'est un top model ! Un exemple pour nous toutes ! proteste Nell, qui n'en apprécie pas moins le côté retors de son amie.

— Est-ce que tu l'as vraiment détaillée ? Elle ne passerait jamais pour une femme de trente ans, si ? Moi je trouve qu'elle fait largement ses quarante ans. En fait, on a même tendance à lui donner plus : avec l'argent qu'elle passe en cosmétiques, on s'attendrait à un meilleur résultat. Elle a des rides autour de la bouche. J'en ai, moi, des rides autour de la bouche ?

Elle plaque sur son visage un grand sourire artificiel   .

— Mais elle a beaucoup souffert, souligne Nell, trouvant Frances un peu injuste.

— Moi, j'accepterais volontiers de souffrir en échange de sa fortune.

— Vraiment ? Je ne pense pas que l'argent compense l'échec d'un mariage.

— Hé, le mari en question était quand même Mick Jagger, je te signale !

Au dernier niveau de la promenade, les cafés et les cabines des voyantes sont encore fermés pour l'hiver. Des bourrasques chargées de sable bousculent une chaise de bistrot solitaire. Nell et Frances s'installent sur un muret pendant que Lucy gambade de son côté sur la plage, la capuche enfoncée sur les yeux, en quête de galets aux formes biscornues. Le froid du ciment s'insinue dans les reins et les cuisses de Nell.

— Ça ne te frappe pas, demande Frances, que les filles ramassent toujours des jolies choses sur la plage, alors que les garçons font des ricochets ? Ils en sont restés au schéma cueillette-chasse, même s'ils sévissent plutôt chez Gap Kids ou dans les McDo.

— J'aime bien cette idée. Ça t'ennuie si je la reprends dans ma prochaine chronique ?

— Mais je t'en prie ! Naturellement, les femmes d'aujourd'hui doivent également chasser...

— Mais les hommes ne se sont pas vraiment mis à la cueillette... achève Nell.

Frances éclate de rire.

— Si les hommes s'acquittaient correctement de la partie chasse, je n'y verrais pas d'inconvénient. L'ennui, c'est que les femmes doivent se charger des deux.

196

Tu crois qu'Alexander appréciera de se voir décrit dans ton papier comme un salopard inutile qui passe son temps à lire le journal ?

— Mon Dieu, ce n'est quand même pas ce qui en ressort, si ?

— C'est ce qui explique le succès de ta chronique. Elle reflète bien l'expérience des hommes qu'ont la plupart des femmes.

— Dans ce cas, je ferais bien de renoncer à mon article sur la chasse et la cueillette.

— Je croyais que tu préparais un sujet sur ta Mme Couleurs.

— En fait, ça me touche trop personnellement.

— Pourquoi ?

— Par rapport à une chose qu'elle m'a dite.

— Quoi donc ?

— Tu vas te moquer de moi.

— Je te jure que non.

— Elle m'a dit que j'aurais bientôt l'occasion de changer de vie.

Dès qu'elle a prononcé cette phrase, Nell prend la mesure de sa stupidité.

— Quelque chose d'extraordinaire, précise-t-elle pour s'en persuader elle-même autant que pour convaincre Frances.

Qu'elle l'ait perçue dans son aura ou dans son regard, cette femme a bel et bien deviné sa tristesse. Nell ne sait pas trop qu'en penser, mais elle a été surprise qu'une étrangère ne se laisse pas abuser par son sourire de façade.

— Quelque chose va bientôt se produire, m'a-t-elle dit, qui m'apportera un nouvel épanouissement. Cela risque d'impliquer de la souffrance ou des choix délicats, mais c'est à ma portée.

197

— Tu lui avais déjà dit que tu attendais un enfant ?

— Je ne lui en ai pas parlé du tout.

— Elle devrait s'installer comme voyante, suggère Frances en désignant les emplacements barricadés. Je serais sa première cliente.

Le regard de Nell se perd dans les vagues. Elle n'avait pas fait le rapprochement entre le bébé et les prédictions de la thérapeute, et voilà qu'elle se sent la dernière des idiotes.

— Tu t'es disputée avec Alexander ?

— Pas vraiment. Pourquoi me poses-tu la question ?

— Tu as l'air tout abattue.

— Désolée.

— Alors, quel est le problème ?

Avec ce vent glacial, Nell a l'impression que ses larmes vont geler au bord de ses paupières.

— Je préfère ne pas en parler, au cas où la chose se réaliserait parce que je l'ai dite.

Elle enfouit ses mains dans ses manches pour les protéger du froid.

— Parler de quoi ?

Le silence se prolonge.

— Je crois qu'Alexander a cessé de nous aimer, dit Nell en détachant bien chaque mot pour refouler les sanglots qui menacent.

Elle revoit son visage lors de leur virée à Chinatown, pour le nouvel an chinois. Dans cette atmosphère électrique et animée, il avait posé sur tout ce qui l'entourait un regard absent, détaché, et lorsqu'elle lui avait fait une grimace pour lui arracher un sourire, il l'avait dévisagée comme une parfaite inconnue.

— Ne dis pas de bêtises. Alexander t'adore, et vous allez avoir un deuxième bébé.

— Ce n'était pas prévu, en réalité. On fait si rarement l'amour que je n'avais pas pris mes précautions.

— Vous faites très peu l'amour ?

— Après les corvées ménagères, la navette entre l'école et la maison et le travail d'écriture, personnellement, je ne suis plus trop branchée sexe.

— Pas possible ! Alors quand Freud demandait « Que veulent les femmes ? »...

— La réponse est : dormir.

— Moi, je m'imaginerais mal vivre avec Alexander sans coucher avec lui. Alexander ou un autre, d'ailleurs.

— Ce n'est pas pareil quand on a des enfants.

Est-ce vrai en général, ou seulement pour eux deux ?

— Je crois qu'il se sent piégé. Ou plutôt je le sais. Je partage quelquefois cette impression, mais je l'accepte. Ça fait partie de la vie de couple, du statut de parent. En revanche, ça m'étonnerait qu'Alexander le supporte.

— Est-ce que son père n'a pas pris le large quand il était tout petit ?

— Si, en effet.

— C'est peut-être pour cette raison que la paternité lui pose problème.

Frances est remarquablement maligne d'avoir établi un rapprochement qui semble maintenant évident à Nell alors qu'il ne lui était jamais venu à l'esprit. Elle se sent un peu troublée.

— Il ne sait peut-être pas comment tenir son rôle de père, poursuit Frances.

— C'est possible.

— Et toi, tu l'aimes toujours ?

Ce qui perturbe Nell chaque fois qu'elle discute

avec Frances, c'est que son amie a l'art de formuler ses pires terreurs. Ça lui rend quelquefois service, mais ça peut aussi lui faire très peur.

— Je ne sais plus dire avec certitude ce qu'est l'amour, bredouille Nell.

— On dirait le prince Charles...

Nell cherche une parade devant cette provocation.

— Non, je ne sais plus très bien ce que « aimer » signifie. Je sais ce que ça fait de tomber amoureuse. On a du mal à y croire, et en même temps on se dit que c'est pour toujours. Je ne connais pas d'émotion plus puissante, plus essentielle. Comme une espèce d'impératif.

Frances approuve d'un signe de tête.

— Et puis un jour les choses commencent à changer. On s'aperçoit qu'on est ensemble par habitude. On s'est accoutumé à quelqu'un, on le connaît sur le bout des doigts, et on ne voit pas de raison d'arrêter. Il y a bien des éblouissements fugitifs quand on repense aux débuts, mais ça ne représente que cinq pour cent du temps. Ces cinq pour cent-là, c'est peut-être ce qu'on appelle l'amour. C'est ce qui distingue une relation de l'amitié, de la camaraderie ou simplement de l'indifférence. Mais quand les cinq pour cent passent à quatre, puis à trois, avant de devenir si exceptionnels qu'on n'a même plus espoir de les retrouver...

— Mais que s'est-il passé ? coupe Frances. Tu es d'un cynisme ! C'est moi qui suis censée être la cynique !

— Non, toi tu as toujours été la romantique.

— Qu'est-ce qui te fait dire ça ?

— Parce que tu crois au grand amour, celui qui n'arrive qu'une fois. Tu crois l'avoir trouvé chaque fois que tu rencontres un homme, et quand vous vous quittez, c'est lui que tu incrimines, pas les penchants romantiques de la nature humaine.

— Alexander ne peut pas te laisser indifférente, insiste Frances, aussi réticente que d'ordinaire à analyser son propre comportement. Quelqu'un comme lui ne suscite jamais l'indifférence.

— Effectivement, on ne peut pas parler d'indifférence. Si c'était le cas, le problème serait réglé. « Lassitude » serait un mot plus juste. J'en ai assez de ses sautes d'humeur, de ses silences. Ce qui me stimulait tant chez lui, c'était son espèce de bouillonnement intérieur. On devinait qu'il cachait un tas de choses, et c'était un défi d'essayer de les lui arracher.

Frances hoche toujours la tête.

— C'est ce qui le rend si séduisant. Lucy a fait une remarque très pertinente, l'autre jour. Il y avait un volcan dans l'histoire que je lui lisais, et elle a voulu que je lui explique le mot. Je lui ai dit que c'était une montagne avec du feu à l'intérieur, et qu'elle avait parfois tellement de mal à garder ce feu en elle qu'elle finissait par exploser. Lucy s'est tournée vers moi et elle m'a dit : « Papa, c'est un volcan ! »

— Pas mal !

— Je suppose qu'elle faisait allusion à son caractère, mais il ne s'est pas toujours réduit à la colère. Il y avait aussi son intelligence, son rire, sa passion... (La voix de Nell n'est plus qu'un murmure.) Mais tout cela paraît claquemuré ces temps-ci, et je ne sais pas quoi faire pour l'aider à sortir.

— Comment expliques-tu qu'il ait tant de mal à communiquer ?

— À cause de sa mère, répond spontanément Nell.

Je sais bien que la mienne n'est pas toujours marrante, mais la sienne était carrément odieuse.

Elle accompagne ses paroles d'un petit rire nerveux, un peu honteuse de critiquer une morte, mais ça lui fait toujours un bien fou de dire cela.

— C'est vrai que je ne l'ai pas connue avant sa maladie, mais elle collait Alexander comme une sangsue. Plus il passait de temps avec elle, plus il se fermait. Je crois que sa disparition l'a tellement affecté qu'il a décidé de ne plus aimer personne. Et Lucy qui frôle la mort juste après... Ç'a fini de détruire sa capacité à aimer.

— Personne ne réagit ainsi.

— Si, ça arrive. Inconsciemment, ou peut-être même consciemment.

Nell détourne les yeux de la plage pour que Lucy ne surprenne pas les larmes qui coulent sur ses joues.

— Je peux l'affirmer parce que j'aurais pu le faire, moi aussi. À l'hôpital, quand Lucy était tirée d'affaire mais toujours en observation, ils nous recommandaient sans cesse d'être prudents ; tu aurais dû voir leur air sinistre... Je me suis dit qu'ils avaient des têtes d'enterrement, et puis j'ai voulu effacer cette idée à cause du mot, « enterrement ». On devient vite superstitieuse quand on est folle d'inquiétude.

Elle s'interrompt pour regarder Frances.

— Plus tard ce même soir, quand je me suis retrouvée seule avec elle, je l'ai regardée et je me suis dit : « je ne sais pas si j'aurai la force de passer toute ma vie dans la terreur de te perdre. » Et là, j'ai compris que je pouvais décider de l'aimer un peu moins...

Frances ne dit rien, comme si elle attendait la chute d'une longue anecdote.

— Et alors ?

— Alors rien.

Nell ne s'en était jamais ouverte à personne, et maintenant que c'est fait, elle ne s'explique pas très bien pourquoi la chose prend une telle importance.

— Mais cette décision, tu ne l'as pas prise ?

— Lucy m'a fait un sourire. Un de ses immenses sourires. J'ai eu l'impression qu'elle devinait mes pensées et qu'elle me disait « On va s'en sortir ». J'ai su à ce moment-là que je ne pourrais jamais la laisser tomber.

Après quelques instants de silence, Frances passe un bras autour de ses épaules et lui dit simplement :

— Je ne me doutais pas que tu avais éprouvé cela.

L'espace d'une seconde, Nell abandonne le poids de son corps contre Frances. « Mon amie me soutient », se dit-elle. Jamais auparavant elle n'avait compris le sens profond de ces mots.

— Qu'est-ce qu'il y a ?

Lucy s'est retournée sans prévenir et a surpris sa mère en pleurs contre l'épaule de Frances. Elles s'écartent promptement l'une de l'autre, comme deux adolescents dérangés au milieu d'un baiser.

— Ce n'est rien, ma chérie.

— Si c'est ça, arrête de faire la tête.

— Tu en veux à Alexander ?

— Non.

— À ta place, je serais remontée contre lui.

— Non, je suis surtout triste pour lui. Un tel isolement doit être dur à supporter. Je me dis par moments qu'il est encore en état de choc post-traumatique.

— Pourtant il t'a, toi.

— D'accord, mais je fais aussi partie du problème.

— Quel problème ? Tu es une véritable sainte !

— Oh non, tu te trompes !

— Tu es trop gentille.

— Bon sang, je déteste que l'on me dise ça ! s'emporte Nell.

— Alexander a toujours été un solitaire, reprend Frances d'un air songeur. C'était tellement bizarre que vous vous soyez mis ensemble. Avant toi, on ne l'avait jamais vu avec personne.

Quelque chose dérange Nell dans cette dernière remarque.

— Tu m'avais dit qu'il collectionnait les petites amies...

— Je t'ai dit ça, moi ?

— Mais oui ! Le jour de mon arrivée !

Ce n'est pas un hasard si cette conversation s'est gravée dans son esprit : par la suite, en effet, elle s'est toujours sentie gênée par l'air dérouté d'Alexander chaque fois qu'elle mentionnait ses ex, comme si elles étaient sorties de sa mémoire.

— J'ai dû te dire simplement qu'il intéressait pas mal de filles, se hâte de corriger Frances.

— Qui a trouvé bizarre que nous nous mettions ensemble ?

— Tout le monde.

Non sans un certain trouble, Nell imagine ses collègues étonnés jaser derrière son dos. Transie de froid, elle se lève pour faire signe à Lucy, qui remonte la plage d'un pas incertain. Frances écrase son mégot avec le talon de sa bottine.

— Celui-ci, il est pour Frances, annonce la fillette en leur montrant trois gros galets au creux de sa main. Celui-là pour maman et l'autre pour Ben.

— Qui est Ben ?

— Son petit copain.

— Il va sûrement le relancer à la mer, son galet.

— Ils vous plaisent ? demande Lucy.

— Magnifiques, lui assurent en chœur Nell et Frances.

— Et pour Mme Bunting, tu n'en as pas pris ?

— Non, elle, je lui offre une étoile de mer. S'il te plaît, on peut aller à la boutique ?

— Si tu veux, fait Nell, qui a envie de bouger un peu après être restée immobile en plein froid.

Un carillon éolien en bois se met à tinter lorsqu'elles poussent la porte de la boutique, où il fait bon se réfugier après le vent froid du dehors. Il plane dans l'atmosphère sèche une légère odeur de poisson que Nell trouve vaguement familière.

Les oursins convertis en lampes et les mobiles translucides en éclats de coquillage pendent si bas au plafond que Frances accroche ses cheveux en passant. Par terre, des coquillages sont rangés selon leur taille dans des panières en osier. Saint-Jacques, cauris, conques blanches hérissées de piquants...

— Il y a des taches comme sur les coccinelles, observe Lucy en prenant une poignée de cauris.

Nell va s'accroupir auprès d'elle. De toutes les joies de la maternité, aucune ne lui est plus précieuse que de contempler le monde à travers un regard d'enfant.

— Regarde celui-ci ! dit-elle à la fillette en prenant une coquille d'ormeau dont l'intérieur se pare d'un arc-en-ciel nacré.

— C'est du métal ?

Lucy a étudié les différents matériaux à l'école.

— Non, c'est un coquillage.

Nell a conscience que son explication est un peu sommaire. Qu'est-ce que c'est exactement, un coquillage ?

Une espèce de calcium ? Le calcium ne serait-il pas un métal ?

Lucy la dispense de se creuser la tête en repensant subitement à l'objet de ses recherches.

— Où elles sont, les étoiles de mer ?

— Par ici ! l'interpelle Frances.

La fillette choisit la plus grosse de toutes.

— Regarde ça ! fait Frances en désignant un tableau d'un kitsch achevé, qui représente trois lapins en coquillages.

— Que c'est joli ! s'enthousiasme Lucy. Tu peux me l'acheter ?

— Non ma chérie, on prend juste l'étoile de mer pour Mme Bunting.

— S'il te plaît, s'il te plaît ! supplie Lucy en sautillant sur place. J'aimerais tellement l'avoir !

— Non, mon cœur, il est affreux.

— Mais Frances le trouve beau.

Nell lance un regard désemparé à son amie, qui se contente de hausser les épaules. Lucy change alors de tactique :

— Je voudrais en faire cadeau à papa. Parce que lui, il ne passe pas une bonne journée à la mer, ajoute-t-elle pour donner plus de force à l'argument.

— Ça m'étonnerait qu'il plaise à papa.

— Mais si, il lui plairait ! Papa, il adore les lapins. Tu te rappelles quand je me suis promenée avec lui et qu'on a vu plein de lapins dans un pré ?

— Moi je me balade avec Lucy tous les jours, et qu'est-ce qu'on voit ? Des pies et des vaches ! Pour une fois qu'Alexander l'emmenait faire un tour, il a fallu qu'il tombe sur des lapins !

— Je suis au courant. Je l'ai lu dans ta chronique.

— Mon Dieu ! J'ai peine à croire que je manque à ce point d'imagination.

— Je me pèle les miches à jouer au golf, chuchote Frances, je l'invite à déjeuner et à la fin je récupère un caillou ! Alexander, lui, n'en fiche pas une, et elle lui offre ce charmant petit « objet d'art » !

Nell se met à rire.

— Salauds de mecs ! conclut Frances.

— C'est ça, tous des salauds !

Elles échangent un sourire. Elles n'avaient pas eu de conversation sur ces salauds de mecs depuis leurs soirées de beuverie à Tokyo, avant que Nell ne commence à sortir avec Alexander.

— Ça sent vraiment mauvais, dans ce magasin, fait remarquer Lucy.

À ces mots, Nell identifie l'odeur familière : celle du bungalow de la mère d'Alexander à Mersea, où ils se sont rendus en famille pour qu'elle puisse revoir la mer avant de mourir.

La journée avait mal commencé : Joan refusait d'admettre que Lucy avait besoin d'un siège pour bébé pour le trajet, et elle avait accusé Nell de gaspiller son temps précieux en allant en acheter un. Nell avait alors compris ce qui avait poussé Alexander à s'éloigner d'elle quand il était devenu adulte. Elle avait été navrée pour elle et s'était sentie coupable d'empiéter sur son temps compté, mais elle avait également été consternée par ces marques de pur égoisme, par son recours spontané au chantage affectif. Nell savait qu'elle devait avoir le dernier mot dans ce différend, pour la sécurité de Lucy, naturellement, mais aussi pour des questions d'intégrité personnelle. En revanche, elle avait deviné que si Alexander avait été seul, il aurait fini par céder et par mettre Lucy en danger pour faire plaisir à sa mère. Elle avait eu un véritable choc en en prenant conscience.

La mauvaise humeur de Joan avait rendu l'atmosphère pesante pendant toute la durée du trajet, et Lucy, qui était d'ordinaire un bébé facile, n'avait quasiment pas cessé de pleurer. Chaque fois que Nell pense à Joan – le moins souvent possible – elle la revoit se retourner sur le siège avant et promener son regard entre elle et le visage larmoyant de Lucy, lui renvoyant une image de totale incompétence.

Quand ils avaient enfin réussi à ouvrir l'énorme cadenas rouillé du bungalow, Nell avait eu l'impression de faire un saut dans le passé : des filets et des cannes à pêche gisaient là depuis une vingtaine d'années, et il flottait à l'intérieur une odeur rance de coquillages et de vieille créosote. Comme le tissu rayé des deux chaises longues avait pourri, ils avaient dû rester debout dans le bungalow pour contempler la marée montante. Bientôt, le léger crachin s'était changé en une pluie si violente qu'on ne distinguait plus le ciel de la mer. La tête protégée par une cape jaune défraîchie, Alexander avait filé acheter des huîtres. Sa mère projetait de les faire frire avec du bacon dans une poêle toute noircie, mais la gazinière ayant rendu l'âme, ils avaient dû se contenter de les manger crues.

Lorsque Joan était morte quelques jours plus tard, Nell avait encore leur goût dans la bouche.

C'est peut-être le souvenir inconscient de cette funeste journée qui fait dire à Lucy que la boutique empeste. Qu'a pu devenir le bungalow de Mersea ? se demande Nell. Alexander l'a-t-il revendu ? Il manque terriblement de méthode avec les biens de sa mère. Le courrier relatif à ses livres s'accumule sur son bureau, comme s'il n'avait pas le courage de le lire. Ce ne fut qu'après l'appel d'un éditeur, qui s'inquiétait de ne pas avoir sa signature pour la réédition des *Sacha*, que Nell avait compris que l'incurie d'Alexander leur faisait perdre de l'argent. Elle lui avait fait promettre de s'en occuper, ou tout au moins de confier ses affaires à un avocat. Elle avait même proposé de s'en charger, mais il n'avait pas voulu en entendre parler. Elle sait pertinemment qu'il n'a rien fait depuis.

La vendeuse emballe dans du papier de soie l'ignoble tableau que Lucy a tenu à acheter à son père et le leur donne dans un sac en plastique.

Bien fait pour lui, pense Nell, qui doute d'avoir été très honnête en assurant à Frances qu'elle n'était pas en colère.

— On va prendre l'air, décrète-t-elle, pressée de chasser de ses vêtements et de ses cheveux ces odeurs de coquillage.

15

Sur Portman Square, la caméra fixée en haut d'un réverbère est braquée dans leur direction. Il paraît qu'on accepte volontiers d'être filmé quand on n'a rien à se reprocher, mais Kate baisse les yeux comme une coupable dès qu'elle repère ce témoin caché.

Si on diffusait le film à la télévision, elle n'est pas sûre que les spectateurs devineraient quelque chose dans cette série d'images floues. C'est vrai qu'ils sont manifestement ensemble, puisqu'ils marchent de front sur le large trottoir, mais après tout, ils ne se touchent pas et n'échangent pas un mot, on pourrait donc les prendre pour des collègues, ou des cousins. Rien n'indique qu'ils ont fait l'amour une demi-heure plus tôt.

Y avait-il des caméras de surveillance dans les cabines de Selfridges ? Kate pique un fard à cette idée.

Le vent mordant qui balaie Baker Street traverse ses vêtements et sèche l'humidité entre ses cuisses. Elle a l'impression d'être nue, d'avoir subi un changement – comme le jour où elle a perdu sa virginité – et se sent partagée entre la mauvaise conscience et le bien-être qui succède au plaisir. Elle jette un coup d'œil à Alexander à l'instant précis où il se tourne vers elle. Ils échangent un sourire de complicité, et détournent aussitôt le regard.

Est-ce que la caméra a ouvert son obturateur pour mieux fixer cette seconde de merveilleuse intimité, ou ne verra-t-on à l'image que des silhouettes floues à la démarche saccadée et rapide, la tête courbée pour se protéger du vent ?

Maintenant qu'ils sont dehors, elle ne sait plus comment engager la conversation. Ils ont sauté l'étape où l'on apprend à se connaître, et ils sont allés trop loin désormais pour se poser les questions d'usage.

Kate a vu récemment à la télé un reportage sur les codes sociaux. Si l'on se sent mal à l'aise, était-il expliqué, mieux vaut attaquer avec la famille, le travail, l'éducation et les loisirs. Les initiales forment un mot facile à mémoriser. FTEL. Mais ça ne va pas. Sa propre famille n'est pas un sujet bien gai, et elle ne tient pas à l'interroger sur la sienne. Elle est déjà renseignée sur son travail, et elle ne peut quand même pas lui parler du brevet. Par élimination, il ne lui reste que les divertissements.

— Si on était dans un film en ce moment, lequel tu choisirais ? s'aventure-t-elle à lui demander.

On est censé éviter les questions qui appellent un oui ou un non, mais celle-ci n'est pas des plus futées. On dirait un des jeux idiots de Marie, où l'on doit s'identifier à un plat ou à un personnage historique.

Comme il ne répond pas, elle est tentée dans un même temps de vérifier qu'il a entendu et de retirer sa question au cas où la réponse lui déplairait trop. S'il choisit *Pretty Woman*, elle n'aura plus qu'à se considérer comme une putain. Mais s'il lui cite *Nuits blanches à Seattle*, elle se sentira obligée de lui demander s'il a des enfants. Et ça, elle ne tient pas tellement à le savoir. Enfin, si, elle aimerait le savoir, mais le contraire est vrai aussi.

Que ferait Marie à sa place ? Elle dirait sûrement : « C'est purement sexuel. Pourquoi essayer de le camoufler ? »

Ça fait un drôle d'effet de garder ses vêtements pour faire l'amour. Ça rappelle l'adolescence, quand on glisse ses mains sous le tissu.

Kate laisse échapper un éclat de rire.

— Qu'est-ce qu'il y a ?

— Rien, rien.

Il se met à rire à son tour. Elle ne sait pas trop si c'est de l'affection ou de la condescendance, mais son bras autour de sa taille règle la question.

Il n'est pas exclu qu'il ait une petite amie et qu'il s'ennuie avec elle.

Un taxi s'arrête à un feu rouge, et la voix enjouée de Sophie Ellis-Bextor s'échappe par la vitre ouverte : « *If This Ain't Love...* »

Kate devine d'emblée qu'elle repensera toujours à lui en entendant cette chanson.

— Peut-être *Le Dernier Tango à Paris*, suggère Alexander. Le dernier tango chez Selfridges.

— Pardon ?

Kate n'a pas l'air de comprendre à quoi il fait allusion.

— Le film, lui rappelle-t-il, un peu gêné.

C'est un de ces films dont elle n'a vu que des extraits, en zappant devant sa télé, éteignant quand ses frères rentraient du pub le samedi soir. Elle a surtout été frappée par les effets artistiques – mauvaise image, flous et mouvements de caméras. Et par le sexe, évidemment.

— Alors tu crois que c'est juste du sexe ? Pourquoi le *dernier* tango ? Pour dire qu'ils ne le feront plus jamais ?

— Je l'ignore. Tu crois ça, toi ?

Elle sait que sa réponse a tant d'importance que, s'ils jouaient vraiment dans un film, la caméra les prendrait en longs plans fixes.

— Je n'en sais rien, finit-elle par répondre. (Après quelques pas, elle éprouve le besoin d'expliciter sa pensée.) Honnêtement, je n'ai pas beaucoup de souvenirs de ce film, à part que Marlon Brando portait une espèce de grand pardessus.

C'est au tour d'Alexander de ne plus contrôler son envie de rire.

— Toi alors ! Tu es incroyable !

Incroyable. Voilà un mot auquel elle n'avait jamais beaucoup réfléchi, mais le ton amusé et émerveillé avec lequel il le prononce la fait frissonner de plaisir.

— Quel est ton mot préféré ? lui demande-t-elle.

La circulation est en train de s'intensifier sur Marylebone Road, et les feux des voitures forment un chapelet qui s'étend indéfiniment vers l'ouest.

— Spontanéité ! lui crie Alexander. Et toi ?

Le vrombissement des moteurs et les coups de Klaxon produisent un tel raffut qu'ils paralysent les pensées de Kate. Elle attend pour répondre que le vacarme se soit un peu calmé.

— Trouvaille, déclare-t-elle. Je crois qu'il était classé numéro un dans un sondage.

— À quel film pensais-tu ? lui demande-t-il en souriant.

— Rien de spécial.

Quelle bécasse ! Ça fait partie de l'art de la conversation, d'avoir des réponses toutes prêtes !

— Peut-être ce film avec Meryl Streep et Robert de Niro, celui où ils se rencontrent dans un train...

213

Elle s'est jetée sur le premier qui lui passait par la tête, mais elle n'ose pas poursuivre en se rappelant le titre.

— Tu veux parler de *Falling in Love* ?

— C'était plus ou moins un remake de *Brève rencontre*, explique-t-elle pour faire oublier le mot gênant.

Pourquoi lui semble-t-il si grave de prononcer le mot « amour » ? Maintenant qu'il l'a baisée en tailleur Armani dans une cabine d'essayage, sous les yeux de toute l'équipe de sécurité, est-ce vraiment scandaleux de lui avouer son amour ?

— Tu ne ressembles pas du tout à Meryl Streep, observe-t-il.

Son expression amusée la met légèrement sur la défensive. Elle n'a jamais prétendu qu'elle ressemblait à Meryl Streep, de toute façon.

— Et toi tu n'as rien de Robert de Niro, riposte-t-elle pour se venger. De toute façon, Robert de Niro n'était pas vraiment lui-même dans ce film.

— Finalement, le film n'a pas grand-chose à voir avec aujourd'hui, conclut-il avec un sourire qui illumine son visage tel un feu d'artifice.

Il est comme un charme, son sourire, un enchantement, capable de tout métamorphoser autour de lui. C'est de là que vient l'expression « avoir du charme » ?

— Le film était assez médiocre, fait-il après un instant de réflexion, parce que le dilemme moral de *Brève rencontre* n'a pas été réactualisé ; on se désintéresse donc très vite des héros, et on a envie de leur demander : Pourquoi tu ne t'en vas pas si tu es aussi malheureux ?

Elle ne l'avait jamais entendu parler autant d'un seul trait.

Peut-être est-il divorcé.

Ils traversent la rue pour entrer dans Regent's Park.
Le malaise étant dissipé, elle aurait tout aussi bien pu
s'abstenir de parler cinéma.

— C'est ton parc préféré ? lui demande-t-elle.

Encore une question en oui ou non. Elle est vraiment irrécupérable ! Il faut absolument qu'elle ajoute
quelque chose.

— Je pense que c'est celui que je connais le mieux,
répond-il.

— Moi je ne le connais pas. Par contre je suis allée
à Hyde Park.

— Regent's Park est un peu plus guindé, explique-
t-il en désignant les belles demeures blanches qui bor-
dent le périmètre. Je me suis toujours demandé qui
pouvait bien y habiter. Je me souviens d'être passé
devant en taxi quand j'étais enfant. Ce devait être l'hiver en début de soirée, car les rideaux n'étaient pas
tirés et les fenêtres étaient toutes éclairées, comme des
lampions orange. Quand on s'est rapprochés, j'ai
aperçu des lustres et une fête avec plein de gens. J'ai
eu l'impression de surprendre brièvement un monde
inconnu.

Kate imagine son visage écrasé contre la vitre noire
du taxi. Elle n'a aucun mal à se représenter le petit
garçon de cinq ans débordant de curiosité.

— Tu as eu envie de faire partie de ces gens qui
vivent ici et qui ont le parc pour jardin ?

Son visage change d'expression, comme si une
porte venait de se fermer.

— Non, je ne crois pas.

Une ou deux personnes font du canotage sur le lac, dont les eaux semblent avoir la densité du mercure sous les reflets du soleil. Un bambin dans un harnais, tellement bien emmitouflé dans sa veste et son bonnet angora qu'on ne peut distinguer si c'est un garçon ou une fille, se régale à lancer des croûtes de pain à une assemblée d'oies et de canards. La plèbe des volatiles caquetants ne tarde pas à s'écarter pour livrer passage à un couple de cygnes qui glissent majestueusement vers la rive. Effrayé, le marmot s'enfuit en trottinant.

— Tu savais que les cygnes appartenaient à la reine ? demande Kate, rompant le silence vibrant d'intensité qui s'est installé pendant qu'ils contemplaient le lac.

— Oui, fait-il sans détacher les yeux de la surface des eaux. C'est marrant, non, qu'il y ait des choses que tout le monde sait. Ce sont ces petits riens qui forment notre identité. Même s'il parlait couramment l'anglais, un Japonais ne serait pas au courant, pour les cygnes.

— Il le saurait s'il avait fait une croisière à Richmond. Ça fait partie du commentaire.

Alexander la regarde d'un air étonné.

— C'est si joli, là-bas, s'empresse de dire Kate. On se croirait à la campagne.

À présent il rit pour de bon. Qu'a-t-elle bien pu dire de si désopilant ?

— Tu veux une glace ? propose-t-il.

— Oui, je veux bien.

Il file aussitôt en chercher une dans un petit café en bordure du lac. Kate s'assied sur un banc, un peu mal à l'aise, imaginant tous les regards braqués sur elle. Sur le banc voisin, deux femmes bavardent sur leur liaison du moment. Kate s'étonne toujours que les

Londoniennes ne prennent jamais la peine de baisser le ton quand elles racontent leur vie amoureuse dans les cafés, et qu'elles s'égosillent dans leur portable en pleine rue pour exposer les derniers rebondissements. Ç'a peut-être un rapport avec l'immensité de la ville : il y a peu de chances qu'une personne de connaissance surprenne leur conversation. Elle se concentre sur la petite île au milieu du lac, feignant de ne rien entendre de la discussion.

— Je me dis que s'il ne tenait pas du tout à moi il n'aurait pas prétendu le contraire, argumente l'une des femmes.

Elle fume une cigarette en repoussant sans cesse sur ses épaules de longues mèches brunes.

— Pas sûr. C'est quand même un moyen facile pour coucher avec quelqu'un, non ?

La comparse, une blonde décolorée aux cheveux très courts, porte un petit diamant dans le nez. Elle mange des sandwichs triangulaires.

— De toute façon, je l'aurais fait quand même.

Les deux filles ponctuent la réplique d'un rire égrillard.

— Comment c'était ? s'enquiert l'autre, la bouche pleine.

— Fantastique !

— Dans ce cas...

Kate devine de la jalousie chez la blonde. Elle a envie de mettre l'autre en garde : « À ta place, j'éviterais de lui confier des choses trop personnelles », mais la brune n'est pas non plus très charitable, car elle se garde bien de prévenir sa compagne qu'elle a de la mayonnaise sur le nez.

— Le problème, c'est qui tu sais... reprend-elle en

217

allumant une nouvelle cigarette à peine la précédente terminée.

Elle tire dessus avec délices comme si c'était la première de la journée.

— Elle lui tourne toujours autour ?

De qui peut-il bien s'agir ? Une ex-petite amie qui cherche à le récupérer ? Sa femme ? Ou bien une confidente qui voit d'un mauvais œil son aventure avec la brune ? Kate est curieuse d'en savoir plus.

— Il soutient qu'il n'y a plus rien entre eux.

— Oh, tu sais, ils racontent tous la même chose... Tu comptes le revoir ?

— Il a dit...

À ce moment-là, Alexander s'affale sur le banc et tend à Kate un Magnum au chocolat blanc. Elle est un brin déçue de rater le dénouement de l'histoire.

— Comment as-tu deviné que c'était ma préférée ? demande-t-elle en déchirant le papier.

— Ils n'avaient que ça.

Lui s'est pris un Calippo à l'orange.

— Je me suis dit que tu devais adorer le chocolat blanc, corrige Alexander en surprenant le regard qu'elle pose sur sa glace.

« Il a juste l'habitude d'acheter des Magnum au chocolat blanc, pense Kate. Ça ne signifie rien du tout, sauf qu'il passe beaucoup de temps avec une femme. Les hommes craquent moins que nous pour le chocolat blanc. Qu'est-ce que j'espérais ? Je pouvais quand même me douter qu'il avait un passé. Tout le monde traîne quelque chose derrière lui. Mais tout de même, un Magnum au chocolat blanc ne suffit pas pour déduire qu'il est marié ! »

— Combien je te dois ? demande-t-elle en tirant son porte-monnaie de sa poche.

— Ne dis pas de bêtises !

— Mais je n'ai rien payé de toute la journée !

— Bon, quand tu seras à Bali, tu n'auras qu'à acheter un jus d'ananas frais en pensant à moi.

Kate entame sa glace du bout des lèvres, mais comme le nappage en chocolat vient de se fendre de haut en bas, elle sait qu'un gros morceau va atterrir sur ses genoux si elle retire l'esquimau de sa bouche.

Bali. Il lui était totalement sorti de l'esprit, son voyage à Bali.

Elle écarte avec son talon le morceau de chocolat tombé à ses pieds. Un pigeon isolé tente de l'emporter tout entier pour le déguster tranquillement dans un coin, mais ses congénères le prennent de vitesse et arrivent en force pour lui disputer sa trouvaille. Alertés par l'incident, les oies qui nagent dans le lac lèvent la tête, attirant l'attention d'Alexander sur cette péripétie ornithologique. Son regard rencontre le fragment de chocolat et la botte de Kate qui s'efforce discrètement de chasser les oiseaux. Il lève les yeux vers elle avec un sourire et passe un bras autour de son cou. Elle appuie la tête contre son épaule, et presse doucement son bras, juste au-dessus du coude ; il y a plus d'intimité dans ce petit geste que dans tout ce qu'ils ont fait auparavant. Kate conserve une parfaite immobilité, craignant que le plus infime mouvement ne le pousse à retirer son bras avec le même naturel qu'il a mis à l'enlacer.

Il a l'air tellement triste... Son vœu le plus cher est de savoir le rendre heureux.

Kate reporte son attention sur les passants : une femme avec un bébé en poussette fait imprudemment tomber la cendre de sa cigarette près de la tête de l'enfant. Vêtue d'un blouson en mauvais cuir, elle porte une bonne vingtaine d'anneaux aux oreilles. Vient ensuite un couple avec un landau, qui a l'air de promener son bébé pour la première fois. Le père ne cesse de se pencher pour border l'enfant, et la jeune femme n'a pas encore retrouvé sa ligne. Un vieux type passe en clopinant, appuyé à sa canne. Avec sa tignasse de cheveux blancs, il lui fait penser à l'ancien leader du Labour Party, celui qui portait toujours un duffle-coat pour la visite au monument aux morts – c'est d'ailleurs la seule chose qui ait marqué les gens. Kate ne se souvient même plus de son nom.

Une vieille dame dans un tailleur ajusté en tweed vert promène deux chiens minuscules qui tirent sur leur laisse. Ses cheveux ont exactement la même teinte que le poil des chiens, un blanc mêlé de jaune qui rappelle les taches de nicotine. La femme croise le regard de Kate et oblique légèrement pour s'approcher du banc.

— Mais c'est Alexander !

L'intéressé écarte instinctivement la tête de l'épaule de Kate.

— Bonjour ! s'écrie-t-il en se levant d'un bond, feignant d'être enchanté de la rencontre.

— Alors, on est de retour au pays ? demande Mme Tweed d'une voix très sonore à l'accent collet monté.

— Juste pour la journée.

Comme pour la traiter d'usurpatrice, les chiens jappent autour des mollets de Kate, qui ne sait pas si elle doit se lever aussi ou rester assise.

— Superbe journée ! reprend Mme Tweed.

— Superbe ! renchérit Alexander en regardant le ciel.

— Bon...

220

— Je crois qu'il est temps de partir, dit-il à Kate.

— D'accord.

Kate n'a prononcé qu'un seul mot, mais elle sait que son accent n'a pas échappé à Mme Tweed et qu'il la conforte dans le verdict que lui avaient déjà dicté son âge et ses vêtements. Ils font mine de s'éloigner, Kate d'un côté, Alexander de l'autre.

— Décidez-vous sur la direction à prendre ! commente Mme Tweed.

Ce n'est peut-être qu'une remarque anodine, mais on jurerait qu'elle s'est arrangée pour lui donner un double sens.

Alexander fait un rapide demi-tour pour emboîter le pas à Kate.

— Désolé, dit-il en la rattrapant.

— Désolé de quoi ? réplique-t-elle en marchant à vive allure, évitant obstinément son regard.

— De ne pas t'avoir présentée. J'avais oublié son nom.

— Ah oui ? répond Kate, soudain caustique. Et le mien, tu t'en souviens ?

— Kate...

Son air mortifié lui donne envie de retirer ses sarcasmes, mais elle n'arrive pas à croire qu'il ait oublié le nom de la femme.

— C'était une amie de ma mère, même si, dans le fond, elles se détestaient. Tu sais comment sont les choses...

— Non, je ne sais pas comment sont les choses.

Alexander s'immobilise brusquement. Kate s'arrête aussi et lui décoche une œillade assassine.

— Qu'est-ce qui se passe ?

— Tu étais gêné qu'on te voie avec moi.

— Pas du tout.

— Elle ne m'aurait pas regardée autrement si j'avais été une saleté rapportée par le chien.

Vu que les chiens en question ne sont pas plus gros que des souris, la comparaison a quelque chose de cocasse. Alexander se met au diapason.

— D'après toi, quel genre de saletés ces chiens-là peuvent-ils rapporter ? Une lettre ?

— Une feuille ? suggère Kate en se prêtant au jeu.

— Elle t'a regardée comme si tu étais une feuille ! Quelle horreur !

— Un emballage de crème glacée ?

— Baaah !

— Tu sais très bien de quoi je parle, insiste Kate, dont la colère est néanmoins retombée.

— Je crois que c'est un ancien magistrat, explique Alexander tandis qu'ils se remettent en route. Elle a toujours l'air de prendre les gens pour des délinquants juvéniles.

— Regarde, un cygne noir ! fait Kate en pointant un doigt vers le lac.

Et voilà, ils viennent d'avoir leur première querelle !

— Ça te dit de faire un tour en bateau ? propose Alexander, cherchant à se faire pardonner en lui offrant la promenade.

— Je ne sais pas ramer, prétexte la jeune fille avec un regard méfiant vers le lac.

— Mais moi je sais, ça suffit. Toi, tu seras purement décorative.

Le compliment inattendu lui donne le courage d'avouer, avec le même accent distingué que lui :

— Mais moi je ne sais pas nager.

— Je suppose qu'ils fournissent des gilets de sauvetage. Et puis si tu tombes à l'eau, je viendrai à ton secours, la rassure-t-il en l'entourant de son bras.

— On dirait les paroles d'une chanson, dit-elle gaiement. Si on était une chanson, laquelle ce serait ? demande-t-elle sans réfléchir.

16

Alexander se demande si le désir de Kate de définir
leur relation relève d'un penchant typiquement féminin, ou plutôt d'un réflexe humain auquel il essaie de
se dérober. Lui, il a juste envie de profiter de l'instant
présent en sa compagnie. Peut-être est-elle simplement
plus honnête que lui. Il trouve plus confortable de se
laisser porter par les événements, sans raconter de
mensonges mais sans dire non plus la vérité ; il sait
néanmoins qu'ils ne pourront pas éternellement faire
abstraction du passé et de l'avenir. Leur histoire date
déjà d'une demi-journée.

Il s'étonne qu'elle ait demandé si c'était *seulement*
sexuel, car le sexe lui semble réunir une infinité de
choses : surprise, exaltation, profondeur, vulnérabilité,
danger et tendresse.

Il regarde Kate, si curieuse, qui veut toujours savoir
ce qu'il pense. Il voudrait lui assurer qu'il n'aime pas
uniquement son apparence, même si elle lui plaît énormément – elle et son émotion toujours à fleur de peau,
comme si elle était privée d'une des couches protec-
trices que les autres possèdent. Il aime la manière dont
sa démarche varie en fonction de son humeur, la vita-
lité qui se dégage d'elle, même dans les moments de
calme. Elle le ramène à ses lointains cours de science

sur l'électricité – la puissance toujours prête, attendant qu'on la sollicite, l'énergie accumulée qui ne peut s'empêcher de déborder, faisant vibrer ce qui l'entoure de toute la force du possible. Il sait que s'il lui fait part de ses réflexions, elle lui demandera d'en dire plus.

Les femmes réclament toujours davantage.

Apaisé par le raclement des avirons contre les tolets et le clapotis des eaux fendues par l'étrave, Alexander remarque cependant que le petit corps pétrifié sur le banc d'en face ne cesse de se raidir à mesure qu'ils s'éloignent de la rive. Il est vaguement tenté de lui faire une farce de gamin en faisant tanguer l'embarcation, histoire de l'effrayer, mais il sait combien elle est fière, combien elle se sentirait humiliée de laisser surprendre sa peur.

À cette distance, l'eau est sale et sent un peu la vase.

— C'est dur, de ramer ? demande Kate.
— Pas quand on a pris le coup. Tu veux essayer ?
— Non !

Elle confirme son cri du cœur en secouant vigoureusement la tête.

— Tu devrais apprendre à nager.
— Je sais.

Elle scrute les eaux du lac, comme captivée par un spectacle qui se déroulerait à quelques brasses de la surface, puis le regarde droit dans les yeux.

— Mon père s'est noyé.

Elle dit cela d'un air si naturel qu'il se demande une seconde si elle ne lui fait pas une blague.

— Tu aurais dû m'en parler, s'excuse-t-il, honteux

maintenant de l'avoir entraînée sur le lac. Je suis navré.

— Il ne s'est pas noyé dans un lac, poursuit-elle sans quitter la surface des yeux. Il avait bu. Il a trébuché sur la route en rentrant du pub, le choc lui a fait perdre connaissance et il s'est noyé dans une flaque d'eau. Une flaque d'eau, tu te rends compte ? Abruti de poivrot !

Ce n'est pas seulement l'information qui choque Alexander, mais le ton neutre et indifférent sur lequel elle la rapporte, une façon, probablement, de contenir son chagrin.

— Quel âge avais-tu ?

— Quatorze ans.

Il bloque les avirons à l'horizontale et les laisse flotter à la surface du lac. Il lui avait supposé d'office deux parents sains et débonnaires, mais c'était purement arbitraire.

— Il te manque encore ?

Elle le dévisage sans ciller.

— Tu sais comment ça fait quand on pense à quelqu'un ? Il y a toujours une image qui se présente en premier.

Il fait oui de la tête.

— Bon, eh bien moi je nous revois un dimanche, sur le chemin de l'église. On est tous sur notre trente et un, Marie porte sa robe jaune citron, tu sais, ce tissu qui froufroute quand on marche. C'était vraiment sa tenue des grandes occasions, mais maman disait que puisqu'elle grandissait à toute allure, autant la laisser en profiter.

Elle lève les yeux pour s'assurer qu'il suit toujours, ce qu'il confirme d'un hochement de tête.

— Marie a dans les dix, onze ans, tu vois, l'époque

226

où on devient une femme tout en restant encore gamine... elle a toujours ses couettes et elle sautille sur la route en rigolant. Et puis tout à coup, mon père lève le bras et lui flanque une claque sur la tête. Marie reste sans bouger, et puis elle se touche l'oreille et une grosse goutte de sang coule sur la manche ballon de sa robe. La goutte reste telle quelle pendant une éternité, tout le monde a les yeux rivés dessus, et enfin elle s'étale et imprègne le tissu, on voit même apparaître les fibres... Moi je me mets à pleurer et mes frères n'en mènent pas large, parce qu'ils devinent que ça va chauffer pour eux. Alors Marie demande – sans se démonter, tu vois – un truc du style « Pourquoi tu as fait ça ? », et il lui répond : « Pour rien. Si tu attrapes ça quand t'as rien fait, imagine ce que je vais te mettre si t'as fait quelque chose ! »

Alexander, qui l'a écoutée sans bouger, frissonne en changeant de position.

— Il ne me manque pas, déclare Kate. On a mis un moment à s'habituer à ce qu'il ne soit plus là. À ne plus avoir peur en permanence. C'est pas étonnant que Marie soit comme ça. À quoi ça sert de marcher droit quand on te corrige quand même ?

L'esprit d'Alexander est resté fixé sur la robe de fête jaune. Il ne sait pas quoi répondre.

— Ça lui arrivait d'être super, quelquefois, mais sa brutalité venait toujours tout gâcher.

Instinctivement, Alexander reprend les rames pour meubler le silence qui suit la confession.

— Et toi, est-ce qu'il y a une image de ta mère qui te revient constamment en mémoire ?

Sa voix semble lui parvenir de très loin.

Elle est dans la cuisine, vêtue d'un grand pull

violine qui aurait bien besoin d'un lavage, un peu graisseux sur le dessous des manches.

— Oui, répond-il, refusant de se plonger plus avant dans ce souvenir.

— Ta maman te manque ?

Elle ne fait que lui retourner sa propre question, mais il laisse se prolonger le silence au lieu de lui fournir une réponse. D'abord, il ne pense jamais à elle sous le nom de « maman » car elle détestait ce mot. En plus, il ne peut même pas expliquer pourquoi, sous peine de passer pour un snob. La question est on ne peut plus simple, mais elle le panique terriblement. En effet, il ressent la présence de sa mère beaucoup plus intensément que lorsqu'elle était en vie, et il s'efforce de se dépêtrer d'un écheveau d'émotions qui s'emmêlent sous une carapace de rancœur.

— Oui, elle me manque, se borne-t-il à répondre, peu enclin à approfondir le sujet.

Son regard se perd de l'autre côté du lac, sur la pelouse en pente de la résidence officielle de l'ambassadeur des États-Unis.

— Et ton père, il t'a manqué quand il est parti ?

Alexander reporte son attention sur elle. Ramené sur un territoire moins périlleux, il possède des réponses toutes prêtes qu'il a forgées au fil du temps.

— Quand il nous a quittés, il m'a expliqué que son absence serait provisoire. J'en ai conclu de ce fait qu'il allait revenir, dit-il avec un petit rire amer. Il m'emmenait régulièrement dîner, et je recevais un cadeau à chaque fois... donc, tu vois, je ne risquais pas de m'ennuyer de lui. Je devais avoir une dizaine d'années quand je l'ai vu par hasard sur Parliament Hill Fields, il jouait au cerf-volant avec sa nouvelle famille. Il ne m'a même pas remarqué. Il avait l'air tellement heureux avec eux, tellement libre, pas tendu comme avec moi. C'est ce jour-là que j'ai compris qu'il ne reviendrait jamais. Et là, il a vraiment commencé à me manquer, et je lui ai dit que je ne voulais plus jamais le revoir. J'ai réagi de cette façon pour lui faire de la peine, mais je crois que, dans le fond, il s'est senti soulagé.

Une grosse larme se forme au bord de l'œil droit de Kate, telle une perle de verre, puis sinue le long de sa joue.

Il se sent malhonnête d'avoir terminé son récit sur ces mots. Il n'a aucun moyen de savoir si son père était réellement soulagé, simplement c'est un dénouement convaincant qui lui a toujours attiré la compassion des femmes. Cet échange d'informations familiales lui évoque une parade nuptiale, une espèce de test génétique verbal supposé renseigner l'autre sur votre milieu d'origine. En général, ce genre de choses se produit *avant* l'accouplement.

— Hé, fait-il en s'inclinant pour lui toucher le genou, ça remonte à très longtemps, tu sais !

Kate est pareille à une enfant, elle aime les histoires qui finissent bien.

— Tu ne l'as jamais revu ?

— Si, une seule fois, à l'époque où j'étais étudiant. Je l'ai invité à déjeuner un dimanche. Il est arrivé en plastronnant et en exhibant ses cartes de crédit, et il a essayé de m'impressionner en se vantant d'avoir fumé de la marijuana à la fac.

— De la quoi ?

— C'est une drogue.

— Tu veux dire du cannabis ?

Elle est visiblement choquée qu'un parent puisse se conduire ainsi.

229

— Il m'a emmené déjeuner dans un restaurant de luxe. On faisait semblant de passer un bon moment, d'être bien ensemble, et la conversation se limitait à des banalités. On a quand même eu une petite prise de bec sur la politique. Lui, il soutient les conservateurs, tu peux t'en douter. Et puis je lui ai demandé pourquoi il avait quitté ma mère ; je suppose que je me suis laissé enhardir par les cigares, le brandy et son humeur décontractée. Mon père m'a répondu : « Ta mère est une femme fabuleuse, mais complètement invivable. » Et en disant ça, il m'a fait une espèce de clin d'œil, pensant peut-être que j'allais confirmer ses dires, maintenant qu'on était entre hommes, comme deux bons copains. Alors je l'ai frappé.

En général, quand il en arrive à cette étape de l'histoire, les femmes applaudissent ou restent pantelantes. Mais la respiration de Kate se bloque, et il comprend alors combien il a été maladroit de lui raconter cela après les confidences qu'elle lui a faites sur son père. En plus, ce n'est même pas vrai. Il a seulement eu envie de le frapper, et c'est uniquement dans ses récits qu'il est passé à l'acte.

— Je n'avais jamais frappé personne de ma vie, bredouille-t-il.

— On dirait qu'il l'avait bien cherché, répond Kate d'un ton mal assuré.

— Le moins glorieux dans cette affaire, reprend Alexander, qui tient absolument à se punir d'avoir menti, c'est que je ne lui en voulais pas de ternir la réputation de ma mère, ce n'était rien d'aussi élevé. Non, j'étais furieux contre lui parce qu'il disait la vérité, et qu'il m'avait laissé me débrouiller tout seul avec elle.

Cet aveu qu'il n'avait jamais fait à personne atténue sa honte d'avoir extorqué de la compassion à Kate.

Il suppose que si c'était à refaire, ils choisiraient de reprendre leur relation au moment où ils sont montés en bateau, et qu'ils se garderaient bien de poser des questions sur leurs passés respectifs. En échangeant une fraction de leurs souffrances, ils ont permis à la réalité de s'immiscer avec eux dans la barque et d'engendrer une foule d'hypothèses et de doutes qui brouillent irréversiblement la limpidité de la passion.

Le loueur de bateaux tire sur la proue de la barque pour les aider à accoster. Quand l'embarcation choque l'appontement de bois avec un bruit sourd, Kate expire longuement, comme si elle avait retenu son souffle pendant toute la durée de l'excursion. Alexander descend le premier et lui tend la main. Agrippée à lui, elle se hisse sur le ponton, les jambes un peu flageolantes, et son regard passe de leurs mains jointes à son visage. La main dans la main, ils s'éloignent du lac.

Il fait meilleur quand on s'écarte de l'eau, on se croirait presque en été.

Sur un des terrains de sport en plein air, des hommes disputent un match de softball. Quelques ordinateurs portables sont posés sur la ligne de touche, près des sacs de sport. Mis à part deux ou trois promeneurs solitaires, ils ne croisent personne dans les allées. C'est l'heure de transition où les mères attendent leurs enfants à la porte de l'école. Encore une demi-heure, et le parc fourmillera de fillettes et de petits garçons qui galoperont en tous sens pour dépenser enfin l'énergie retenue tout au long de la journée, dans la salle de classe ensoleillée.

— Qu'est-ce que c'est ? demande Kate en désignant

au loin un ensemble de bâtiments entourés d'une clôture.

— Le zoo de Londres.

— Mais on peut tout voir sans payer !

— Exactement.

— Je ne le savais pas, moi !

Ils font une halte devant l'enclos des éléphants. Un des soigneurs passe un balai sur le dos empoussiéré d'un des pachydermes, tandis que son collègue ordonne à un autre de se coucher. L'animal s'exécute avec une lenteur presque gracieuse et présente son pied à curer.

— Une vraie séance de manucure, observe Kate.

Ces tranquilles préparatifs pour le bain de l'après-midi ont quelque chose d'incroyablement apaisant. Kate et Alexander reprennent leur promenade lorsque les éléphants se plongent dans l'eau.

— Si j'ai bien compris, tu as habité dans le coin.

Il savait bien qu'il ne se tirerait pas aussi facilement de leur rencontre avec Helge – qui, soit dit en passant, n'a guère changé en l'espace de trente ans. « Un fusil habillé de tweed », comme le répétait sa mère.

Ils sont arrivés sur le Broad Walk, près de l'enclos des loups.

— Quelquefois, quand la nuit était claire ou que la pluie menaçait, j'entendais hurler les loups du fond de mon lit.

S'agit-il d'un pur hasard, ou est-il sciemment accouru au-devant du danger en retournant dans ce quartier de Londres qu'il a si bien connu ?

Joan et lui habitaient sur la partie la moins chic de Chalk Farm Road, non loin de la ligne de chemin de fer, mais c'était finalement très près d'ici. Certains de ses amis vivaient à Primrose Hill. Avant leur entrée à l'université, ils traînaient ensemble dans les pubs du quartier. À cette époque, on trouvait encore des rades à l'ancienne, avec un patron toujours en sueur, un papier peint cramoisi et des vieux qui toussotaient dans leur coin. Il a pu lire dans les suppléments du dimanche qu'ils ont cédé la place à de grands espaces dépouillés, où l'on sert des légumes trop cuits et des pâtes parfumées d'un soupçon de parmesan ou de truffes blanches.

Le quartier est devenu le repaire des pop stars.

Autrefois, la seule célébrité des environs était Kingsley Amis. Sa mère l'avait rencontré une fois dans les années soixante, au cours d'une soirée ; depuis, lorsqu'elle le croisait sur Regent Sreet, qu'il remontait pour se rendre au pub, elle était toujours saisie d'un trouble violent qui ne lui ressemblait pas. Elle n'omettait jamais de le saluer, et il lui rendait la politesse avec un sourire courtois mais légèrement perplexe. Chaque fois, Alexander l'entendait rapporter à ses amis : « On est tombé sur Kingsley, il avait l'air tout chose, pas du tout en forme, comme d'habitude, ce vieux coureur de jupons... »

À ce moment-là, Helge, l'amie de sa mère, occupait sur Ainger Road un minuscule appartement au dernier étage, dans une demeure victorienne réaménagée. Peut-être y vit-elle encore. Elle avait déjà des chiens à l'époque, deux bull-terriers massifs aux poils courts et pâles qui leur donnaient une allure porcine. Ils n'arrêtaient pas de folâtrer à travers l'appartement en faisant des bonds déchaînés. Joan et lui s'asseyaient côte à côte sur l'unique canapé de la maison, tels des prévenus en face de Helge – qui s'installait pour sa part sur une chaise de cuisine. Peu à peu, la fumée des cigarettes de Joan faisait un brouillard dans la pièce, camouflant l'odeur tenace des chiens. Pendant que Joan et Helge colportaient de méchants ragots sur les autres membres de la section locale du parti travailliste, Alexander tuait le temps en imaginant ce que les voisins du dessous pouvaient bien penser des trépignements continuels des chiens-porcs au-dessus de leur tête.

Il était allé jusqu'à inventer un couple bien élevé, qu'il avait baptisé M. et Mme Maussade, à qui l'exaspération quotidienne dictait des actes de malveillance d'une exceptionnelle cruauté. Il leur prêtait des manigances toujours plus acharnées pour débarrasser l'immeuble des deux créatures, mais elles se soldaient invariablement par un échec.

Sur le trajet du retour, par le pont de chemin de fer et Chalk Farm Road, Alexander distrayait sa mère en lui contant les derniers exploits des Maussade. La première fois, les os empoisonnés déposés dans l'escalier des communs avaient malencontreusement fini dans le ventre d'un caniche en visite. Au fil des années, les intrigues devenaient de plus en plus saugrenues. L'une d'elles plaisait spécialement à sa mère : M. Maussade accrochait à la fenêtre un énorme rumsteck au bout d'une canne à pêche, espérant que les chiens se jetteraient du troisième pour l'attraper et termineraient leurs jours écrabouillés sur le sol de la cour. Malheureusement, l'occupante du rez-de-chaussée, une jolie Chinoise nommée Miss Lo dans l'imaginaire d'Alexander, choisissait ce jour précis pour aérer ses matelas sur le pavé et sirotait un cocktail à l'intérieur lorsque les deux bestioles faisaient le grand saut. Elle les trouvait en train de rebondir sur les matelas avec des aboiements farouches en direction du vide au-dessus d'eux.

Sa mère en avait eu un tel fou rire qu'il lui avait provoqué une quinte de toux.

Ils n'oubliaient jamais de faire une halte chez Marine Ices pour acheter un double cornet, de préférence un duo chocolat-melon, qui mêlait si agréablement dans la bouche d'Alexander l'arôme subtil du cantaloup glacé à la saveur forte et onctueuse du cacao. La glace lui durait tout le trajet.

« Nous avons fait un saut chez Helge », annonçait sa mère en ouvrant la porte d'entrée.

Devant l'école de Princess Road, le trottoir est encombré de parents. Les portes s'ouvrent brusquement sous la poussée des enfants enfin libérés, qui emplissent l'air d'une confusion de cris d'allégresse.

Kate et Alexander traversent la rue et gravissent la pente de Chalcot Road en direction du square.

— Comment s'appelle ce quartier ? Il est joli comme tout.

— Primrose Hill.

— Ce n'est pas là qu'habitait Cruella d'Enfer ?

— Je ne sais pas, tu crois ?

— C'est depuis le sommet de Primrose Hill que Pongo et Perdita ont lancé leur appel à tous les chiens. L'aboiement de minuit.

Sa manière curieuse d'épouser le fil de ses pensées le perturbe un peu, mais il se convainc aussitôt qu'il n'y a rien de bizarre à ce qu'ils aient songé aux chiens au même moment : la moitié des passants qu'ils croisent en tiennent un en laisse et se dirigent vers le parc.

Il ne s'explique pas très bien pourquoi il a fait croire à Kate qu'il avait oublié le nom de Helge. Voulait-il mesurer sa capacité à pardonner ? Ou bien l'obliger à se fâcher contre lui et à mettre ainsi un terme à cette folie qu'ils sont en train de commettre ?

Incapables de prendre une décision d'ordre moral, les hommes manipulent les femmes pour qu'elles s'en chargent à leur place. C'était un thème récurrent des discussions de sa mère avec Helge.

— Que dirais-tu d'un café ? propose Alexander à l'angle de Regent's Park Road.

Près d'une librairie dont sa mère connaissait le propriétaire se trouve un café polonais qui a servi avant tout le monde des cappuccinos de qualité. Aujourd'hui, on dirait que toutes les boutiques de Londres se sont transformées en cafés, avec des tables en terrasse.

— J'adorerais ça.

— Dedans ou dehors ?

— Dehors, fait Kate en prenant place à la dernière table libre.

— En Italie, ils trouveraient ça complètement dingue de s'asseoir en terrasse en hiver.

— Tu crois que ce n'est pas dingue, d'avoir choisi les spaghettis comme aliment de base ? C'est tellement dur à enrouler !

— Qu'est-ce qui te fait envie ? Personnellement, je te conseille le crumble aux pommes.

— D'accord. Ça et un cappuccino. Mais cette fois, j'insiste pour payer.

— Non, laisse-moi t'inviter.

— Mais pourquoi ?

— Parce que toi, tu as un budget à respecter.

— Mais je n'ai pas déboursé un sou de toute la journée !

En l'observant à travers la vitre, il s'aperçoit qu'elle tire sur les pans de sa veste pour se protéger du froid, mais elle est trop orgueilleuse pour changer d'avis et se réfugier dans la chaleur embuée du café. Ayant surpris son regard, elle lui adresse un petit signe de la main. Elle n'est qu'à deux mètres de lui, mais la paroi vitrée, le gâteau aux fruits exotiques et la corbeille de croissants en exposition créent une distance supplémentaire. Qu'est-ce qu'il peut bien fabriquer ?

Alexander pose une tasse devant Kate et s'assied avec elle. Elle recueille la mousse tachetée avec sa cuillère et la savoure comme un dessert de choix.

— Chez moi, le cappuccino est encore une rareté.

— Ici, on peut difficilement passer à côté.

— Le problème avec les gens des classes moyennes, c'est qu'ils sont blasés de toutes les choses agréables, les Costa Coffee ou les Pizza Express par exemple. Pour eux, c'est toujours pareil, mais quand on est pauvre, c'est une fête.

— Qu'est-ce que tu essaies de me dire ? Que la pauvreté est un avantage ?

— Non, réplique-t-elle sèchement, c'est largement plus ennuyeux d'être pauvre, parce qu'on est forcé de rester chez soi et de se résigner aux taches de moisissure de sa cuisine, mais au moins on apprécie son cappuccino quand on a l'occasion d'en boire un. Et ça, ce n'est pas rien.

Elle plante sa fourchette dans sa part de crumble, dont les fines lamelles de pommes cuites s'enrobent d'un glaçage blanc, épais et friable.

— Il me semble que j'ai fait preuve de pas mal d'égoïsme, non ? demande Alexander.

— Pourquoi ?

— Tu n'aimais pas les sushis ni les huîtres...

— Tu m'as apporté un cappuccino ce matin.

— Ah oui, c'est vrai...

Il lui semble qu'il s'est écoulé un siècle depuis qu'il se tenait dans l'allée, hésitant à sonner chez « Joy ».

Tout a commencé avec un cappuccino, et ça devrait également se terminer ainsi. Il déclare, après une profonde inspiration :

— Cette femme dans le parc...

— Mme Tweed ?

— C'est ça... En fait, elle s'appelle Helge.

Il attend la réaction de Kate.

— Pourquoi m'as-tu raconté que tu avais oublié son nom ?

— Parce que je ne savais pas comment te présenter. Je ne trouvais pas le mot pour te définir.

— Une amie ?

— Ce n'est que de l'amitié, rien de plus ?

Elle sourit, reconnaissant l'allusion à sa question de tout à l'heure.

— Je suis désolé, dit-il.

— Pourquoi ?

— À cause de Helge.

— C'est pas grave, j'avais déjà compris.

Il n'a pas prévu que les choses se passent ainsi. Il lui parle de Helge pour provoquer une dispute, et il ne réussit qu'à accentuer sa bonne humeur.

— Quelle heure est-il ? demande-t-elle.

Il jette un coup d'œil à son poignet. Ah, oui ! il a oublié sa montre. Il se rabat sur la pendule du café, au-dessus du comptoir.

— Bientôt quatre heures.

— On ferait bien d'y aller, je reprends à six heures.

Il y a une minute à peine, il a voulu précipiter la fin de leur histoire, mais à présent il n'en a plus du tout envie.

Entre eux, l'air bourdonne de toutes les questions qu'il n'ose pas poser, ou pour lesquelles il n'a pas de réponse.

Que va-t-il se passer, maintenant ?

Que se passera-t-il quand ils rentreront à l'appartement ?

Et quand elle retournera travailler ?

— Tu veux qu'on monte sur Primrose Hill pour profiter de la vue ? suggère-t-il pour retarder le moment des décisions.

— Super !

— Alors on y va.

— Attends-moi cinq minutes.

Il patiente sur le trottoir pendant que Kate s'entretient avec le libraire, dont le visage s'éclaire à une de ses remarques. Elle a pris un livre mais il n'en distingue pas le titre.

Elle le rejoint enfin avec un grand sourire, un sac en plastique à la main.

— Je t'ai acheté un cadeau, dit-elle en le lui tendant.

— Mais...

— C'est juste mon budget de la journée, que tu ne m'as pas autorisée à dépenser, insiste-t-elle en le lui mettant entre les mains.

Le poids du livre, son format, qu'il devine à travers le plastique, lui rappellent aussitôt quelque chose de connu. Le cœur battant, il se croit transporté dans la séquence la plus effrayante d'un film bien familier. Il sait d'avance ce qu'il va découvrir, mais il répugne à le regarder. Pourtant Kate attend si avidement sa réaction qu'il n'y a plus moyen de reculer.

— Allez, ouvre ! le presse-t-elle en se trémoussant d'impatience.

C'est un livre pour enfants, une nouvelle édition de poche à la jaquette reluisante, qui a gardé une odeur ténue de produits chimiques.

— Regarde ! s'écrie-t-elle en désignant sur la couverture le petit garçon étendu sur un tapis bariolé. C'est toi !

Le passé d'Alexander assaille le présent.

— *Sacha et le tapis volant*, articule-t-il.

— Tu sais, c'est le gamin qui s'envole sur son tapis, explique Kate, tout excitée.

— Je sais.

Elle lui reprend le livre pour le feuilleter et lui montrer ses illustrations favorites en épiant sa réaction. Son sourire s'élargit de plus en plus, comme si son intensité allait forcer Alexander à sourire à son tour.

Il récupère le livre et l'ouvre à la première page, celle de la dédicace.

Pour Alexander, évidemment.

Il souligne chaque mot, comme s'il apprenait la lecture à un enfant.

Kate le regarde sans comprendre, sans faire le rapprochement.

— C'est ma mère qui a écrit ça.

— Alors, Sacha, c'est toi ?

17

« *Le bilan de la catastrophe ferroviaire de ce matin risque de s'élever à cinquante victimes* », annoncent les haut-parleurs alors que Nell et Frances montent sur la jetée. « *Et profitez bien du soleil, il ne va pas durer. Voilà les dernières nouvelles, plus de détails dans un moment... Et maintenant,* Si c'est pas de l'amour... »

Les haut-parleurs de la jetée déversent les martèlements dance du tube estival de Spiller. Le tempo se diffuse des tympans aux mollets de Lucy, qui règle son pas sur la musique. Le morceau a remporté un franc succès à la fête de Noël de son école, où elle et Ben ont été finalistes au jeu des statues musicales. En fin de compte, c'est Ben qui a gagné la boîte de feutres, mais le petit garçon, gentil et bien élevé, a offert le rose à Lucy en guise de lot de consolation. Nell ne s'est pas trompée sur l'expression de gratitude qui illuminait le visage de sa fille : c'était bien de l'amour.

— Tu as vu, observe Frances, il a dit « la catastrophe de ce matin », comme s'il s'en produisait une par jour.

— C'est un peu l'impression qu'on a, ces temps-ci.

— Depuis que je suis rentrée, il y en a une par semaine en moyenne. Ah, je me demande où va ce pays ! dit Frances sur le ton de l'autodérision. Soit dit en passant, c'est encore un symptôme de l'âge, de tenir ce genre de propos...

— Tu trouves du changement, par rapport à avant ton départ ?

— Beaucoup plus de cafés, ce qui est quand même paradoxal, quand tout le monde a l'air abonné au déca. Les sandwichs sont meilleurs, mais c'est régime pour tous. Les banques ont disparu, il y a des restaurants à la place. On dirait que le pays est gouverné par la consommation et la censure.

— Et avant ?

— Juste la censure.

— J'ai pris l'ascenseur avec Ben l'autre jour, intervient Lucy. Elle est loin, la fête foraine ?

— Tu sais quoi ? propose Nell en réprimant son fou rire à grand-peine. Tu vas compter le nombre de marches pour monter là-haut.

— Tu crois qu'il y en a combien ?

— Oh, environ un millier.

— Et toi, Frances ?

— Moi je dirais deux mille.

— Et moi je dis un million ! claironne Lucy. J'y vais tout de suite ! Maman, tu comptes aussi !

— Je compte dans ma tête.

— Un, deux, trois...

Quand Lucy a un peu progressé dans son décompte, Frances demande à Nell :

— Tu ne crois quand même pas qu'Alexander te trompe ?

Nell se doutait bien qu'elle aborderait la question. Frances est persuadée que tous les hommes ont des maîtresses, et il se trouve qu'elle a souvent raison.

— Je crois plutôt qu'il est trop paresseux pour avoir une aventure.

— Peut-être qu'il consacre toute son énergie à sa maîtresse, ce qui expliquerait qu'il n'en ait plus pour toi.

— Mon Dieu, Frances !

— Pardon.

— Ce qui me pousse à dire qu'il n'a pas d'aventures, c'est qu'il serait plus aimable s'il en avait une, avance prudemment Nell.

— Où as-tu pêché cette théorie ?

Nell marque une hésitation, s'assurant que Lucy n'est pas à portée de voix.

— Eh bien, il est rentré très tard de la soirée de Noël avec ses collègues, et je peux garantir qu'il avait flirté. Il avait des traces de rouge autour de la bouche, et ces yeux caves des gens qui ont trop bu, tu vois ce que je veux dire ?

— Flirté ? répète Frances d'un air dubitatif.

— Je suis certaine que ça s'est limité à ça ; premièrement, il est revenu par le dernier train, et puis, s'il s'était passé autre chose, il se serait quand même arrêté devant un miroir avant de rentrer, non ?

— Et tu vas me dire que cette explication rationnelle ne t'a pas demandé des heures de cogitations...

— Au début, j'ai fait ma crise de paranoïa, j'ai même fouillé dans ses poches. Je m'en suis atrocement voulu, d'ailleurs.

— Mais tu n'as découvert aucune preuve du délit ?

— Seulement un compte joint avec sa mère, qu'il aurait dû annuler depuis longtemps. Il est complètement incapable de s'occuper de ces choses-là. Enfin... Le lendemain, il tenait une gueule de bois carabinée, mais il n'était ni grognon ni d'humeur instable. Il a

fait un maximum d'efforts pour être gentil. Il m'a
aidée à étendre le linge, il a joué avec Lucy...

— Et alors ?

— On aurait dit qu'il avait fait brièvement l'expérience d'autre chose, et qu'il avait décidé de ne pas
donner suite.

— J'avoue que ta logique m'échappe.

— Ce que j'essaie de t'expliquer, c'est que s'il
avait une maîtresse en ce moment, il serait bien plus
aimable, à cause de la mauvaise conscience.

— Il est un peu tordu, ton raisonnement.

— Bon, si tu veux. Il a peut-être une liaison, après
tout, concède Nell, vaincue par la pugnacité de Frances.

— Ça n'a pas l'air de te déranger.

— Ça s'est passé à Noël.

— Tu lui as posé des questions ?

— Non, pas du tout.

— Pour quelle raison ?

— Je ne voulais pas le harceler. On a tous droit à
notre flirt de Noël, non ? Tu sais, les boules de gui et
tout le reste...

— Je te trouve drôlement compréhensive.

— Quelquefois, je me dis que ce serait plus simple
s'il avait une maîtresse, avoue Nell avec un soupir.

Frances hausse les sourcils, mais Lucy accourt à ce
moment précis.

— Deux cents millions, annonce-t-elle.

Lucy est trop petite pour la plupart des manèges,
mais il y a quand même un bassin avec des bateaux
en caoutchouc, l'équivalent des autos tamponneuses
pour les tout-petits. C'est typiquement le genre d'attraction qui convient à Nell : Lucy ne risque rien, et
elle peut la surveiller tout en lui laissant un minimum
d'indépendance.

— Ça te dirait de faire un tour là-dessus ?

Certains des bateaux sont pilotés par des enfants encore plus jeunes.

— Je veux bien, répond Lucy sans trop d'enthousiasme.

La fillette s'installe, percutée aussitôt par un gamin dans un bateau orange. Pendant une fraction de seconde, Lucy oscille entre rire et larmes, puis c'est le rire qui l'emporte.

— Elle s'entend bien avec les garçons, on dirait ?

— Les garçons l'aiment bien, son copain Ben en est complètement toqué.

— Tant mieux.

Elles regardent l'enfant manœuvrer autour du bassin, de plus en plus assurée.

— L'autre jour, reprend Frances, j'ai lu un article sur la chimie amoureuse. Apparemment, on subit des modifications chimiques très sensibles lorsqu'on tombe amoureux. Les hormones sont libérées en masse. Des tas d'électrodes ont été branchées sur des gens, et quand on leur a montré une photo de la personne aimée, ç'a été la panique dans leurs ondes cérébrales.

— Ah bon ?

— On pourrait faire fortune avec ça, poursuit Frances en lui montrant à la devanture d'un kiosque une publicité pour les thèmes astraux par ordinateur. On appellerait ça « le Test de l'Amour ». Tu paies pour qu'on branche les électrodes sur ton homme, et si l'écran s'allume, alors c'est dans la poche !

— On pourrait obtenir le même résultat avec des images très différentes, il me semble.

— Tu dois avoir raison. Des photos pornographiques, par exemple ? D'où t'est venu un tel réalisme ?

Nell a quelques remords d'avoir saccagé le projet farfelu de Frances.

— Dis-moi, combien de temps durent ces réactions chimiques ?

— Environ un an et demi. À ce stade-là, soit on se sépare, soit on continue sans la chimie, ce qui est nettement moins palpitant.

Nell se met à rire.

— L'alternative, c'est d'avoir un bébé. Il semblerait que concevoir un enfant produise à peu près les mêmes hormones que lorsqu'on tombe amoureux. C'est pour ça que j'envisage de zapper l'épisode homme pour en venir directement au bébé...

Nell ne l'écoute plus que d'une oreille distraite, absorbée par l'idée que ces explications scientifiques s'appliquent assez bien à l'évolution de sa relation avec Alexander. Peut-on vraiment réduire l'amour à une sécrétion d'hormones ? Et si c'est le cas, que leur reste-t-il désormais ? Leurs moments, toujours plus rares, de profonde félicité se résument-ils à de simples poussées d'ocytocine ? C'est une question trop complexe pour elle.

— Je peux espérer une glace ? demande Lucy après son tour de manège.

Nell est soulagée de voir sur le kiosque le logo de Wall, car en dehors des Calippo, la plupart des glaces sont déconseillées en cas d'allergie à la cacahuète. Elle en prend une pour Lucy et achète des Magnum au chocolat blanc pour Frances et pour elle. Elles s'installent à l'abri du vent sur des chaises longues abandonnées, du côté est de la jetée.

— Alors, demande Frances à la fillette, parle-moi un peu de ton fameux petit copain.

246

— Je suis obligée, maman ?

C'est une de ces expressions que Lucy a entendues dans la bouche d'enfants plus âgés sans vraiment la comprendre. Elle l'utilise quand même à bon escient, à la place du « alors » avant d'entamer une histoire ou une explication.

— Ce n'est pas vraiment mon petit copain.

— Ah bon ?

— Un petit copain, c'est quelqu'un pour se marier, pas vrai, maman ?

— Ça arrive.

— Et toi, alors, tu veux te marier avec qui ?

— Avec papa.

Frances pouffe de rire.

— Tu sais, il est pas marié, papa, argumente Lucy avec le plus grand sérieux.

— Mais on ne peut pas se marier avec son propre enfant !

— Mais je parle de quand je serai adulte, pas de maintenant, insiste la fillette, dont la patience est mise à rude épreuve devant tant de mauvaise volonté.

— Quand même, l'interrompt Nell, tu resteras l'enfant de papa, et aussi le mien.

Ce n'est pas leur première conversation sur le sujet, et elle sait que Lucy croit dur comme fer qu'on essaie de la berner.

— Maman est un enfant et une maman, explique-t-elle à Frances, mais papa, c'est juste un papa.

— Ce n'est pas l'idée que je me fais d'Alexander, glisse Frances à Nell en se penchant derrière le fauteuil de Lucy.

— Ben est juste un ami, poursuit la fillette en haussant le ton pour ne pas perdre le contrôle de la discussion. (Les adultes ont si vite fait de se laisser distraire !) Ben, il a une belle maison rien que pour lui, avec un jardin et tout et tout.

— Bon parti, on dirait, commente Frances.

— Son père est ébéniste, précise Nell. Il lui a construit une maison miniature dans le jardin, avec une palissade et des plates-bandes. Eux, ils plantent des graines, et comme elles ne poussent pas assez vite à leur goût, ils s'empressent de les déterrer pour voir ce qui cloche.

— Chris a dit qu'il me construirait un château cet été.

— Où ça ? s'informe Nell, qui apprend la nouvelle en même temps que Frances.

— Dans notre jardin.

— Il a dit ça ? demande Nell, submergée par une vague de colère. Il faudra en reparler.

C'est étrange, la facilité avec laquelle elle prononce des phrases qui lui semblaient tellement absurdes dans la bouche de ses parents.

— Un château dans le jardin ! s'exclame Frances.

— Oui, comme ça je serai une vraie princesse.

Lucy ne s'adresse plus qu'à Frances, comprenant intuitivement qu'il s'agit dans ce cas précis de l'oreille la plus compatissante.

— J'aurai des remparts, une tour et une douve !

— Pas question d'avoir une douve ! coupe Nell.

— Et Chris sera ton prince charmant ? demande Frances, gagnée par l'enthousiasme de Lucy.

— Mais non, pas Chris ! Chris, c'est le papa de Ben.

— Toutes mes excuses. Ben sera ton prince charmant, alors ?

Lucy réfléchit un moment à sa réponse.

248

— Ben aime mieux Batman. Ou même Buzz l'Éclair. Chris, il lui a fabriqué un vrai costume de Buzz l'Éclair ! Même les ailes, elles y sont !

— Et il sait voler ?

— Non, mais il tombe avec beaucoup de classe, pas vrai maman ? répond Lucy en léchant solennellement sa glace.

Dans la galerie de jeux, le vacarme est si puissant qu'on se croirait dans une chambre de torture électronique. La plupart d'entre eux s'adressent à un public d'adolescents. Armé d'un fusil-mitrailleur, un garçon, qui ne doit pas dépasser les douze ans, exécute sommairement les terroristes pleins de réalisme qui surgissent, menaçants, sur l'écran vidéo. Installé sur une planche hydraulique, un autre gamin surfe sur des vagues virtuelles, la cigarette au coin des lèvres. Rien ici ne peut convenir à un jeune enfant, à part un de ces cubes en verre équipés d'une longue pince qui échoue systématiquement à agripper les peluches qui s'entassent au fond.

— Je peux essayer ? réclame Lucy en lorgnant les jouets d'un œil brillant d'envie.

— Regarde, lui dit Frances en introduisant une pièce de vingt pence dans la fente. Tu as de l'argent pour deux essais. Tu fais comme ça pour approcher la pince, et comme ça pour l'éloigner.

Elle s'accroupit auprès de l'enfant, qui respecte scrupuleusement ses consignes. Nell observe sur son visage le reflet changeant de ses émotions tandis que la pince s'abaisse, s'ouvre, se referme sur un faux Teletubby qu'elle laisse aussitôt échapper.

— On ne gagne jamais à ces trucs-là, dit-elle à sa fille. C'est juste de l'argent gaspillé, mon cœur.

— Mais j'ai failli l'attraper !

— De toute façon, tu as passé l'âge des Teletubbies, objecte Nell pour la convaincre de renoncer.

— Oui, mais j'aime bien les Tweenies, réplique Lucy en dévorant des yeux l'attraction suivante.

— D'accord, prends une livre. Avec, ça tu peux jouer cinq fois, mais après c'est terminé, tranche Nell en donnant la pièce à Lucy. Ces endroits ont toujours été aussi horribles ? marmonne-t-elle ensuite à l'intention de Frances. Il me semble me souvenir d'avoir pris des paris sur des petits chevaux qui se déplaçaient le long d'une piste. Là au moins, on avait des chances de gagner. C'est bon, je devine ce que tu penses, ajoute-t-elle devant l'expression de son amie. Je prends de l'âge.

Elles regardent Lucy se concentrer sur sa mission perdue d'avance. La pince descend une fois de plus, et laisse filer Fizz Tweeny.

— Encore une tentative, l'encourage Frances. Tu veux un coup de main ?

— Non.

Lucy a la ferme intention de battre cette machine sans l'aide de personne. La pince plonge de nouveau et se referme miraculeusement sur la tête de Fizz Tweeny. La petite poupée colorée entame son ascension hasardeuse sous le regard d'une Nell pétrifiée. C'est un coup de veine tellement inattendu qu'elle a l'impression que leur sort en dépend.

« Ne retombe pas, s'il te plaît, ne retombe pas », implore-t-elle en silence.

La pince reste dangereusement suspendue durant une éternité, puis elle s'écarte pour libérer Fizz Tweeny. Avec un déclic agréable, le jouet dégringole dans le toboggan.

— Tu as gagné ! Mon Dieu ! Tu as gagné ! s'écrie Nell en serrant Lucy dans ses bras. Quelle chance, il nous faut faire un vœu toutes les deux !

Elle ferme aussitôt les yeux.

— Mais maman, c'est juste un jouet, proteste Lucy après un petit baiser à sa poupée.

18

Un cloporte chargé sur son dos, la fourmi ouvrière regagnait péniblement le rocher moucheté de lichen qui était la maison des fourmis. Sacha la regardait faire. Chaque fourmi avait une tâche et une destination déterminées. Se parlent-elles dans la langue des fourmis ? se demanda Sacha. Certaines sont-elles amies, d'autres ennemies ? Il observa la ville qui s'étirait à l'infini. Son immensité était aussi incroyable que la petitesse de ce monde qui s'étalait à ses pieds, et qu'il enjamba prudemment pour remonter sur son tapis volant.

Londres s'étend en contrebas comme une immense maquette.

— J'ai toujours pensé que Sacha n'était pas tout à fait honnête.

— Pourquoi ? s'étonne Kate.

— Dans le fond, il ne va jamais nulle part sur son foutu tapis.

Kate se détourne vivement du spectacle pour le regarder.

— Mais si, il va quelque part ! Il se plonge dans son imaginaire, il découvre de la magie dans les choses du quotidien.

Les yeux perdus vers l'horizon, Alexander répète d'un air dédaigneux :

— Sacha !

— Je me suis toujours demandé pourquoi le héros avait un nom de fille.

— Ce n'est pas un prénom de fille, c'est le diminutif russe d'Alexander.

— Ta mère était russe ?

— Non, seulement prétentieuse.

Il regarde un avion glisser lentement dans le ciel en direction de Heathrow.

— Je crois que ma mère aurait adoré m'appeler Sacha, mais c'était hors de question. Il semblerait que, dès mon plus jeune âge, j'ai repris tous les gens qui voulaient me donner un diminutif. Tu sais, avec ce souci d'exactitude qu'ont les enfants...

— Tu ressemblais à Sacha ?

— Sûrement. Je ne perçois plus très bien la frontière entre nous deux. Regarde par là ! Tu vois Big Ben, sur la droite de la grande roue ?

Kate plisse les yeux pour mieux voir.

— Ah, oui ! Et là-bas c'est Saint-Paul ! Le secret a été bien gardé, je trouve !

— À quel sujet ?

— La vue. Je ne savais pas qu'il existait un endroit d'où l'on voit l'ensemble de Londres. J'aurais dû, malgré tout.

— Pourquoi ?

— L'aboiement de minuit, évidemment !

Kate attrape le bras d'Alexander dans un élan d'enthousiasme. Son instinct le pousserait à se dégager de cette étreinte légèrement possessive, mais il a plaisir à sentir son bras contre le sien dès qu'elle aperçoit un de ses repères familiers.

253

— Canary Wharf ! C'est tellement loin qu'on dirait une ombre !

— C'est ta préférée de toutes les grandes vues ?

Kate réfléchit à sa taquinerie avec le plus grand sérieux.

— Maintenant, oui, sans doute. Non pas que ce soit la plus belle, mais elle est, comment dire, infinie... Vue d'ici, Londres a l'air tellement gigantesque que toute la vie ne suffirait pas pour en faire le tour...

Il se remémore sa hâte de la veille, lorsqu'elle marchait devant lui au bord de la Tamise, son impression intuitive de vivre une rencontre prédestinée. Peut-être, se dit-il à présent, a-t-il ressenti cela parce que sa théorie des grandes et des petites vues éveillait en lui des échos de son enfance. Il n'est pas impossible, d'ailleurs, que la vision de Kate ait été modelée par la lecture des histoires de sa mère.

— Pourquoi ne m'as-tu pas dit que ta mère était écrivain ?

Encore une fois, on croirait que ses pensées rencontrent les siennes.

— Tu ne m'as pas posé la question.

— Je déteste ce genre de réponse, s'indigne Kate. Les gens rejettent la responsabilité sur vous alors que c'est leur faute !

La contrariété fait étinceler son regard. Ne percevoir en elle que le produit des écrits de sa mère serait une négation injuste de sa personnalité. Des milliers de gamins ont grandi avec ces livres, mais aucun ne ressemble à Kate.

— Excuse-moi, alors.

— Ce n'est pas quelque chose que l'on dit comme ça en passant, si ?

— Je suis sincèrement désolé.

— Tu m'as laissée déblatérer sur mes envies d'écriture, et j'ai l'impression de passer pour une imbécile.

— Pourquoi n'écrirais-tu pas ?

— Facile à dire...

Sans bruit, un deuxième avion se dirige lentement vers l'ouest.

— Ma mère s'énervait toujours contre les gens qui se vantaient de leur potentiel d'écrivain, reprend-il. « Peu importe que vous sentiez un livre en vous, le problème, c'est de le faire sortir ! » On n'est écrivain que si l'on écrit.

Kate passe deux minutes à méditer la formule.

— Où trouvait-elle ses idées ?

C'était justement la question que lui posaient les plus éveillés des élèves lorsqu'elle venait faire une intervention dans l'école primaire d'Alexander. Il avait ces visites en horreur ; ces jours-là, son institutrice lui témoignait une inhabituelle gentillesse et parlait un peu plus fort que d'ordinaire. Joan ignorait obstinément sa requête quand il la priait de ne pas faire allusion à lui, si bien qu'il lui semblait être le point de mire de toute l'école. Ses camarades se réjouissaient de ces visites qui les dispensaient d'un après-midi de cours, mais sa journée à lui était définitivement gâchée – y compris la matinée, qu'il passait à imaginer avec angoisse la tenue qu'elle choisirait pour l'occasion. Sa garde-robe « d'écrivain » était bien pis en effet que le reste de ses vêtements : de longues jupes indiennes aux parfums d'encens, un cardigan tricoté qui descendait jusqu'aux pieds, des foulards en soie de couleurs vives, une collection de joncs tintinnabulants, et même une fois – épisode particulièrement éprouvant pour lui – une marque ethnique au milieu du front en l'honneur de Diwali.

« Mais on n'est pas hindous, avait-il allégué en mangeant ses céréales.

— Mais mon chéri, lui avait-elle répondu en humectant la pointe de son bâton de khôl, tu ne trouves pas ça charmant de célébrer toutes les cultures ? »

Avec le recul, il comprend que son goût pour ces visites était lié à un besoin de conversation. Ce n'est qu'en devenant parent lui-même qu'il a compris sa solitude d'alors, et il regrette infiniment qu'elle ait disparu avant de se rendre compte qu'il la comprenait. Néanmoins, reconnaître qu'elle ne cherchait pas délibérément à l'humilier ne l'empêche pas de bouillir de colère chaque fois qu'il y repense.

— D'après toi, d'où tirait-elle ses idées ?

Une fois qu'il a renvoyé sa question à Kate, il tire le livre du sac et le feuillette en s'attardant sur certaines pages : un petit garçon étendu sur un tapis persan, le même enfant en train d'écumer une plage sous le crachin, ou contemplant à travers la vitre d'un taxi les fenêtres illuminées d'une élégante demeure géorgienne.

— Tout ce que je faisais, ou disais, finissait systématiquement dans une de ses histoires.

Kate s'empare à nouveau du livre et, bien calée sur son banc, elle commence à le lire en balançant ses jambes croisées. Tandis qu'il fait les cent pas devant elle, le rythme paisible de sa lecture dissipe la tension qui nouait ses épaules.

— Elle devait être très fière de toi, déclare enfin Kate en refermant le livre.

— Ce n'est pas aussi simple, rétorque Alexander, soudain agacé par les raisonnements simplistes de Kate. Elle m'a volé mon enfance.

À une époque, Disney avait envisagé d'acheter les droits d'adaptation de la série des Sacha. Pendant une semaine ou deux, il avait régné une euphorie presque palpable dans la petite maison sombre où Joan calculait ce qu'elle pourrait s'offrir avec cet argent. Mais lui, de son côté, espérait en secret qu'un miracle surviendrait pour empêcher sa vie de se réduire aux deux dimensions d'un dessin animé américain, comme celle de Christopher Robin. Lorsque Disney avait abandonné le projet, l'impression culpabilisante d'avoir joué un rôle dans la déconvenue maternelle s'était trouvé adoucie par le baume du soulagement.

— C'est un des aspects de la vie de famille, je crois, enchaîne Kate d'un ton enjoué. On partage tous une foule d'histoires et de souvenirs, mais il y a toujours un membre de la famille qui les raconte mieux que les autres, c'est de lui que vient la version officielle, en quelque sorte ; c'est toujours lui qui prend la parole dans les mariages et les réunions familiales.

Alexander est immédiatement tenté de la contredire. Sa famille à lui était particulière, et il s'est toujours considéré comme le seul enfant désavantagé. Il meurt d'envie qu'elle le prenne en pitié, il s'en rend bien compte. En évoquant les livres de sa mère, il a toujours réussi à se faire plaindre des femmes. Encore une étape de la parade nuptiale : s'il donne son aval à la version de Kate, une partie des fondations sur lesquelles il a bâti son existence sera sapée pour de bon.

— C'est mieux qu'un album photo, reprend Kate en tapotant la couverture du livre. La plupart des parents immortalisent leurs enfants avec un appareil photo, tu es bien d'accord ? Ou avec un caméscope s'ils en ont les moyens.

— C'est tout à fait différent. (Mais au fond de lui-même, il n'est plus très certain de percevoir la différence.) Tous les enfants ne sont pas amenés à voir les autres élèves se foutre ouvertement de leur album photo.

L'argument lui semble cependant assez faible, et il anticipe déjà sa prochaine repartie.

— C'était sûrement de la jalousie, de leur part.

— Moi je ne l'ai pas ressenti comme ça, réplique-t-il, horrifié par l'agressivité puérile qui continue à le dominer.

— Sur le moment, peut-être pas, mais aujourd'hui que tu es adulte ? suggère-t-elle pour l'encourager. Si elle avait été, disons, photographe, et qu'elle t'avait mitraillé à longueur de journée, tu ne te sentirais pas volé ?

— Je ne sais pas trop.

— Ou si elle avait été peintre et t'avait pris comme modèle ?

— Peut-être...

— Eh bien, elle n'a rien fait de plus.

Une partie de lui désapprouve l'esprit réducteur de Kate, tandis que l'autre cherche à comprendre pourquoi il n'a jamais interprété son passé de cette manière simple et commode. Il aime énormément la clarté de sa pensée, qui ne s'encombre pas de psychologie à deux sous. Pourquoi, après tout, ne verrait-il pas les choses sous cet angle ? Entrevoyant un avenir enfin libéré de l'angoisse et du ressentiment, il comprend qu'il peut choisir cette solution s'il en a sincèrement le désir.

— Ça va bien plus loin que ça, s'obstine-t-il malgré tout, pas encore prêt au pardon. Elle m'a volé mon imagination. Même quand j'inventais quelque chose, c'est elle qui se l'appropriait.

Il se rappelle son impression de profonde incrédulité quand sa mère lui avait montré les épreuves de *Comment s'y prendre avec les chiens*, un roman illustré par Bertie Rush qu'elle destinait à un public un peu plus âgé. Les protagonistes, un couple du nom de Maussade, avaient une voisine du dessus dont les énormes chiens trépignaient si lourdement que le plâtre de leur plafond se détachait par plaques entières.

Même lorsqu'il avait prié sa mère d'arrêter de recycler ses moindres propos, il l'avait surprise un peu plus tard au téléphone en train de rapporter la conversation à des amis : « Ma chérie, devine un peu ce qu'il m'a répondu : "Joan, tu es vraiment obligée de gagner ta vie grâce à la mienne ?" Si, si, je t'assure ! C'était tellement intelligent comme réplique, tu ne trouves pas ? Quand on pense qu'il n'a que huit ans... »

— Pour elle aussi ç'a dû être dur.

— Quoi donc ?

— Eh bien, elle s'est quand même retrouvée seule pour t'élever, après le départ de ton père. Ce qui est difficile pour les mères isolées, c'est qu'elles n'ont personne avec qui partager les histoires. Les enfants des autres, ça n'intéresse pas grand monde, en général.

Et si elle avait raison ? Est-il capable, lui, de porter ce regard-là sur sa mère ? Possède-t-il la rigueur et la force nécessaires ? C'est tellement plus pratique de lui imputer à elle le gâchis de sa vie.

— C'est toujours les mères qu'on accuse. Si elles

n'aiment pas assez leur enfant, il va forcément les détester, et si elles l'aiment trop, ce sera idem.

Comment Joan aurait-elle traité Kate ?

Si elle avait juste été une voisine ou une baby-sitter, sans danger pour leur intimité, elle l'aurait probablement appréciée. Mais Joan n'avait jamais su faire preuve d'objectivité envers ses amis. Elle se montrait invariablement odieuse avec les gens qui essayaient de se lier avec lui, tout spécialement les filles. Mandy Kominski ? « Ça tombe bien que son père soit chef pâtissier, elle est complètement tarte ! » Juliet ? « Pas grand-chose en commun avec celle de Shakespeare, il me semble. »

Il revoit sa mère dans la cuisine de leur maison de Kentish Town, vêtue d'un ample pull irlandais violine qu'elle porte sur une antique chemise de nuit en pilou. Le pull aux manches un peu luisantes aurait grand besoin d'être passé à la machine. Elle écrase du basilic avec un pilon, et l'effort creuse sa poitrine...

Il écarte résolument ce souvenir, profondément soulagé qu'elle ne soit pas là pour juger Kate.

— Qu'est-il arrivé au tapis volant ?
— On m'en a expulsé.

Kate lui adresse un clin d'œil, et la voilà qui dévale la pente abrupte de la colline, dont les hautes herbes de ce printemps précoce n'ont pas encore été coupées. Elle bondit par-dessus les bosses et les mottes de terre, trébuche et roule sans fin le long de la pente. Il s'élance à sa suite, tombe lui aussi et dégringole jusqu'en bas. Ils se retrouvent allongés au pied de la colline, le souffle court, pris de fou rire, le regard perdu dans le ciel. Son rire à lui s'arrête brusquement. Il se tourne vers elle, mais sa gaieté a disparu. Son visage est si proche qu'il sent son souffle tiède au parfum de pomme.

Il éprouve une folle envie de lui faire encore l'amour.

Mais Kate se relève, ôte les brins d'herbe sur ses vêtements et déclare, en s'éloignant sans l'attendre :

— Je crois que c'est le moment d'y aller.

Il se tapote le dos d'un petit geste rapide, où des brins d'herbe sont restés accrochés. Quand il a terminé, elle fait la même chose avec lui.

Il s'approche, la prend dans ses bras et la serre si fort que sa chaleur semble traverser sa peau et ses vêtements pour se diffuser en lui. Il lui donne un petit baiser bien ferme sur les lèvres, et après s'être écarté pour contempler le beau visage tendu vers le sien, il l'embrasse à nouveau, avec plus de douceur. Il écarte ses cheveux de son visage pour l'embrasser encore, s'enivrant du parfum sucré de chocolat et de pomme, puis, les yeux clos, il resserre son étreinte sans interrompre son baiser.

Leurs corps et leurs lèvres tiennent une conversation silencieuse.

Tu en as envie ?

Oui.

Tu voudrais faire l'amour ?

Oui.

Est-ce qu'on est en train de tomber amoureux ?

Alexander relâche son étreinte. Elle le fixe de ses yeux bleu sombre à travers la frange brune, déterminée à ne pas ciller avant lui.

— J'ai encore l'impression que tu es à l'intérieur de moi, lui dit-elle avec un grand naturel.

Tout son être se recentre alors entre ses cuisses. Le

261

corps de Kate est comme un champ de force qui l'attire, l'absorbe, lui prend son souffle pour le faire sien. Il teste dans sa tête l'effet des mots « je t'aime », et au lieu de se figer tel un mensonge, la phrase informulée ressemble à un cadeau secret qu'il lui réserve.

Quand ils se remettent en route, les passants ne prêtent guère attention à eux. Ils ne sont pas le seul couple à s'embrasser dans les parcs. C'est simplement lui qui se sent un peu bizarre, après ce premier baiser en public. Il a l'impression qu'un halo nimbe leurs visages, ou même des feux de projecteurs.

Il s'arrête pour l'embrasser encore, jamais rassasié d'elle.

— Il faut que j'aille travailler.

D'après les calculs d'Alexander, il devrait être cinq heures, et elle commence à six. Il a envie de lui faire l'amour, envie de sentir sa peau contre la sienne, d'enfouir son visage contre son corps au parfum de noix de coco.

En cinq minutes, ils n'ont franchi qu'une trentaine de mètres.

— Excuse-moi.

— J'aurais dû raconter à mon patron que j'étais malade.

— Qu'est-ce que tu lui as dit, en fait ?

Elle le regarde, hésitant à divulguer cette information si précieuse.

— Tu n'as qu'à deviner !

Ils traversent la route en direction de Regent's Park et bifurquent au niveau de l'enclos des éléphants pour emprunter le chemin qui coupe l'immense parc en diagonale. Alexander lui prend la main. Entre elle et lui se balance un petit sac jaune qui contient une paire de mules à talon bobine et le livre de sa mère.

19

Kate se retourne pour jeter un coup d'œil aux éléphants. Comme eux tout à l'heure, un groupe de badauds regarde les pachydermes gris évoluer pesamment dans leur enclos bétonné. Un vieux monsieur coiffé d'une casquette beige ; une femme dont les trois garçons debout en rang d'oignons – chacun dépassant le suivant d'une tête – font penser au graphique d'une courbe de croissance ; un couple d'étudiants asiatiques en parka argentée. Si un témoin les observait maintenant, se dit Kate, il remarquerait qu'ils n'ont plus la même allure qu'une heure auparavant.

Elle a du mal à repérer la transition. Le moment où elle lui a offert le livre ? Celui où ils ont contemplé le panorama depuis le sommet de Primrose Hill ? Quand ils ont dégringolé à flanc de colline ? Ou bien quand ils se sont embrassés ? Il n'y a peut-être pas d'instant bien défini, mais plutôt une succession d'éléments qui, par un effet d'entraînement, a donné une nouvelle dimension à l'attirance de deux inconnus. Comment l'appeler ? Complicité ? Affection ? Amour ? Elle imagine une tornade qui les entraînerait dans son tourbillon, et sa terreur est si grande qu'elle a envie de lui échapper en courant de toutes ses forces sur le tapis d'herbe verte.

Des dizaines de questions bourdonnent dans sa tête.

Son impression de le connaître est-elle réellement fondée, ou se réduit-elle à un lointain souvenir de livre pour enfants ? Qu'a-t-il bien pu arriver au petit garçon curieux pour que l'homme qu'il est devenu soit si mal à l'aise avec son passé ? Il ne connaît donc pas sa chance d'avoir eu une mère écrivain et une maison remplie de tapis anciens, de s'être déplacé dans les taxis londoniens ? « Deviens réel », a-t-elle envie de lui dire. Curieuse idée, d'ailleurs, car il lui semblerait presque moins réel que tout à l'heure, quand elle ignorait tout de lui.

Une brutale vague de désir monte en elle lorsqu'elle le regarde, comme si elle ne pouvait pas croire qu'un homme aussi beau soit vraiment avec elle. Il suffit que sa veste le frôle pour que tout son corps s'électrise, et quand ils s'embrassent, elle a toutes les peines du monde à contenir un « Je t'aime », car ces mots-là sont les plus aptes à décrire le bonheur délirant qu'une force mystérieuse semble la pousser à exprimer.

Est-il possible d'aimer un être dont on sait si peu de choses ? À moins que la seule chance d'aimer quelqu'un soit justement d'ignorer presque tout de lui ? Et si on ne pouvait vraiment parler d'amour que lorsqu'on accepte de l'autre des choses qui nous dérangent ?

Elle sent sa main devenir moite dans la sienne.

Est-ce un commencement, ou bien une fin ?

Si c'était un début, il est évident qu'ils se parleraient sans cesse, qu'ils échangeraient des petits secrets, des anecdotes...

— Tu es bien silencieuse, tout à coup, observe-t-il lorsqu'ils atteignent la sortie du parc.

Ce n'est pas elle qui partira la première.

Elle ne s'en sent pas la force, tout simplement.

Avec ses fontaines, ses massifs de houx bien taillés et ses urnes de pierre débordantes de floraisons printanières, le jardin d'apparat qui s'ouvre de l'autre côté de la route évoque les illustrations à la plume des livres d'autrefois. L'air embaume la jacinthe et la fleur d'oranger. Kate a l'impression que les pensées bleues et les narcisses qui agitent leur corolle blanche ou jaune juste à côté d'elle lui adressent un sourire. Au bout du chemin, une haie de buis préserve de la réalité – avec ses immeubles et ses flots de voitures – la paix idyllique du jardin. C'est l'occasion rêvée, ce jardin enchanteur, l'endroit idéal pour lui dire ce qu'elle a à l'esprit avant qu'ils ne soient engloutis de nouveau par la ville.

Kate inspire profondément.

C'est la vérité qu'elle voulait lui dire, mais tout autres sont les mots qui sortent de sa bouche.

— J'ai dit à Tony qu'il y avait un type dont j'étais folle amoureuse, et que j'avais envie de passer la journée avec lui, lance-t-elle dans l'air parfumé.

— Qui est Tony ?

— Mon patron.

Alexander sourit sans lui répondre. On n'entend plus que le babillage de l'eau qui clapote.

— Il est italien, tu comprends. J'ai pensé qu'il serait sensible au côté romantique.

Kate poursuit avec une légèreté forcée :

— Il m'a dit que je pouvais changer d'horaires. À mon avis, il n'est qu'à moitié italien.

— Je vois.

Mortifiée, elle ne se pardonne pas d'avoir été assez inconsciente pour lui avouer son amour.

À présent, les belles fleurs diaprées sont en train de se payer sa tête.

— Et tu es encore folle amoureuse du type en question ?

Les battements de son cœur se répercutent dans sa gorge.

Ils ne sont plus très loin de la haie de buis, maintenant.

— Oui.

Si elle espérait qu'il la soulève dans ses bras pour la faire tournoyer dans un vertige follement romantique, elle en est pour ses frais.

Et voilà. Tout est raté et il ne lui reste plus une once de dignité – déjà qu'elle n'en avait plus beaucoup après l'épisode de la cabine d'essayage...

Au-delà de la haie, s'étend un pré à l'herbe haute, verte et luxuriante, semée de jonquilles ivoirines. Il y a aussi un cerisier en pleine floraison à l'extrémité du jardin, d'un rose à couper le souffle, tellement spectaculaire, en fait, qu'on le croirait artificiel.

Alexander lui prend la main et l'entraîne à travers les grandes herbes, baissant la tête pour éviter les branches chargées d'une profusion de fleurs. Il se laisse tomber dans l'herbe et l'attire près de lui.

Tout est calme à l'abri des cerisiers, et s'ils s'étendent sous ce dais fleuri, les hautes herbes et les fleurs les dissimulant aux yeux des passants. Kate se sent aussi bien que dans une maison de poupée, cachée, protégée du monde. Elle lève les yeux, appuyée sur un coude.

— C'est ce qu'on doit ressentir quand on est une abeille à l'intérieur d'une fleur...

Il y a tant de fleurs sur les branches que le bleu du ciel, pur et intense, ne lui apparaît que par intermittence, quand le vent agite les ramures. La clarté est très vive sous les arbres, comme si les fleurs répandaient leur propre lumière rosée.

— ... ou bien au Ciel.

— Une abeille au ciel ? fait-il d'un ton moqueur.

— Mais non ! proteste-t-elle en lui donnant un coup de coude. Le Ciel, tu sais bien !

— Tu y crois, au Ciel ?

— Bien sûr !

— Pourquoi ?

— Parce que je crois au possible. La vie serait trop triste, sinon.

À demi soulevé sur ses coudes, il réfléchit à sa remarque.

— Il faudrait faire une fête, dit-il. Au Japon, tout le monde fait une fête sous les cerisiers en fleur.

— C'est vrai ?

— Ils prennent la chose très au sérieux. La télé transmet même des prévisions sur la floraison des cerisiers.

— Arrête de dire n'importe quoi !

— Non, je t'assure ! Le bulletin annonce les dates de floraison pour chaque région. Elle commence par le sud du pays, et puis elle se poursuit peu à peu jusqu'au nord.

Devant ses gestes de présentateur météo, elle le soupçonne encore de la faire marcher. L'idée est pourtant si jolie !

— Et qu'est-ce qu'ils font, une fois assis sous leurs cerisiers ?

Alexander prend une brindille dans la main et la contemple, tel un précieux objet d'art, avant de la laisser retomber en soupirant.

— Ils se bourrent la gueule à la bière et au saké.

— Parce que c'est trop beau ?

— C'est juste la tradition. Le Japon avoir nombreuses traditions, ajoute-t-il avec un accent japonais. Je crois que ça vient des samouraïs. La fleur de cerisier est un symbole de bravoure. Elle s'épanouit et meurt sur sa branche, quelque chose dans ce goût-là.

Une brise légère fait ondoyer les fleurs tout autour d'eux. Allongé sur le dos, il lève les yeux vers Kate.

Elle est terrorisée de sentir ce regard sur elle, comme s'il allait finir par découvrir un secret. Elle se penche pour l'embrasser, ne voulant surtout pas gâcher ce moment par des paroles.

Il approche de son visage ses mains frémissantes de tendresse, leur paume sèche caresse ses joues, ses paupières se ferment. Elle sait qu'à ce moment précis, sur leur nuage rosé, il est amoureux d'elle. Elle aimerait arrêter le temps, là, à l'instant, et rester pour toujours avec lui sous ces cerisiers de paradis.

Ses mains glissent vers ses épaules, sur ses bras, il presse doucement ses doigts pour l'inviter à se coucher près de lui. Les brindilles s'enfoncent dans son dos. Il ne la quitte pas des yeux, et elle a envie de lui dire qu'il peut lui faire tout ce qu'il veut.

Alexander se redresse brusquement, comme s'il venait de se rappeler où ils se trouvaient.

— On rentre chez moi, chuchote-t-elle en se mettant sur son séant, la voix étranglée par l'émotion.

Il démêle les brindilles de ses cheveux, écarte la frange qui retombait sur ses yeux. C'est devenu un petit geste affectueux qu'il ne destine qu'à elle. Main dans la main, ils s'accroupissent pour se faufiler hors de leur cachette.

À l'approche du coucher du soleil, la température a sensiblement baissé. Kate s'enveloppe plus étroitement dans sa veste.

Sur Euston Road, la circulation des vendredis soirs est toujours aussi intense. Après le calme de la prairie, le vacarme incessant des voitures a de quoi désorienter.

Devant la gare de Great Portland Street, un placard de l'*Evening Standard* porte ce titre en capitales noires : 50 VICTIMES DANS L'ACCIDENT DE TRAIN.

Alexander l'entraîne par la main en courant, interpellant le taxi qu'il vient de repérer, comme si sa vie en dépendait. Ils s'engouffrent à l'arrière du véhicule et se cognent l'un à l'autre en riant. La tête de Kate repose contre sa poitrine, à l'endroit précis où bat son cœur ; leurs cuisses se serrent l'une contre l'autre. Un violent coup de frein au feu rouge la projette un peu plus près de lui. Kate les revoit pendant le chaste trajet de la veille, assis chacun à un bout de la banquette, prudemment sanglés dans leur ceinture de sécurité en cas de manœuvres imprévues. Elle jette un regard par la fenêtre. C'est le summum de la décadence, de se promener en taxi sous les dernières lueurs du jour, pendant que les gens prennent un verre devant les pubs après leur journée de travail.

Son regard s'attarde sur une jeune femme blonde arrêtée devant un immeuble de bureaux, accompagnée d'un enfant. Le petit réclame quelque chose, et elle se penche pour lui fourrer une sucette dans la bouche. Les portes automatiques s'ouvrent pour livrer passage à quatre personnes, trois hommes et une femme rousse. Deux des hommes s'éloignent aussitôt, leur portable coincé sous le menton. À voir la rouquine et le seul homme restant, on devine pas mal d'affinités entre ces deux-là. Ils s'arrêtent au bas des marches et commencent à bavarder. Alors qu'il éclate de rire à une remarque de la rousse, la blonde les repère et se dirige vers eux. Le couple continue à rire sans remarquer sa présence, s'incline légèrement pour échanger un baiser. La femme est maintenant juste derrière eux, et leurs lèvres sont près de se toucher. La blonde tape sur l'épaule de la rousse...

Le taxi redémarre alors sur les chapeaux de roues et Kate s'agenouille sur le siège pour assister au dénouement, pareille aux écoliers au fond du bus scolaire.

— Zut ! fait-elle en se rasseyant, c'était juste sa sœur.

— Pardon ?

Alexander n'a même pas fait attention à la scène qui se déroulait devant lui. Ce genre de choses, les hommes passent toujours à côté.

— Peut-être qu'elles se donnent rendez-vous une fois par mois. Comme ça, celle qui travaille profite un peu de son neveu, et la mère de famille a une journée de liberté, déduit-elle. Qu'est-ce qu'il y a ?

— Tu es incroyable, fait Alexander en lui déposant un baiser sur le bout du nez.

Elle n'avait jamais remarqué combien était hideuse la moquette de l'entrée, ni à quel point était ignoble l'odeur tenace du désodorisant qui ne couvre même pas entièrement les relents de cuisine. Quand la minuterie s'éteint juste avant le deuxième étage, Kate est tentée de ne pas rallumer pour épargner à Alexander le spectacle des recoins crasseux et des plinthes à la peinture éraflée. Il flotte sur le palier une odeur nauséabonde de tabac et de détergent pour sanitaires.

Autour du taxiphone, les brûlures de cigarettes ont laissé une trace en demi-cercle.

Une fois dans l'appartement, elle brandit la boîte de Nescafé comme un démonstrateur publicitaire.

— Un café ?

— Oui, je veux bien.

Repris par la gêne de la veille, ils s'efforcent de faire diversion pour oublier le désir palpable qui irradie entre eux. Hier ils se sont retenus de faire l'amour parce que cela ne signifiait rien. Mais aujourd'hui, cela prendrait un sens beaucoup trop fort.

Elle verse l'eau chaude dans le café et lui apporte la tasse.

— Je vais bientôt devoir partir.

Les questions se pressent sur ses lèvres, mais il lui clôt la bouche avec un baiser qui semble répondre à toutes ses interrogations.

Il lui enlève son tee-shirt, baisse la bretelle de son teddy. Elle incline instinctivement la tête, retient sa main un instant contre sa joue. Il fait glisser l'autre bretelle, dénudant ainsi buste. Elle recule d'un pas pour qu'il puisse la regarder.

Ils roulent ensemble sur le lit, leurs corps emmêlés dans une étreinte passionnée. Il s'écarte un instant pour la contempler. Elle retire sa jupe et se laisse retomber sur lit, les bras étirés au-dessus de la tête, lui offrant son corps tout entier. Son ventre se creuse tandis qu'elle tend vers lui son pelvis et ses seins.

À cheval sur elle, il déboutonne sa chemise en coton, qu'elle ouvre en lui embrassant le torse, caressant de sa langue sa peau qui sent le frais. Puis elle défait son pantalon et le fait glisser sur ses hanches.

— Mets tes mains sur mon dos, murmure-t-il.

271

Elle sent ses reins se cambrer de plaisir au contact de ses doigts.

— Prends-moi à l'intérieur de toi.

Elle sent son pénis appuyer doucement contre ses chairs encore fermées, leur écartement lorsqu'il la pénètre. Il lui semble qu'il a touché le centre de son être, que deux individus ne peuvent pas être plus proches. Ils se regardent intensément, se défiant de continuer.

C'est lui qui cille en premier. Il se retire, se penche pour attraper un préservatif dans la bonbonnière, déchire l'emballage avec ses dents avant de l'enfiler. Il sent le plastique et les violettes de Parme.

Elle a envie de lui dire « Baise-moi, baise-moi tout de suite, je t'en supplie », mais son clitoris fond sous ses caresses. Il résiste lorsqu'elle essaie de l'attirer de nouveau sur elle, et elle finit par s'abandonner à la force qui perce sous la tendresse. Au plus profond de son être, les sensations deviennent plus intenses. Une voix qui ne semble plus lui appartenir murmure « Oui, oui ! » et tout son corps, entre son visage et son clitoris, semble déborder d'un liquide brûlant.

— Oui, oui, oh, mon Dieu !

Il s'enfonce en elle tel un pieu. Toute sa chair se convulse tandis qu'il la pénètre de plus en plus fort ; ses fesses se soulèvent du lit.

— Je t'aime ! Je t'aime ! Je t'aime !

S'il continue, sa tête va finir par traverser le dosseret du lit. Juste au moment où elle va céder, il éjacule en elle dans un spasme de plaisir.

Il lève la tête de l'oreiller, l'air effrayé, comme s'il venait seulement de prendre conscience de ses cris.

Allongés côte à côte, ils sirotent à tour de rôle une gorgée de café froid.

— C'est la première fois que ça m'arrive, avoue-t-elle au bout d'un moment.

— Quoi ?

— Je n'avais jamais... tu sais ?

Malgré tout ce qui s'est passé entre eux, elle est encore gênée d'aborder ce sujet.

— Tu n'avais jamais fait l'amour ?

Elle se met à rire, à la fois parce qu'elle sait qu'il plaisante et parce qu'elle se sent soulagée qu'il n'ait pas employé un terme plus cru.

— Je n'avais jamais eu d'orgasme, fait-elle en détournant les yeux. Sauf en rêve, vu que je me réveille quelquefois avec de drôles de fourmillements, tu vois ?

Il se met à rire à son tour.

— Mais jamais avec un homme.

Il l'attire plus près de lui. Elle sent qu'il est heureux de l'avoir fait jouir. Elle croyait pourtant que les hommes se contrefichaient de ce genre de détail. Le visage contre sa poitrine, elle sourit.

— *Perfect Day*.

Elle ouvre les yeux, prête à croire que tout cela n'est qu'un rêve, et qu'elle va se retrouver à son point de départ, au lit, en train de bavarder avec Marie.

Sauf que Marie n'est pas là.

C'est lui qui est là, à sa place.

— Quoi ?

— *Perfect Day*, répète Alexander. Si tu étais une chanson, ce serait celle-là.

L'intro au piano, la voix de Lou Reed, à peine un murmure. Et les paroles, qu'elle n'avait pas conscience de connaître par cœur. Le parc, le zoo, la maison...

Alexander pose une main sur les siennes. Il a des mains fines pour un homme, de longs doigts qui se démarquent de ses ongles voyants.

— C'est une chanson qui parle de l'héroïne. D'après Marie, en tout cas.

— Ça fait partie de ces choses que l'on sait tous, mais sans pouvoir dire d'où on les tient.

— Comme pour les cygnes ?

— Si tu veux, fait-il avec un soupir.

Si seulement elle pouvait reprendre ce petit bout de conversation du début ! *Perfect Day*... tout le monde a envie de s'identifier à cette chanson. C'est justement celle qu'il a choisie pour elle, et il a fallu qu'elle gâche tout avec ses histoires d'héroïne et de cygnes.

— Grâce à toi, lui dit-il, je me suis senti différent pendant toute cette journée.

— Comment ça, différent ?

— Heureux.

Dans un éclair d'euphorie, elle a envie de battre l'air de ses poings avec un « Oui ! » retentissant.

Ce compliment est tellement merveilleux qu'elle redoute d'attirer le malheur en l'acceptant.

— Je parie que le soleil y était pour quelque chose, réplique-t-elle bêtement.

20

Elles s'en retournent par le front de mer sous le ciel couvert, giflées par un vent âpre et glacé. La mer a pris un gris d'étain, et le voile de brume qui est monté au large brouille la frontière entre les nuages et les eaux.

Lucy, qui ouvre la marche, danse avec la poupée Fizz Tweeny en fredonnant les chansons de Disney pour *La Belle au bois dormant*, sa vidéo préférée du moment. Elle se repasse les films en boucle jusqu'à connaître les dialogues par cœur, et s'amuse ensuite à interpréter inlassablement les divers rôles féminins. Le bon côté de *La Belle au bois dormant*, c'est qu'il offre, en plus du personnage de la princesse, le trio des vieilles marraines-fées, dont les mimiques déclenchent toujours l'hilarité de Lucy. En revanche, elle n'incarne jamais Maléfique, la mauvaise fée. Effrayée par tout ce qui se rapporte à la méchanceté, elle trouve toujours un prétexte pour s'éclipser pendant les séquences impressionnantes. Juste avant de s'endormir, il lui arrive quelquefois de confier à Nell :

— Tu sais ce qui va lui arriver, à la vilaine sorcière ? Ben va la tuer avec son épée laser !

Chaque fois, Nell brûle d'envie de lui rétorquer : « Mais tue-la toi-même ! Tu n'es pas obligée de jouer

275

les belles en détresse, ni de gober en bloc toute l'idéologie Disney ! » La plupart du temps, elle se contente pourtant de lui dire : « Bravo à Ben, et maintenant, on dort ! »

Nell ignore si Chris a vraiment promis un château à Lucy, ou s'il s'agit simplement d'une plaisante chimère. Elle se représente un château couronné de tourelles, peint en rose. Ils pourraient fabriquer des bannières frappées de blasons imaginaires, et profiter de l'été pour inviter les camarades de Lucy à une fête costumée avec couronnes en papier, tournois de chevaliers sur des chevaux de bois, gobelets de grenadine en guise de vin rouge et lumières colorées suspendues aux pommiers.

— Maman, tu danses avec moi ?

Entraînant Lucy dans une valse au son d'*Au beau milieu d'un rêve*, Nell s'abandonne à ces rares instants qui lui semblent donner un sens à son séjour sur terre : leur virevolte sur une promenade déserte, la voix fluette de l'enfant qui passe sans peine des graves aux aigus, le visage radieux de sa fille dans sa bulle de bonheur iodé. À la fin de la chanson, Nell remarque que Lucy retrouve plus vite qu'elle une respiration régulière, même si elle a les joues cramoisies à cause du vent froid.

— On devrait vivre au bord de la mer, dit-elle en rejoignant Frances. Une seule journée ici a fait un bien fou à Lucy.

— Venez vous installer ici. Ce serait fabuleux de t'avoir si près. Mais ne m'en veux pas si je ne t'encourage pas à t'inscrire à mon cours de salsa !

— Ton cours de salsa ?

Elles quittent la promenade pour une rue qui aboutit sur la place où habite Frances. Devant une maison mitoyenne toute délabrée, un pilier supporte deux pancartes À VENDRE. Que dirait Alexander si elle lui soumettait en rentrant son projet de déménager en bord de mer ? Elle voit son visage s'éclairer, leur situation s'arranger pour de bon, avant de repenser à sa réaction à la nouvelle du bébé.

Le bébé !

Elle doute de pouvoir faire face aux complications d'un déménagement tout en étant enceinte.

Plus tard, peut-être.

Lucy se sent tellement bien dans son école qu'il est peut-être risqué de la déraciner en ce moment.

Tous les arguments solides en faveur du déménagement s'inclinent devant des raisons contraires tout aussi valables.

— Peut-être l'année prochaine, dit-elle à Frances en entrant dans l'appartement.

— Maman, je peux regarder *Blue Peter* avant de partir ? Allez, dis oui, s'il te plaît ! supplie Lucy.

— Je ne savais pas que ça passait encore, s'étonne Frances.

Le devant de la pièce exiguë, entre la fenêtre en soupirail et le jardin intérieur, contient une banquette habillée d'un tissu à pompons beige et brun – le genre qu'on n'achète jamais soi-même – et un antique téléviseur casé dans un meuble en faux teck. Quand Frances appuie sur le bouton, Nell s'attend presque à découvrir une image en noir et blanc, mais non, elle est en couleurs, et même d'assez bonne qualité. Le générique vient juste de s'achever et les présentateurs, installés dans leur traditionnel canapé, adressent un large sourire à la caméra, rivalisant de pétulance et d'originalité.

— C'est une bonne émission, en fait, déclare Nell en se perchant sur le dossier de la banquette.

— Maman, tais-toi s'il te plaît !

Les deux adultes se retirent dans la cuisine, dont elles ferment les doubles portes pour pouvoir bavarder sans déranger l'enfant.

— Tu sais, le présentateur qui s'appelle Simon...

Frances fait la grimace.

— J'avais toujours pensé que les présentateurs étaient censés plaire aux enfants, mais j'ai fini par comprendre qu'ils sélectionnent un des types en fonction des goûts des mères.

— Arrête ! Tu as le double de son âge !

— C'est moi, peut-être, qui fréquente les cours de salsa ? Pour l'amour de la danse, naturellement. Rien à voir avec les corps souples des jeunes Latinos...

Pour toute réponse, Frances lui tire la langue.

— Jeunes, souples, mais malheureusement homosexuels, précise-t-elle en cédant à la tentation de jeter un coup d'œil par l'embrasure de la porte. Tu parles du blond ?

— Plutôt sexy, non ?

— Bon sang ! Tu commences à parler comme une ménagère frustrée.

Nell ne relève pas, et les paroles de Frances demeurent en suspens pendant qu'elle remplit la bouilloire.

— C'est peut-être toi qui as besoin d'une aventure, finit-elle par glisser d'un ton narquois.

Nell garde le silence.

— Quel dommage que je doive travailler ! Moi, je rêve d'ouvrir une bouteille de vin rouge et de prendre une cuite...

— Pareil pour moi.

Frances ouvre le réfrigérateur et attrape une bouteille par le goulot.

— Juste un verre, allez !

— Non, je conduis.

— C'est déprimant, non ?

— Quoi donc ?

— D'être adulte.

— Tu n'as pas l'impression d'être éméchée après un verre, alors qu'avant il te fallait la bouteille ?

— Un verre et je dirais oui au premier venu, si seulement il y avait preneur, répond Frances d'un air lugubre en rangeant la bouteille.

— À quelle heure commencent tes cours ? demande Nell, légèrement affolée.

L'heure du retour approche, en effet, et elle n'est guère plus avancée qu'en partant. Comment a-t-elle pu s'imaginer que cette escapade d'un jour arrangerait quoi que ce soit ?

— Le premier est à huit heures, mais il faut que j'arrive un peu en avance, pour faire des photocopies.

— Ça par contre, ça ne me manque pas.

— Qu'allez-vous devenir, Alexander et toi ? demande Frances, impatiente de revenir à l'essentiel. Vous comptez vous séparer ?

— Bon Dieu, Frances ! s'emporte Nell en jetant un coup d'œil à la porte. C'est impossible, nous avons Lucy...

— Et le futur bébé.

— En effet, le futur bébé.

Frances passe un bras autour des épaules de Nell, qui s'abandonne un moment au bien-être de cette étreinte amicale ; elle ne tarde pas à se redresser, repoussant le bras de son amie.

— Alexander n'est pas le seul responsable.

— Je t'en prie, épargne-moi ce mea-culpa typiquement féminin ! la sermonne Frances, excédée.

— J'y suis aussi pour quelque chose.

— Qu'est-ce qui te fait dire ça ?

Par où la dégradation a-t-elle commencé ? Est-ce Alexander qui l'a délaissée en premier, s'est-elle éloignée d'abord ? D'ailleurs, l'ordre des événements n'a peut-être pas tant d'importance. Est-il bien avisé d'en parler à Frances ?

En regardant son amie, Nell n'a pas le cœur à lui mentir plus longtemps. Elle confesse en prenant une profonde inspiration :

— Je crois que je suis amoureuse de quelqu'un d'autre.

21

— De quoi j'ai l'air ?

Alexander, qui feignait de dormir, ouvre les yeux. Leurs corps se sont longuement explorés, mais il se sent encore intimidé de la regarder s'habiller.

Elle a déniché dans le tiroir de Marie un soutien-gorge rouge bordé de dentelle noire, avec le slip coordonné, si lâche qu'elle est obligée de le retenir de la main.

Une pointe de jalousie s'immisce en Alexander à l'idée que quelqu'un d'autre puisse la voir ainsi, ses petits seins haut perchés moulés dans le satin écarlate.

— Tu vas ramasser un maximum de pourboires.

— Maintenant je comprends mieux Liz Hurley, fait-elle en se contorsionnant devant le petit miroir qu'elle a décroché du mur. Je la prenais pour une vieille pétasse, mais on se sent vraiment bien dans ces trucs-là.

Une fois qu'elle a remis sa jupe et son tee-shirt noirs, elle va chercher dans une coupelle près de la bouilloire une poignée de pinces papillons pour attacher ses cheveux.

— Tout va bien ?

— Impeccable.

Leur temps est compté, à présent. Il sait qu'elle va

281

lui demander s'ils vont se revoir, et il ne sait que lui répondre.

— Tu seras là quand je rentrerai ? s'informe-t-elle d'un ton aussi dégagé que possible.

— Le contraire m'étonnerait, dit-il pour éviter de lui mentir ouvertement.

Ses yeux brillent d'excitation. Elle ne s'attendait pas à cette réponse ; lui n'en est que plus conscient de sa lâcheté.

— Tu risques de croiser Marie, ne t'inquiète pas pour elle.

— Pourquoi je ne t'attendrais pas chez Marco ?

— Comme tu voudras, convient-elle, déjà à la porte.

Tout va tellement vite !

Elle lui fait au revoir avec un grand sourire, repasse la tête à la porte au moment de partir.

— Tu pensais vraiment ce que tu m'as dit tout à l'heure ?

— Quoi donc ?

— Tu sais bien...

— Oui, je le pensais.

— C'est vrai ? fait-elle en sautillant de joie.

— À plus tard.

— D'accord, à plus tard.

Il entend ses pas quand elle dévale l'escalier, la porte de l'immeuble qui claque, le couinement de ses semelles sur l'allée. Une voiture de police fait hululer sa sirène, si proche qu'il a l'impression qu'elle vient pour lui. Quand le hurlement s'éloigne, l'écho des pas de Kate s'est déjà dilué dans le chaos urbain.

Des images de Kate courant vers les cerisiers défilent dans son esprit, comme sur un film amateur, tandis qu'il entreprend d'archiver dans sa mémoire les instantanés qu'il sépare en couleurs, sons et saveurs ; ainsi il pourra les retrouver à volonté lorsqu'il verra des fleurs roses, entendra le morceau de Lou Reed ou mangera des huîtres.

Les mains calées derrière la nuque, il laisse son regard errer dans le vague.

Être dans cette chambre fait de lui une autre personne. La vie continue à l'extérieur, mais elle n'a plus aucun poids dans ce studio aux allures de harem.

Il se demande dans un sursaut d'épouvante si c'est pour cela que Marie a peint les vitres en bleu. Est-ce que ses clients rationalisent eux aussi leur comportement ? En serait-il venu à leur ressembler ? Devient-on si rapidement, sans s'en rendre compte, un homme à prostituées ?

Mais Kate n'a rien d'une prostituée.

Kate frissonnante dans sa lingerie d'emprunt, le slip trop large remonté au-dessus de la taille. Son expression incrédule devant sa propre audace. Il se dégage d'elle une authentique innocence.

« Sacha découvre de la magie dans les choses du quotidien ! »

Sa voix qui balance entre dureté et émerveillement, donnant à la fin de chaque mot une inflexion inattendue.

Il la revoit au sommet de Primrose Hill, avec Londres s'étirant à ses pieds : « Qu'est-il arrivé au tapis volant ? »

Profitant qu'il était au travail, Nell avait mis la vieille relique mitée à la poubelle.

« Mais il n'incommodait personne ! avait-il protesté le soir même en remarquant son absence.

— Oh, je t'en prie ! C'était juste un tapis, pas un vieux chien de famille incontinent – même s'il en avait l'odeur ! Cela dit, j'ai l'impression qu'il donnait des crises d'asthme à Lucy. Il a dû t'en provoquer aussi quand tu étais petit.

— C'est pas vrai », avait-il répondu avec une voix d'enfant.

Mais Nell avait probablement vu juste, il en convient maintenant. Comme d'habitude, d'ailleurs. Dotée d'un remarquable sens pratique, Nell est devenue une véritable encyclopédie dans le domaine des allergies. Réfractaire aux terreurs irrationnelles, elle reprend le contrôle sur les choses en se documentant au maximum. Ainsi, elle sait très bien que les tapis sont un repaire d'acariens ; ils en sont donc réduits à arpenter des planchers nus et des dalles glacées.

Nell.

Il vient de tromper Nell.

Il se demande si un péché est décuplé par sa répétition. Son infidélité était-elle plus grande lorsqu'ils ont recouché ensemble, ou la gravité de la faute était-elle semblable à chaque fois ?

La seconde fois – sans vêtements, peau contre peau – avait davantage un goût de trahison.

Est-il possible que tout redevienne comme avant entre Nell et lui, ou ce qu'il a fait modifie-t-il irrémédiablement leur relation, sans réparation possible ?

Va-t-il lui dire la vérité ?

Il ferait peut-être bien de tout lui avouer directement : « Écoute, j'ai fait quelque chose d'affreux, mais ça m'a permis de réfléchir à ma vie et je me sens nettement mieux. Tu veux bien me pardonner ? »

Non, mieux vaut ne rien révéler.

Est-ce qu'elle devinera toute seule ?

Elle n'avait rien remarqué quand il était revenu de la soirée de Noël imprégné du parfum de Mel. Cette nuit-là, il avait constaté le changement de couleur de ses lèvres en jetant un regard honteux dans le miroir, mais Nell n'y avait pas prêté attention.

Elle se doutera de quelque chose, forcément.

Va-t-elle le jeter dehors en hurlant, ou bien se retrancher dans un silence de martyre, prête à tout pour éviter à Lucy de souffrir ? Quel châtiment préfère-t-il ? Tomber en disgrâce, se faire répudier, ou alors continuer comme avant, à l'image des bulles de savon irisées de Lucy, qui voguent dans la cuisine sans se toucher, car le moindre contact entre elles les renverrait au néant ?

Les yeux clos, il évoque une dernière fois le souvenir de Kate frissonnante dans ses dessous en soie chocolat. Sa remarque lui revient à l'esprit : « Tu sais comment ça fait quand on pense à quelqu'un. Il y a toujours une image qui se présente en premier. »

Mais à présent il ne voit plus que Nell, l'incompréhension sur son visage, son désespoir, sa déception.

Il est temps de partir.

Il lui faut chasser l'odeur de sexe sur son corps et rentrer chez lui.

Alexander se fait couler un bain, se savonne abondamment et hume le parfum de la savonnette. Noix de coco, l'odeur de Kate. Il s'enfonce dans l'eau avec un début d'érection.

Surpris par un cliquetis de clés à la porte, Alexander se redresse brusquement en aspergeant la moquette d'eau mousseuse. Le courant d'air lorsque la porte s'ouvre lui donne la chair de poule. Quelqu'un allume la lumière.

— Ça ne t'arrive jamais de frapper ? plaisante-t-il, à la fois gêné d'être encore là et heureux que sa réapparition diffère encore un peu son départ.

— Si vous n'avez pas fichu le camp quand j'aurai compté jusqu'à dix, je vous balance par la fenêtre !

La voix ressemble à celle de Kate, avec une dureté en plus.

Alexander pivote lentement sur lui-même, s'attendant presque à trouver un revolver braqué sur lui.

Marie se tient bien droite près de la porte, menue mais déterminée. Avec un sourire amusé, il se demande comment elle va se débrouiller pour le jeter par une fenêtre qui ne s'ouvre même pas.

— Attendez, fait-elle en scrutant les traits de son visage, je vous ai déjà vu quelque part.

Elle balaie la pièce du regard, tombe sur le tiroir ouvert, la lingerie éparpillée.

— Je suis un ami de Kate, explique Alexander en tendant le bras vers la serviette posée sur le lit, trop éloignée cependant pour qu'il puisse la saisir sans se lever.

— Un ami ?

— Nous nous sommes rencontrés hier.

— La petite garce, commente Marie, aussi médusée qu'admirative. Dites-moi, vous ne seriez pas le type aux épaules tombantes ?

— Pardon ?

— Le prof, je veux dire.

— Si.

— Je vois.

Il se sent étrangement satisfait que Kate ait parlé de lui, mais la description de Marie et son évidente déception lui donnent un coup au cœur. Épaules tombantes, c'est bien ce qu'elle a dit ?

Son regard va des draps froissés à l'eau savonneuse du bain.

— Eh bien, faites comme chez vous...

— ... Alexander.

Pas facile de se conduire avec dignité quand on est nu comme un ver dans une baignoire rose où l'on n'a rien à faire.

— Alexander...

Sur le même ton que Kate le premier jour, elle détache les quatre syllabes comme si elle avait peine à croire qu'il porte un nom si prétentieux.

— Et vous ? lui retourne-t-il, espérant retrouver ainsi un minimum de respectabilité.

— Bordel, j'y crois pas ! Moi c'est Marie, et je vous signale que vous êtes dans ma baignoire. (Elle conclut effrontément, dans une parodie de déférence :) Monsieur !

Ce petit mot suffit à résumer l'histoire de sa scolarité.

— Je ne suis pas ce genre de professeur.

— En attendant, vous êtes toujours dans ma baignoire.

— Je veux bien en sortir, si vous me laissez une minute.

— Ne vous gênez pas. Je crois bien que j'ai déjà vu le spectacle.

Son pénis se recroqueville sous l'eau, aussi doux et minuscule que lorsqu'il a la grippe. Comme il n'a toujours pas bougé, elle lui tourne le dos avec un soupir exaspéré. Il entend la roulette du briquet, une longue inspiration. Lorsqu'il fait mine d'attraper la serviette

287

et de sortir du bain, elle lui lance en recrachant sa fumée :

— Vous voulez bien vous sécher dans la baignoire ? J'ai pas envie que la moquette moisisse.

Alexander se frotte rapidement avec la serviette humide et enfile sa chemise, dont le coton se colle à son dos encore mouillé, entre les omoplates. Il sort de la baignoire après s'être essuyé les jambes. Soupçonnant son caleçon d'être resté coincé dans quelque repli du duvet chiffonné, il passe directement son pantalon de treillis.

— Peter Stringfellow ne porte pas de caleçon, déclare Marie, lui laissant ainsi comprendre qu'elle a épié ses gestes.

— Comment vous savez ça ? réplique-t-il sur le ton naturel de la conversation.

Il a l'impression que tout son corps a viré au rouge, et que son pénis toujours plus modeste porte un clignotant écarlate.

— Tout le monde est au courant, fait Marie en lui soufflant sa fumée au visage. Je me suis toujours demandé comment il ne se coinçait pas les poils dans la fermeture Éclair.

Alexander finit par comprendre qu'elle voulait son avis, mais son embarras ne ferait que redoubler s'il se mettait à lui expliquer qu'il n'est pas expert en la matière.

Elle traverse le studio en se déhanchant pour aller allumer la radio.

— C'est affreux, non, cet accident de train ? lui dit-elle.

— Oui, vraiment.

— On n'aurait jamais pensé que ça puisse se reproduire, une chose pareille.

— Non, en effet.

Le DJ vient juste de terminer le bulletin météo.

— Et merde ! fait Marie en éteignant la radio.

Alexander la trouve agaçante de ne jamais rester en place. En plus, son dos mal séché lui donne des démangeaisons.

— Bon, je m'en vais, déclare-t-il.

— Ne vous dérangez pas pour moi, réplique-t-elle avec un coup d'œil en direction de la table de chevet. Je passais juste prendre quelque chose.

Alexander fait évacuer l'eau du bain et s'applique à plier la serviette pour ne pas voir ce qu'elle est en train de faire. À en juger par ses efforts pour le cacher, le tiroir doit contenir un accessoire croquignolet ou une réserve de came. Pour la première fois, l'ambiance de cette drôle de chambre lui donne un frisson dans le dos.

— Bon, dit Marie avec un sourire satisfait, ayant manifestement mis la main sur l'objet recherché, passez une bonne soirée.

Elle ondule jusqu'à la porte avant de lui lancer, contrefaisant un ridicule accent snob pour railler son prénom :

— Au fait, Alexander, ne prenez pas ma sœur pour une andouille, ou vous aurez affaire à moi !

Dans la voix de Marie, l'intimidation le dispute à l'invitation.

En sueur, le cœur battant la chamade, il écoute le martèlement de ses talons dans l'escalier.

Il faut vraiment qu'il s'en aille.

La réalité s'est engouffrée dans la pièce en même temps que Marie, et elle s'attarde dans les effluves de son parfum, dans la lumière artificielle diffusée par l'unique ampoule au plafond. La ressemblance est si frappante entre les deux sœurs que s'il veut penser à Kate, c'est le sourire entendu de Marie qui se présente à son esprit.

Il se précipite vers la porte, empoigne la serrure à barillet. Si la porte se referme, il n'aura plus moyen de rentrer.

Il se rechausse, récupère sa veste et fourre ses chaussettes en boule dans les poches avec un dernier regard au studio : la fenêtre masquée de peinture, l'invraisemblable lit à tentures.

La voici, l'impulsion dont il avait besoin pour faire ses adieux.

Il avise dans un coin le sac en plastique qui contient les mules à talons et le *Sacha*. Il cherche un stylo dans sa poche et ouvre le livre à la première page, à l'endroit où la case rectangulaire dont le pourtour imite les franges d'un tapis porte l'inscription CE LIVRE APPARTIENT À... Sur la première ligne, il trace hâtivement le nom de Kate, avant d'ajouter au-dessous après un instant de réflexion : *Kate. Merci de m'avoir rendu ma vie ! Affectueusement, Alexander.*

Il l'imagine lire son message, les larmes aux yeux, puis le jeter avec colère pour le reprendre ensuite, revenir sur ses mots et essayer d'en comprendre le sens. Il aime bien l'idée de ses sourcils froncés par la concentration, devant une phrase dont la signification lui échappera sûrement toujours.

22

— Qui est-ce ? demande Frances.

Nell entend le générique de *Neighbours* dans la pièce d'à côté. D'habitude, elle n'autorise pas Lucy à regarder la série, mais pour une fois ça ne peut pas lui faire grand mal.

— Il ne s'est rien passé pour l'instant, rien de concret, se décide-t-elle à répondre.

— Mais de qui s'agit-il ?

— Je m'étonne que tu n'aies pas deviné.

— Comment ça, deviné ?

Nell voit son visage, son sourire. Il serait sûrement très heureux de savoir qu'elle parle de lui à quelqu'un, comme si le pas était franchi. Nell marque une hésitation. Va-t-elle commettre quelque chose d'irréversible ? À moins que tout soit déjà tellement inéluctable que les mots n'y peuvent rien changer.

— C'est Chris, fait-elle doucement.

— Chris ? répète Frances d'un air ahuri.

— Oui, le père de Ben, souffle Nell.

— Et je le connais, ce Ben ?

Nell est sur le point de perdre patience. Frances croyait-elle vraiment connaître la personne en question ?

— Ben, l'amoureux de Lucy.

291

— Oh, non ! Dis-moi que je rêve ! Telle mère, telle fille.

Les gloussements de Frances manquent à ce point de discrétion que Nell craint de voir arriver Lucy, attirée par le chahut. L'évidente jubilation de son amie, passablement déplacée en la circonstance, la sidère complètement.

— Et que fait ce Chris ? reprend Frances, un peu plus sérieuse.

— Il est ébéniste.

— Ah oui, tu me l'as dit. Il a une formation de charpentier ?

Nell se sent obligée de fournir un complément d'explications.

— Il n'a pas toujours fait ce métier. Il était courtier en bourse, mais il en a eu ras le bol. À la naissance de Ben, il a décidé de s'occuper de lui et de monter sa propre entreprise. Sa femme travaille toujours à la City.

— Ah, il a une femme...

— En effet.

Elle déteste la façon qu'a Frances d'enregistrer les détails comme si elle lisait un scoop dans la presse à scandale.

— C'est pratique de connaître quelqu'un qui sait se servir de ses mains...

Le visage de Nell s'empourpre. C'est vrai qu'elle adore ses mains, ses grandes mains rendues rêches et calleuses par le travail. Elle aime aussi le liseré noir qui reste toujours sous ses ongles, l'odeur ténue de bois fraîchement coupé qu'il apporte avec lui en entrant.

— ... pour le bricolage ou les châteaux dans le jardin, achève Frances.

292

— C'est vrai.

— C'est un affreux cliché d'exiger des hommes qu'ils s'acquittent des tâches viriles, mais on ne peut pas s'en empêcher. Je ne sais pas ce qui est arrivé aux hommes de notre génération. Mon père passait son temps à raboter les portes et à nettoyer les gouttières bouchées. C'était son rôle, un point c'est tout. Je voudrais bien savoir à quoi les hommes d'aujourd'hui s'imaginent servir. À ton avis ?

Nell se met à rire.

— Il sait poser un plancher d'extérieur ? C'est la dernière mode. Tous les magazines de jardinage ne jurent que par le bois, avec un soupçon de gravier. Finies, les pelouses et les plantations ! J'envisageais même de faire installer un plancher dans mon patio.

— Il s'y connaît parfaitement, coupe Nell.

— Je suis ravie de l'apprendre.

Nell ne peut contenir son fou rire lorsqu'elle croise son regard.

— Il restaure des antiquités, déclare-t-elle.

— Très utile, surtout à ton âge !

— La demande est très importante.

— Ça, je m'en doute !

— Oh, arrête !

— Raconte-moi comment vous vous êtes rencontrés.

— Ben et Lucy étaient ensemble à la garderie. Ne me demande pas dans quel ordre ça s'est passé, je n'en sais rien moi-même. Je suppose qu'on encourage ses enfants à se lier avec ceux des adultes qu'on apprécie, mais Ben et Lucy ont été amis dès le départ. Ben et Chris ont commencé à venir à la maison, et nous à aller chez eux, et au bout d'un moment, je me

293

suis rendu compte qu'on passait pas mal de temps ensemble.

— Et que pense Alexander de ce sympathique quatuor ?

— Il se fiche éperdument de nos fastidieuses histoires domestiques.

— Tu le lui as dit ?

— Que je voyais beaucoup Chris ? Disons que je ne le lui ai pas caché.

Pas très convaincant, comme réplique. Elle aurait dû se rappeler que Frances ne se contentait pas de demi-vérités.

— Peut-être que tes fastidieuses histoires domestiques le passionneraient un peu plus si tu déclarais de but en blanc : « Tu sais que je passe la matinée à flirter avec l'ébéniste du coin ? »

— Je ne flirte pas... Bon d'accord, ce n'est pas faux. Mais tu es dans quel camp, au fond ?

— Attends une minute, réclame Frances, préoccupée par les questions logistiques. Lucy et Ben passent maintenant toute la journée en classe, je présume.

— Oui.

— Mais Chris et toi...

— Évidemment, on se voit moins souvent qu'auparavant.

— Mais vous vous fréquentez quand même ?

Nell confirme d'un signe de tête.

— En privé ?

— Oh, je t'en prie ! Pourquoi je ne serais pas amie avec un homme ? Si c'était une femme, tu ne relèverais même pas.

— Un instant ! s'écrie Frances, la main levée comme un agent de la circulation. C'est quand même toi qui prétends être amoureuse !

294

— Je n'en sais rien, se rétracte Nell en haussant les épaules.

— Et pourquoi n'ai-je jamais entendu parler d'un ébéniste en lisant tes papiers ?

— Qu'est-ce que tu veux que je raconte ? On bavarde en prenant un café, c'est tout.

— En tout bien tout honneur.

— Mais oui, justement !

— Pour le moment.

— Oui, pour le moment, admet Nell.

— À quoi ressemble-t-il ?

Nell hésite à répondre. Parler de Chris a insufflé du possible dans leur relation, et elle en est ravie, mais elle a du mal à partager le précieux secret qu'elle a si longtemps dissimulé. Si tous ces détails, tellement chers à son cœur, échappent à sa protection pour échouer dans le domaine public, ils cesseront de lui appartenir. Elle n'est pas sûre de vouloir en faire don à Frances.

— Il est très séduisant, fait-elle d'un ton neutre.

— Et encore ?

— Selon les critères classiques, c'est un bel homme, mais tu ne te dis pas en le voyant « Mmm, je me le ferais bien ! »

— Cheveux ?

— Blonds.

— Et les yeux ?

— Bleus. Au club de tennis on le surnomme Stefan.

— Pourquoi Stefan ?

— C'est le portrait craché de Stefan Edberg.

— Stefan Edberg ? Le président de la Fédération de football ?

Frances revendique fièrement son ignorance en matière sportive.

— Tu n'as jamais suivi le tournoi de Wimbledon ?

— Oh non, pas ça ! implore Frances en tripotant son paquet de cigarettes. (La référence au sport a suffi à déclencher un accès de tabagisme.) Tu ne joues pas au tennis, si ?

— J'y jouais à l'école, répond Nell en rougissant.

— Et tu t'y es remise récemment ?

— Comment as-tu deviné ?

— Tu te moques de moi ?

Le tennis semble la déprimer davantage que l'attirance illicite.

— Je n'ai pas fait exprès, dit-elle pour désamorcer la critique qu'elle sent venir.

— Ah bon ?

À présent que l'intérêt de Frances s'est relâché, Nell brûle de tout lui raconter, de lui jurer qu'elle n'a rien prémédité, de se défendre contre les accusations morales.

— Je n'ai rien fait de manière calculée, on était juste amis.

— Et puis ?

— Quand Lucy et Ben allaient à la garderie, on allait les chercher au foyer rural pour les faire déjeuner. Un jour de l'été dernier – une de ces belles journées embaumées du mois de juin –, Chris n'était pas là, et j'étais tellement déçue que j'en ai eu un pincement au cœur. Je m'efforçais de faire la causette avec les autres mères comme si de rien n'était, mais je n'arrêtais pas de me demander où il était, si je ne pourrais pas raccompagner Ben chez lui... Et juste au moment où je me mets en route avec Lucy, je le vois arriver en courant. J'ai senti que je faisais un immense sourire, et lui a fait de même. D'un seul coup, on ne se regardait plus de la même façon, et on a dû détourner les yeux. C'est là que j'ai compris. Pas parce qu'on s'était regardés, mais parce qu'on avait détourné les yeux... signe qu'on admettait tous les deux que oui, il se passait quelque chose entre nous.

Malgré son sourire encourageant, Frances a l'air un peu absente. Une porte vient de se fermer. Nell n'oublie pas à quel point les histoires amoureuses des autres sont ennuyeuses, surtout quand on ne vit rien de tel de son côté.

— Après ça, conclut Nell, je pensais à lui en permanence. Ça me rappelait mes béguins de collégienne.

— Poussée hormonale.

— Certainement, convient Nell à contrecœur.

C'est inhumain d'interpréter ces merveilleux instants de vertige comme une pure réaction chimique.

— Si nous connaissions depuis toujours les explications scientifiques de l'amour, crois-tu que des mots tels que « idylle » ou « destin » existeraient encore ?

Son destin est-il avec Chris ? Un jour, ils s'étaient permis d'évoquer ce qui serait arrivé s'ils s'étaient rencontrés plus tôt. La question impliquait une telle somme de regrets et de frustrations qu'ils l'avaient esquivée jusque-là. Curieusement, leurs chemins s'étaient déjà croisés à deux reprises. Tout d'abord, Chris avait assisté à une soirée au New College d'Oxford, à laquelle elle avait été invitée par son cousin – elle avait alors dix-sept ans –, une occasion qu'elle tenait déjà pour un moment clé de son existence avant d'apprendre la présence de Chris. C'était la première fois qu'elle prenait conscience de son charme, la première aussi qu'elle fumait de l'herbe. Ces deux expériences mêlées lui avaient donné l'impression de flotter au milieu des bâtiments anciens sous la lumière d'un projecteur. À présent qu'elle sait que Chris se trouvait lui aussi sous le chapiteau, à danser sur *Tiger Feet*, l'événement acquiert encore plus d'importance. Ont-ils échangé un sourire ? Chris pense que non. Il affirme que s'il l'avait vue, il n'aurait pas pu la laisser s'échapper. Tout ce qu'il se rappelle à propos du bal, c'est qu'il a fait partie des rares personnes capables d'avaler un petit déjeuner le lendemain. Il a l'air de considérer ça comme un titre de gloire, le droit de se réclamer de la petite élite qui se réunit au bar d'un bateau de croisière pendant que la tempête fait rage.

Il est possible également qu'ils se soient rencontrés au Japon, où Chris a fait un voyage d'affaires à l'époque où Nell y vivait. Négligence typiquement masculine, il n'a pas la moindre idée du nom de son hôtel ni de la date exacte de son séjour, et ne peut donc pas dire s'il est venu avant ou après le début de sa liaison avec Alexander. Elle sait au fond d'elle-même que ça n'aurait rien changé, cependant. Encore attirée par la difficulté, elle ne se serait pas intéressée à Chris à cette époque-là. Elle ne se sentait pas encore mûre pour choisir la sécurité.

— Oh là, tu es sérieusement touchée, toi ! Le destin, rien que ça !

— Penses-tu que nous aurions quand même inventé la poésie ? reprend Nell qui, embarrassée par son romantisme, cherche à donner à la discussion un tour plus intellectuel.

— Un monde sans poésie ! Mais quel bonheur !

— Tu pousses un peu ! Imagine un monde sans Keats et Shakespeare !

— Et sans Roger McGough ?

— Là, je ne peux pas te donner tort.

Elles se mettent à rire de concert.

— Donc, on en était restées à la poésie, il me semble.

Aucune chance de détourner l'attention de Frances.

— On en était au stade mon-estomac-se-noue-quand-je-pense-à-lui. J'ai déjà traversé cette phase, où il me suffisait de fermer les yeux pour le voir apparaître. Il m'occupait tellement l'esprit que j'avais un mal fou à rédiger mes articles. Ensuite les enfants ont commencé à aller à l'école, nous nous sommes vus moins souvent, et là j'ai eu tout un tas de doutes : est-ce qu'il ressentait la même chose de son côté, ou est-ce que je m'étais monté la tête ? Et puis il y a eu la fête de Noël, à l'école. On installait les tables tous les deux, et j'étais toute troublée d'être si près de lui. Je servais à boire avec une de ces énormes carafes en métal qu'on trouve dans les cantines – tu vois ? – et je n'arrêtais pas d'en renverser partout. Plus tard, on s'est installés près du passe-plat des cuisines, pour regarder la fête. Lucy et Ben dansaient ensemble, et on échangeait des regards pleins de fierté. Vingt centimètres nous séparaient, pas plus, mais je sentais un champ magnétique entre nous, et je pensais que ça nous ferait carrément mal de nous rapprocher encore. C'est à ce moment-là qu'il a dit : « Elle est vraiment jolie. Comme sa maman. »

— Mon Dieu ! Il ne sort pas toujours de telles banalités, j'espère !

Nell est fâchée que Frances l'ait souligné, pourtant c'est la vérité. Sa réplique n'était pas des plus origi-nales, même si elle ne l'avait pas ressenti comme ça sur le moment. Elle avait l'impression qu'il était Tom Hanks et elle Meg Ryan, et qu'ils étaient destinés l'un à l'autre. Un cliché parfaitement nunuche qui prouvait bien qu'elle avait perdu la tête, elle qui n'a jamais pu

299

souffrir la joliesse mutine de Meg Ryan ni le côté prêcheur et asexué de Tom Hanks. Heureusement que Frances est là !

— Non, proteste-t-elle, ce n'était pas une remarque conventionnelle. Il me dit souvent que je suis belle.

— Il n'y a pas de mal.

— Non...

Elle est devenue si ridiculement dépendante de ses compliments qu'elle se figure qu'il se détache d'elle s'il ne fait pas au moins une allusion à sa beauté quand ils se rencontrent. Un détail qu'elle se garderait bien de confier à Frances.

— Noël ! se souvient Frances. Je comprends mieux ta magnanimité devant la petite incartade d'Alexander.

Par moments, sa franchise frôle la cruauté.

Nell garde les yeux baissés.

— Et depuis ?

— Nous avons parlé longuement, lui et moi, et il répète qu'il m'aime, qu'il veut qu'on soit ensemble.

— Et sa femme ?

— C'est quelqu'un de très dur, une ambitieuse.

— Pas forcément un défaut.

— Non, mais elle n'a pas tellement l'air de se soucier de Ben.

— Pas de ça avec moi, Nell ! C'est vous deux que ça concerne. Ne viens pas prétexter que ce serait mieux pour les enfants.

— Non...

C'est peut-être douloureux de parler avec Frances, mais la conversation n'est pas inutile. Frances n'est pas quelqu'un qui s'en laisse conter. Son analyse objective de la situation l'aidera à prendre une vraie décision. Jusqu'ici, l'assurance lui a manqué pour le faire. Il y a de quoi devenir folle à réfléchir toute seule

300

aux alternatives, et on a vite fait de passer à côté des évidences quand on s'échine à rationaliser ses fantasmes.

— Sa femme... balbutie-t-elle.

— Son nom ?

— Sarah. Sarah, donc, ne désire pas d'autre enfant. Mais Chris en voudrait un, lui. Et moi aussi, je crois... avec quelqu'un qui en a envie...

— Quelle admirable symétrie !

— Tout à fait ! se réjouit Nell avant d'enregistrer l'ironie du propos.

— Sarah et Alexander n'auraient pas un faible l'un pour l'autre, par hasard ?

— Ça m'étonnerait.

— Quel dommage ! Mon Dieu, il n'est pas de lui, quand même ? s'exclame Frances en pointant son doigt vers le ventre de Nell.

— Non !

— Sûr ?

— Sûr et certain.

Le fait qu'elle ait pensé à Chris, qu'elle l'ait imaginé en train de lui faire l'amour sur la table de la cuisine et de répandre sa semence en elle ne suffit pas pour que le bébé soit de lui.

Cet enfant est bel et bien celui d'Alexander, même si elle sait qu'il ne veut pas de lui.

— Tu t'es sacrément fichue dans la merde !

Nell se sent complètement démontée.

— Il est très gentil, fait-elle d'une petite voix. Il y a quelque chose de féminin chez lui, féminin mais pas efféminé. Il est prévenant, il est sensible aux fleurs et aux nuages...

— Ne me dis pas qu'il est végétarien !

— Mais non, bien sûr que non !

301

— Est-ce qu'il porte des sandales ?

— Où tu vas chercher tout ça ? fait Nell en s'esclaffant malgré elle. Je crois en effet qu'il en a, mais c'est le modèle dernier cri, tu sais, celui des randonneurs. Les Beavers ou les Teevers, un nom comme ça...

— Les randonneurs ? Dis-moi...

Nell a déjà deviné la suite.

— Non, il ne porte pas la barbe.

Dans les aversions de Frances, la pilosité faciale vient juste après le sport et l'exercice.

— Il n'est pas du tout comme tu l'imagines. C'est quelqu'un de cool, tu sais, et il n'est pas attifé n'importe comment. Il a un côté branché. Et puis il inspire confiance, on sent qu'on peut tout lui dire.

— Tu lui as parlé du bébé ?

— Euh... non.

— Mais il est motivé pour avoir un enfant ?

— C'est vrai, mais ça n'a rien de barbant, c'est plutôt érotique, au contraire.

— Tu es trop bizarre !

— C'est la seule personne au monde à qui je confie Lucy en toute tranquillité, poursuit Nell pour mieux se faire comprendre. Si je suis prise par un papier urgent, c'est lui qui la ramène de l'école et qui la fait goûter. Il prend bien soin de ne jamais avoir de cacahuètes chez lui, donc elle ne risque rien. Si jamais elle tombe, je sais qu'il saura comment réagir. Et en cas de crise d'asthme, il lui donnera tout de suite son inhalateur. Il a appris les premiers secours.

— Et tu trouves ça érotique ?

— Je suis fatiguée des difficultés. Je reconnais que c'est ce qui m'a séduite chez Alexander, mais à la longue, c'est devenu un pensum.

— Tu veux une petite vie tranquille, sans imprévus.

— Ce que je cherche, c'est du rationnel. Oui, je sais, c'est encore un signe de l'âge.

— Pardon ?

— Il faut être reposée pour avoir envie de sexe, tu es bien d'accord ? Mais depuis la naissance de Lucy, j'ai beaucoup de mal à me détendre.

— Alexander ne s'occupe jamais d'elle ?

— Pour lui, s'occuper de Lucy consiste à lire le journal sur un banc du jardin public pendant qu'elle escalade la cage aux écureuils. Elle est déjà tombée, d'ailleurs, et il a fallu lui recoudre l'oreille.

— Pauvre Alexander.

— Pauvre Alexander ?

— Oui, il devait être dans tous ses états.

— Il n'avait qu'à la surveiller, rétorque hargneusement Nell.

Ses paroles planent dans le silence, et elle a l'impression que c'est elle l'irresponsable.

— Mais tu m'as dit qu'ils se baladaient ensemble, qu'ils regardaient les lapins...

— Ça s'est produit une fois en tout et pour tout.

— Allons, Nell, c'est le père de Lucy et elle lui est très attachée. Bon nombre de pères ne savent pas quoi faire de leurs enfants tant qu'ils sont petits. C'était le cas du mien, mais ça ne signifie pas qu'on ne s'aimait pas.

Frances se lève, ramasse les tasses qui traînent dans la cuisine et les plonge dans l'eau chaude et mousseuse. Sa colère contre Nell est presque palpable. Nell est profondément déconcertée : elle a d'abord cru que Frances jouait l'avocat du diable, mais il semble clair qu'elle défend Alexander pour de bon. C'est bien la dernière personne au monde qu'elle s'attendait à voir

303

plaider en sa faveur. Toutefois, ses propos ne manquent pas de justesse. Ils ne correspondent certes pas à ce qu'elle escomptait, mais elle devrait savoir qu'on ne peut rien prévoir avec Frances. En regardant son amie récurer les tasses à l'aide d'un goupillon, elle sent monter en elle une bouffée d'affection. Elle remarque soudain les soubresauts qui agitent ses épaules.

— Frances, qu'est-ce que tu as ?

Elle se lève pour aller la réconforter, mais son amie s'écarte avant même qu'elle ait pu l'entourer de son bras.

— Rien, dit-elle sèchement.

— Raconte-moi.

Frances fait volte-face en s'essuyant les yeux sur sa manche.

— C'est seulement de la jalousie, voilà.

— De la jalousie ?

— Mais oui, de la jalousie, espèce de grosse gourde !

Les mots sont prononcés sur un ton affectueux, mais les larmes de Frances causent un véritable choc à Nell. Depuis tout le temps qu'elles se connaissent, elle ne se souvient pas de l'avoir vue pleurer.

— Jalousie ? répète encore Nell.

Elle s'y prenait ainsi lorsqu'elle enseignait, s'évertuant à décrypter les phrases laborieuses des étudiants que les erreurs de prononciation rendaient incompréhensibles. Un jour, elle avait même confondu, à sa grande honte, « sans-abri » et « colibri ».

— Tu ne vois rien, c'est ça, Nell ? Tu ne t'es jamais rendu compte de ta chance ?

La mousse abondante est près de déborder de l'évier, mais Nell n'ose pas lui demander d'arrêter le robinet. Frances éclate brusquement de rire et se remet à sa vaisselle tout en marmonnant sans se retourner :

— Tu as un physique à la Meryl Streep, ou des airs d'ange botticellien, comme tu voudras ; tu vis une histoire formidable avec le type que toutes les femmes rêvent de s'envoyer ; tu as même un bébé et une maison à la campagne pour compléter le tableau. D'accord, tu es forcée de lâcher ton boulot, mais ô surprise ! tu te lances dans une carrière qui te plaît bien et qui te rapporte plus. Et voilà qu'un grand Suédois musclé essaie de glisser la main sous ta jupe pour une partie de jambes en l'air matinale. Et toi, tu oses me sortir (Frances prend une voix geignarde) : « Comment j'ai pu me mettre dans ce pétrin ? »

Ce ne sont pas seulement les paroles qui laissent Nell stupéfaite, mais la facilité avec laquelle son amie les a proférées, comme si elle avait maintes fois répété son explosion de colère.

Frances s'acharne sur ses tasses, auréolée de bulles de savon aussi légères que des flocons de neige.

— Il n'est pas suédois, corrige Nell, ne trouvant rien d'autre pour se justifier.

À peine Frances s'est-elle retournée en brandissant sa brosse d'un geste menaçant qu'elles partent en chœur d'un grand rire hystérique, à en perdre le souffle. Quand leur fou rire s'arrête, aussi soudainement qu'il les a prises, Nell se hasarde à demander :

— Alors, qu'est-ce que je fais pour me tirer du pétrin ?

— Ce n'est pas à moi qu'il faut poser la question.

— Comment t'y prendrais-tu à ma place ?

Frances médite très sérieusement sa question.

— Moi, finit-elle par répondre, je me serais déjà tapé le Suédois. Il faut quand même commencer par l'essentiel, non ? C'est quelque chose que tu te dois à toi-même avant de songer à voir plus loin.

— Quelque chose que je me dois ?

— Il te faut vérifier si c'est un coup aussi fantastique que dans tes rêves.

— Ce n'est pas purement sexuel...

— Quoi ? Tu crois qu'il te ferait le même effet si la nature ne l'avait pas gâté côté cacahuètes ?

— Berk, arrête !

— Ah oui, j'oubliais ! Pas de cacahuètes chez toi !

— Ce n'est pas du tout négligeable, la gentillesse, souligne Nell.

— S'il te plaît ! La gentillesse ne compte pas tellement quand on a envie de se faire attacher au lit et de se faire baiser à mort !

— Ce n'est pas faux.

Quand elle fantasme sur Chris, Nell désire qu'il la prenne sans lui demander son avis, la dégageant ainsi de toute responsabilité. Mais ça n'arrivera jamais. Si elle veut faire l'amour avec Chris, il faudra qu'elle lui en parle, et elle ne se voit vraiment pas le faire. Elle a peur, en effet, de ne pas trouver les mots justes. Et puis, faire l'amour avec lui serait-il aussi beau que d'en caresser l'idée ? Prise de panique, elle a l'impression d'avoir mis en mouvement quelque chose qui aurait dû rester en sommeil, et qu'il en découle une inéluctabilité à laquelle elle se sait incapable de faire face.

— À quoi ça rime, dans le fond ? se morfond Nell.

— Que veux-tu dire ? demande Frances en se rasseyant devant la table, visiblement rassérénée par sa vaisselle énergique.

— Ce qui est étrange quand on tombe amoureuse, c'est qu'on se sent unique, et on imagine qu'il n'y a rien de plus important au monde. On en oublie du même coup le bon sens, l'expérience. Ça donne aussi une certaine arrogance, du style « Je sais bien qu'il est marié, que je le suis aussi et que ça ne peut pas marcher », mais là, c'est différent. Tomber amoureuse est un peu comme donner la vie. Quand ça te retombe dessus, tu oublies tout de la douleur que tu as connue.

— Je peux en déduire que tu vas sortir un papier là-dessus ?

— Je crois que c'est *vraiment* comparable à un enfantement, poursuit Nell d'un air absorbé, à cause de tous ces bouleversements hormonaux. J'ai horreur de cette idée. Une fois que tu sais que tout ça se résume à une poussée d'hormones qui va se calmer dans un an, tu n'es plus certaine que ça vaille la peine...

— Mais bien sûr que si ! Au cours de cette année-là, une comète peut percuter la terre et tous nous détruire, on peut être décimés par une nouvelle forme de la maladie de Kreutzfeldt-Jakob...

— Oui, mais ce n'est qu'une éventualité.

Nell voudrait bien se laisser convaincre, mais elle sait que l'argument manque de force. C'est tout à fait ridicule, d'ailleurs. Elle a une décision à prendre, et rien ne peut atténuer la difficulté de la démarche.

De la pièce d'à côté leur parvient le jingle syncopé des titres de BBC News.

— Une minute, demande Nell, je ne laisse jamais Lucy toute seule devant les nouvelles, au cas où il se passerait quelque chose d'horrible.

Elle passe dans le salon et se perche sur un accoudoir de la banquette en souriant à sa fille.

« Encore un accident de train qui fait des dizaines de victimes... »

En temps normal, Nell se serait emparée de la télé-commande pour épargner à Lucy les images terribles de la catastrophe, mais il n'y en a pas chez Frances. Si elle traverse la pièce pour éteindre le téléviseur, ce geste de censure délibéré amènera Lucy à penser qu'on lui cache quelque chose et ne fera qu'aiguiser sa curiosité. La vie de parent est cependant jalonnée de décisions judi-cieuses. Nell se ravise au dernier moment et reste assise près de la fillette à regarder les images aériennes du train et le journaliste qui se tient au milieu des décombres. Après une interview en studio du ministre des Trans-ports, un reporter annonce d'un ton mélodramatique, en direct d'un parking de gare :

« *Seul le temps nous dira si les propriétaires de ces voitures viendront les récupérer ce soir.* »

Tandis que la caméra s'éloigne, Nell serre l'épaule de Lucy. Elle en est certaine, ce parking se trouve sur la ligne qui passe par chez eux – le dernier arrêt avant leur gare. Certains trains express y prennent des passa-gers alors qu'ils ne s'arrêtent pas dans leur village. Penchée en avant, Nell tend l'oreille pour en ap-prendre un peu plus.

— Maman...

— Chut !

« *L'information principale de ce journal concerne l'accident de train...* »

— Maman !

— Quoi ?

Sur l'écran, les désastres nationaux cèdent la place aux famines à l'étranger.

— Maman, c'est le train de papa ?

23

« *Retour sur notre information principale. Un nouveau train de banlieue a déraillé avant d'arriver à Londres. Un de nos reporters se trouve sur les lieux de l'accident. Andy, en savons-nous un peu plus sur les circonstances du drame ? Quelques détails supplémentaires qui ne font que corroborer nos informations officieuses ?* »

Là-dessus, le journaliste donne l'horaire du train, son point de départ et sa destination, comme s'il lisait un communiqué de presse.

Les mots familiers diffusés par la radio du marchand de journaux d'Old Compton Street se répercutent dans l'esprit d'Alexander telle une prémonition.

Ces mots-là, il les entend chaque matin, dans le haut-parleur grésillant de la gare.

Il lui faut une ou deux secondes pour assimiler l'information.

Son train a eu un accident.

Dans un éclair d'extraordinaire lucidité, il comprend pourquoi cette journée lui semblait tellement irréelle.

Il est mort.

La lumière surnaturelle qui brillait sous les cerisiers était celle du Ciel.

Pendant un moment, une vague de soulagement se

répand dans ses veines, tiède et délicieuse. Son bonheur est à son comble, de même que lorsqu'il s'éveille en sueur d'un cauchemar, le cœur battant.

Il est mort.

Il n'a à répondre de rien de ce qui s'est déroulé aujourd'hui.

Quand il revient à lui, il est en train de fixer le mannequin qui fait la couverture de *FMH*.

Ce matin, se souvient-il, il est monté dans le train précédent.

« La température était si élevée au cœur du brasier qui consumait les deux premiers wagons – probablement 1000 degrés – que les équipes de secours s'avouent pour le moment incapables d'évaluer précisément le bilan de l'accident. La recherche des corps promet d'être longue et éprouvante. Je crois comprendre que les victimes seront identifiées grâce à leurs bijoux, et les secouristes reconnaissent franchement qu'il leur sera peut-être impossible de chiffrer avec exactitude le nombre de passagers à bord du... »

Alexander pense aux pendants dorés de sa voisine d'en face, aux écouteurs vissés sur les oreilles du garçon aux cheveux courts qui voyage d'habitude à côté de lui. Il réalise soudain que s'il avait occupé sa place de tous les jours, rien n'aurait permis de l'identifier. S'il avait attendu son train ce matin, les flammes l'auraient réduit à un petit tas de cendres graveleuses.

Instinctivement, il palpe son bras et pince entre deux doigts l'étoffe de sa chemise, comme pour en évaluer la qualité.

— Il vous faut autre chose ? demande le caissier.

Piochant quelques pièces dans la poche de sa veste, Alexander prend un *Evening Standard* sur la pile et se faufile dans la queue qui s'est formée devant lui.

Une fois dehors, il parcourt les premières pages pour glaner des informations complémentaires.

Nell !

Elle a forcément entendu parler de l'accident ! Elle a dû chercher à le joindre !

On lui aura dit à l'école qu'il ne s'était pas présenté.

Son mobile est éteint, et il ignore si elle sera tombée sur sa messagerie, ou si le téléphone aura simplement sonné dans le vide. Il revoit la catastrophe de Paddington, la sonnerie poignante de tous ces portables autour des wagons calcinés, alors que les gens essayaient désespérément de joindre des proches qui ne répondraient jamais.

Il retrouve le téléphone au fond d'une poche et appuie sur le bouton. Le message BATTERIE FAIBLE s'affiche après deux bips, puis l'appareil s'éteint complètement.

Nell.

Nell doit être folle d'inquiétude. D'un seul coup, sa trahison prend des dimensions démesurées.

Aucune cabine en vue. Il a presque envie d'arracher son mobile à un des passants qui téléphonent dans la rue.

Il trouve enfin une cabine dans une rue qui donne sur Shaftesbury Avenue. Deux clochards sont installés devant la porte, mais elle est miraculeusement libre. D'ailleurs il ne tarde pas à comprendre pourquoi. La forte odeur d'urine qui empeste l'intérieur lui retourne l'estomac. Une des vitres a été fendue par un vandale, peut-être pour chasser la puanteur ?

Il ne reprend sa respiration que lorsque la communication est établie.

Plusieurs sonneries. En général Nell décroche rapidement, elle a un appareil près de son bureau. Il lui semble voir le téléphone sonner dans un salon vide.

Nell n'a pas réagi tout de suite parce qu'elle était dans son bain, mais la voilà qui dévale l'escalier de bois, encore trempée.

Le téléphone sonne toujours.

Occupée à cueillir des narcisses au jardin, Nell abandonne ses sécateurs et accourt vers la maison en ôtant ses gants en caoutchouc.

Si Nell a appris l'accident, il est étonné qu'elle se soit absentée, surtout sans brancher le répondeur. Vu qu'elle écoute tout le temps la radio, il est peu vraisemblable qu'elle ne sache rien.

Alexander raccroche et s'efforce de respirer calmement, les mains jointes, pour apaiser les battements de son cœur. Le contact de ses deux paumes l'une contre l'autre a quelque chose d'étrangement rassurant. Devant lui s'étalent des dizaines de cartes de prostituées qui offrent du sexe avec ou sans violence. Quel genre d'hommes appellent ces numéros ? Il revoit la chambre de Marie, la fenêtre masquée, le lit à tentures, et chasse aussitôt ce souvenir.

Alexander fait une deuxième tentative en se concentrant bien sur les touches, craignant de s'être trompé la première fois. Il répète en silence pendant que retentit la sonnerie familière :

« Salut, c'est moi... Je viens juste d'apprendre, pour l'accident de train... Oui, je suis allé faire un tour à Regent's Park... »

S'il n'en dit pas davantage, Nell croira sa version.

Et ce sera même la vérité.

Elle sera tellement soulagée de le savoir vivant

312

qu'elle aura peut-être plaisir à l'imaginer flânant dans le parc.

Elle supposera qu'il a pensé à eux, au futur bébé.

Il ne devra pas oublier de lui assurer qu'il se réjouit de ce deuxième enfant, finalement.

Après tout, ce n'est peut-être pas si grave.

Ce sera le début d'une nouvelle vie.

En tout cas, mieux vaut ça que la mort.

Alexander raccroche en gardant les yeux braqués sur le récepteur, comme si Nell risquait de rappeler d'un instant à l'autre. Il essaie de visualiser le calendrier de la cuisine. Avait-elle un rendez-vous qu'il aurait oublié, une réunion de parents d'élèves, ou un débat avec son club de lecture ?

Peut-être est-elle chez sa mère ? Il tente en vain de se remémorer le numéro de Lavinia, appelle en désespoir de cause les renseignements, mais sa belle-mère est sur liste rouge. Il n'est pas si déçu que cela, en fin de compte. Ce sera déjà assez dur d'affronter Nell, il ne se sent pas le courage de traiter en prime avec Lavinia.

Il a du mal à croire que Nell soit sortie.

Il refait le numéro, mais toujours pas de réponse.

Où peut-elle bien être ?

Comment se fait-il qu'elle ne soit pas à la maison ?

Et si Lucy était malade ? Mais non, il est peu probable que deux catastrophes s'abattent sur eux le même jour.

Sauf que lui a échappé à la catastrophe.

Il finit par abandonner.

Il existe sûrement une explication très simple que l'affolement l'empêche de découvrir.

Faire un plan.

Rappeler de la gare.

313

Et si elle ne répond toujours pas, passer chez sa mère en rentrant.

En ouvrant le journal, il apprend que le trafic a été suspendu sur sa ligne.

La télévision du bar diffuse des images aériennes de l'accident. Une partie du train est calcinée comme les épaves d'une casse, mais l'autre est juste renversée en pleine voie, démantibulée, semblable à un jouet d'enfant abandonné.

Haussé sur le barreau de son siège pour mieux voir l'écran, Alexander se rassied promptement lorsque le serveur s'approche, craignant de passer pour un amateur de macabre.

— Un expresso. C'est mon train... ajoute-t-il doucement, éprouvant le besoin d'en parler à quelqu'un.

Partager l'information l'aidera sans doute à accuser le coup.

— Un expresso ! transmet le barman.

Un reporter se tient légèrement à l'écart des décombres. Derrière lui, deux secouristes avec une civière se déplacent vers la droite de l'écran et disparaissent hors champ.

Ce corps pourrait être le sien.

Alexander porte à ses lèvres la petite tasse de porcelaine que vient d'apporter le serveur. Le café est trop chaud, mais il a plaisir à sentir le liquide brûlant sur sa langue et dans sa gorge. La douleur signifie au moins qu'il est vivant. Alexander récapitule l'enchaînement de décisions qui, insignifiantes en elles-mêmes, ont fait qu'il peut en ce moment regarder dans un bar de Soho les images de la tragédie qui a failli le toucher.

Si je m'étais réveillé cinq minutes plus tard, je serais mort.

Si j'avais pris le temps d'embrasser Nell avant de partir, je serais mort. Idem si j'avais pris mon petit déjeuner.

Alexander avale sa dernière gorgée de café et repose la tasse dans la soucoupe.

Il a envie de marquer par une action audacieuse ce drame auquel il a échappé de justesse. Demander une cigarette et se remettre à fumer, par exemple.

Logiquement, il ne devrait plus être en vie. Il pourrait ne rester de lui qu'un tas de cendres. L'idée l'effleure qu'en ce moment, personne ne sait qu'il est vivant.

Une impression des plus curieuses, qui fait naître en lui un sentiment de puissance. Il est un fantôme qui peut observer le monde sans y participer, comme dans ces films hollywoodiens truffés d'effets spéciaux. Il lui semble entendre la voix off grandiloquente des bandes-annonces.

« *Tous ceux qui le connaissent sont persuadés qu'il est mort.* »

« *Si vous aviez l'occasion de disparaître...* »

Alexander rappelle chez lui depuis le téléphone du bar.

Pas de réponse.

Il retourne vers le comptoir à pas lents, commande un deuxième expresso.

Il ne sent plus le goût du café, mais ces deux injections de caféine lui font tourner la tête. À la limite de sa conscience, germe une pensée si coupable qu'il s'en veut de l'avoir seulement conçue.

« *Si vous aviez l'occasion de disparaître,* insiste la voix off, *est-ce que vous le feriez ?* »

« *Deuxième chance.* »

Voilà que le film a même un titre.

« *Prochainement sur vos écrans.* »

Alexander se débat contre la voix opiniâtre.

Il demande un verre d'eau au serveur. Le breuvage limpide rafraîchit agréablement sa langue et sa gorge brûlées par le café.

« *Il suffit d'une décision pour changer votre vie.* »

Alexander imagine Bruce Willis au comptoir d'un snack. On apprend par un flash-back qu'il s'est disputé le matin même avec sa femme – Meryl Streep et ses éternels airs de martyre –, qui vaque courageusement à ses occupations comme si de rien n'était, par égard pour leur enfant.

Retour sur le snack, où Bruce Willis dépose un billet de cinq dollars sur le comptoir avant de relever le col de son pardessus camel pour s'enfoncer dans la nuit.

Pourquoi Bruce Willis ? Plusieurs personnes lui ont dit qu'il ressemblait à cet acteur à la dégaine de baroudeur... Par pitié, pas Bruce Willis !

« *Deuxième chance... avec Bruce Willis dans le rôle d'Alexander.* »

Accoudé au bar, il enfouit son visage dans ses mains. Il n'a pas vraiment la migraine, mais une multitude d'images incontrôlables tourbillonnent dans sa tête.

Sans qu'il l'ait voulu, tout simplement, inexorablement, l'idée a commencé à se développer avec une implacable logique.

S'il était monté aujourd'hui dans son compartiment habituel, il serait mort.

Il n'y a pas de raison qu'il n'ait pas pris ce train.

Par conséquent, il devrait être mort.

Ça suffit comme ça !

Mais l'idée n'en poursuit pas moins son cheminement.

Nell aurait perdu son compagnon, Lucy son père.

L'image d'elles d'eux devant une tombe s'impose inopinément à son esprit. Deux silhouettes féminines main dans la main, une enfant et une femme.

Assez !

Alexander avale encore une lampée d'eau fraîche.

Nell serait profondément navrée que leurs derniers moments ensemble se soient si mal passés, mais elle est trop sensée pour laisser quelques heures de tension effacer tout ce qu'ils ont partagé de bon. Il se rappelle les efforts qu'elle a déployés après la mort de sa mère pour l'aider à exhumer de sa mémoire quelques souvenirs heureux, l'expression d'optimisme entêté sur son doux visage pendant leurs promenades sur Hampstead Heath, ses œillades à la dérobée pour voir si son regard glacial ne s'était pas adouci. Il sent jaillir maintenant la profonde affection qu'il n'arrivait pas à éprouver sur le moment.

S'il était mort, Nell saurait faire face, de la même manière qu'elle a surmonté les obstacles que lui a envoyés l'existence : les allergies de Lucy et ses crises d'asthme, l'obligation de gagner sa vie tout en s'occupant à plein temps de sa fille. Nell est pleine de ressources. Elle a su s'accommoder de l'humeur capricieuse d'Alexander et de son inutilité dans presque tous les domaines.

En somme, son existence est quasiment superflue.

Elle serait mieux sans lui.

« Ce soir, des voitures que personne ne viendra chercher sont toujours parquées dans toutes les gares de la ligne, partout des parents attendent, espérant un miracle... »

Le reporter rend l'antenne au présentateur des

nouvelles, qui poursuit son journal sur ce ton de componction propre aux circonstances tragiques.

Nell espérera-t-elle un miracle ou éprouvera-t-elle un secret soulagement ?

Alexander n'est pas sûr de connaître la réponse.

Il sait que cinq ans auparavant, elle aurait donné n'importe quoi pour qu'il soit encore en vie.

Et puis Lucy est née. Les gens ont beau prétendre que l'amour qu'on prodigue à un enfant n'a rien à voir avec celui qui lie deux adultes, il en est venu à penser que les êtres humains ne possèdent qu'une capacité limitée à aimer – surtout quand ils sont fatigués et anxieux – et que tout l'amour de Nell s'est concentré sur Lucy. D'un seul coup, il est devenu insensé d'attendre d'elle la même attention qu'autrefois. On aurait dit que son amour avait cessé de lui importer, mais il ne lui en a pas tenu rigueur. Pas du tout ? Il n'en est plus si sûr, à la réflexion. En tout cas, ils n'ont jamais abordé la question. Chez lui, c'est comme une seconde nature de se retrancher dans le silence, mais il n'aurait jamais cru que Nell en soit capable.

Il sait qu'au début, elle se jugeait indigne de lui. Elle prenait à tort son humeur instable pour de la profondeur, son vide pour du mystère, ses colères pour de l'intelligence. Et lui, par faiblesse et par lâcheté, ne la détrompait jamais.

Nell est assez forte pour se débrouiller sans lui.

Manquera-t-il à Lucy ?

Il est prêt à parier qu'elle se rendra tout juste compte de son absence. Il n'y a pas longtemps qu'il a commencé à ressentir les émotions de la paternité dont tout le monde parle tant. Il aime bien l'emmener en promenade, à la piscine une fois par semaine, mais il pense que c'est surtout lui qui prend plaisir à ces

318

sorties. Pas plus tard que samedi dernier, avant de partir à la piscine, Lucy s'est tournée vers Nell en demandant : « Dis-moi, maman, je suis vraiment obligée ? »

Deux silhouettes féminines devant une tombe, main dans la main.

Elles seront plus heureuses sans lui. Cette vérité irréfutable lui serre la gorge.

Il doit se répéter qu'il est toujours en vie.

Cette occasion faustienne de rompre avec son existence passée, qui vient juste de se présenter à lui, le remplit de fascination et de dégoût.

Alexander dépose deux livres sur le comptoir et remonte le col de sa veste.

« Rappel des gros titres de la soirée. Une cinquantaine de victimes dans l'accident de train à l'entrée de Londres. Des dizaines de blessés graves transportés à l'hôpital. »

Par souci de discrétion, Alexander quitte le bar sans saluer le serveur. Un coup d'œil furtif lui indique que personne n'a prêté attention à lui. Parmi les clients, un bonhomme à la tenue voyante plongé dans le *Daily Mail*, et trois immigrés d'Europe de l'Est engoncés dans leur blouson en cuir, la cigarette aux lèvres.

Les yeux baissés, Alexander se dirige vers le nord, se faufilant parmi les bandes de filles tapageuses qui vont prendre un verre après le bureau et les coursiers au crâne rasé sur leurs miniscooters. Il a l'impression d'être observé, comme la cible mouvante d'un jeu vidéo. D'ici un instant, ce n'est pas un fusil qui va surgir, mais une voix de synthèse suraiguë qui va lui lancer un « Salut Alexander ! » Alors le jeu sera fini.

Fin de partie.

Au-dessus d'une enseigne NU INTÉGRAL, une caméra

fait saillie sur la façade d'un immeuble. À quoi est-elle reliée ? À la police ? À une société de gardiennage ? Aux Renseignements généraux ? Les observateurs sont-ils postés à proximité ou dans une autre ville, loin de Londres, là où les espions se contentent de moindres salaires ?

Combien de caméras de surveillance l'ont-elles enregistré aujourd'hui ? Quelle longueur de bande faudrait-il examiner pour reconstruire le film décousu de sa journée ?

« *Si un détail vous paraît familier dans ce document, contactez le numéro suivant...* »

Alexander imagine le présentateur de *Crimewatch* se délectant des scènes croustillantes. Vous avez vu un peu ça ? Il ne le dit pas tout haut, mais son sourire satisfait ne manque pas d'éloquence. De quoi faire exploser l'Audimat !

Alexander dresse une liste de toutes les personnes à qui son visage rappellerait quelque chose. Les banlieusards inconnus avec qui il a voyagé ce matin ; le père de famille avec le landau dans le parc ; le petit serveur insolent du bar à huîtres de chez Selfridges.

Mais il n'apparaîtra pas dans *Crimewatch*.

Ce n'est pas un crime de disparaître.

N'est-ce pas ?

Personne ne se lancera à sa recherche, pour la bonne raison qu'il est mort.

Rien de suspect dans cette histoire.

Rien ne permet de remonter jusqu'à lui. Il a même emporté son passeport.

Au fond de sa poche, sa main rencontre l'enveloppe où il l'a rangé. Pourquoi ne l'a-t-il pas mis dans un tiroir la veille ?

On dirait le jeu télévisé *N'oubliez pas votre brosse*

à dents, dont les candidats doivent se tenir prêts à s'envoler pour les Bahamas séance tenante s'ils sortent gagnants.

Et l'argent ?

Nell ne manquerait pas de remarquer les prélèvements suspects sur leur compte joint dès l'arrivée du relevé, mais aujourd'hui, il n'a utilisé que la carte de sa mère. Nell ne connaît même pas l'existence de ce compte, qu'il n'a toujours pas repris à son seul nom. Il ne lui en a jamais parlé, par crainte qu'elle ne lui reproche sa négligence. Nell n'aime pas laisser traîner les choses.

La logistique est en place.

« Une dernière question, et vous montez dans l'avion... »

Il sent le danger s'accroître à mesure qu'il se rapproche de l'école.

C'est de la folie pure !

Si seulement une de ses connaissances pouvait l'apercevoir en sortant du pub. Il ralentit le pas, tenté de s'attarder sur les lieux.

Il est décidé à entrer. Malcolm sera sûrement là avec Vivienne, en train de noyer son chagrin dans l'alcool.

À travers un brouillard de fumée, il distingue une tablée d'hommes qui n'en sont pas à leur premier verre. Son regard scrute la salle à la recherche de visages familiers. Les hommes – supporters d'une équipe de foot ou rugbymen en virée pour le weekend – reprennent en chœur le refrain de *Daydream Believer*, par les Monkees. Leurs vociférations assourdissantes éjectent Alexander du bar comme une explosion aux relents d'alcool.

La pizzeria où travaille Kate n'est qu'à une centaine

de mètres, sur le trottoir opposé. Un homme en tablier de cuisinier sort remettre en place un panneau que le vent a fait tomber et rentre. Un taxi passe en vrombissant, et la pancarte OUVERT se balance dans son sillage.

Chaque table du restaurant est ornée d'une tulipe rouge dans un soliflore. Un homme et une femme sont installés à une table au centre de la salle, mais ils ne touchent pas à leurs pizzas.

Alexander fait semblant de consulter le menu scotché au milieu de la vitre.

Au fond de la pizzeria, Kate surgit de derrière les dessertes métalliques avec un sourire triomphal, brandissant une bouteille dénichée au fond d'un placard – un de ces flacons d'huile pimentée dont le long goulot se termine par un bec en métal. Un petit tablier noué autour des hanches, elle se dirige vers la table en plaisantant avec le cuisinier, qui fait sauter une pizza derrière les dessertes.

Alexander étudie son profil, dont le relief est momentanément altéré par les lumières du plafonnier, et s'arrête sur la légère grimace que provoque la question du client. Les mots que forment les lèvres de la jeune fille sont certainement des plus banals, mais Alexander se sent jaloux de cet homme. Kate fait un sourire, coince un crayon derrière son oreille. Son regard se porte fugitivement dans la direction d'Alexander, mais elle ne le voit pas et disparaît aussitôt derrière la machine à cappuccino.

Alexander se cache derrière le menu, honteux de l'observer à son insu. Il aime sa façon d'occuper l'espace, sa manière de bouger, l'énergie retenue dans sa silhouette bien dessinée.

Il doit partir, c'est évident.

Il entre dans un pub de l'autre côté de la rue. Le

téléphone se trouve au fond de la salle, près d'une machine à sous qui persiste à clignoter malgré l'absence de joueur. Alors qu'il décroche le combiné, le bandit manchot émet une mélodie électronique saccadée qui le fait sursauter.

Il raccroche aussitôt.

24

— L'école ne répond pas, annonce Nell. Tout le monde doit être parti...

Elle compose les numéros avec des palpitations d'angoisse qui irradient de sa poitrine jusqu'au bout de ses doigts, tétanisée lorsque l'appel sonne dans le vide. Chaque échec la laisse suspendue entre le soulagement de ce regain d'espérance et la frustration de l'incertitude.

— Attendez... ah ! c'est un répondeur, fait-elle en couvrant le combiné de la main. Bonjour, c'est Nell. Je voudrais juste savoir si Alexander est là. Pourriez-vous me rappeler chez Frances, au...

Elle répète le numéro que lui dicte Frances et l'interroge du regard pour qu'elle lui suggère autre chose.

— Rappelle chez toi, conseille son amie.

— La ligne est occupée ! s'exclame joyeusement Nell sitôt le numéro composé. Ça sonne occupé !

Il est là, à la maison ! Tout va bien !

L'adrénaline se diffuse dans son corps telle la première gorgée de champagne.

— Recommence ! lui enjoint Frances.

Nell se concentre sur le clavier.

— Appuie sur rappel automatique ! s'impatiente Frances.

— Ça ne m'inspire pas confiance. J'ai un message enregistré, comme quoi mon appel a été signalé à mon correspondant ! S'il te plaît, Alexander, décroche !

— Fais le cinq et raccroche !

L'appareil de Frances émet aussitôt trois petits bips.

— Mais décroche !

Nell s'exécute aussitôt.

— Ça devrait sonner, maintenant.

— Oui, ça sonne.

— C'est ton numéro qui est rappelé.

Nell écoute l'interminable sonnerie.

Allez !

La sonnerie semble retentir dans une pièce vide.

— Ça ne répond pas.

Au bout de quelques instants, Frances lui prend le combiné des mains.

— Il n'y a personne, fait Nell d'un ton incrédule.

— La ligne était sûrement occupée parce que quelqu'un appelait en même temps.

— Alexander ? suggère Nell avec espoir.

— Peut-être.

— Je ne vois pas qui, à part lui.

Frances hausse les épaules sans répondre.

À quoi bon exiger d'elle une confirmation qu'elle ne peut lui donner ?

Il pouvait venir de n'importe qui, cet appel. D'un ami inquiet, de quelqu'un qui n'était pas au courant et voulait juste bavarder, ou même de sa mère. Et si c'était la police ?

Nell se rend compte qu'elle a éprouvé la même peur panique la veille, en attendant Alexander. Mais il a fini par revenir. Son angoisse était tout aussi vive qu'aujourd'hui, mais elle s'est révélée infondée. Cette violente appréhension ne signifie rien. À moins qu'elle ait eu un pressentiment la veille au soir. Mais non, elle ne croit pas à ces choses-là.

— De toute façon, il ne devrait pas être déjà à la maison, si ? demande Frances.

— Un vendredi soir, il y a peu de chances, convient Nell. S'il ne lui est rien arrivé, je suis sûre qu'il aura appelé en entendant les nouvelles. Le répondeur ne fonctionne même pas. Je l'ai débranché hier pour envoyer un fax. S'il a appelé, il n'aura même pas pu laisser de message. Il doit se demander où nous sommes passées. Bon sang ! Si seulement j'avais rebranché le répondeur, je crois qu'on peut consulter ses messages à distance...

— Pas la peine de culpabiliser pour des choses que tu n'as pas faites, tranche Frances. (Sa voix est chargée d'insinuations désagréables.) De toute manière, je suppose que tu ne sais pas comment accéder à ton répondeur.

— Effectivement, avoue Nell en pestant intérieurement contre sa phobie technologique.

— Qu'a répondu le numéro d'urgence ?

— Ils ont noté mes coordonnées en disant qu'ils me recontacteraient s'ils savaient quelque chose. C'était peut-être eux qui essayaient de me joindre.

— Tu ne vois pas quelqu'un d'autre susceptible de savoir où il est ? la presse Frances. Réfléchis ! Un collègue de l'école, par exemple.

— J'en connais vaguement deux ou trois, mais je n'ai pas leur numéro en tête.

— Leur nom ?

— Vivienne... je ne sais que les prénoms... attends une minute...

La tête enfouie dans les mains, Nell s'efforce de retrouver une occasion où Alexander aurait mentionné le nom de famille d'un autre enseignant. Elle se souvient bien d'une Mel et d'un Malcolm, mais ça ne va pas plus loin.

— Qu'est-ce qu'il y a, maman ?

Inquiète, Lucy passe la tête à la porte.

— Rien, ma chérie. (Nell se redresse vivement, comme si on l'avait prise en faute.) Pourquoi tu ne jouerais pas avec Lizzy Angel ? J'ai encore un ou deux appels à passer, et puis on rentre à la maison.

— Lizzy Angel ! renchérit la fillette, toute contente. Où elle est ?

Quand elles ont fouillé les deux pièces sans succès, Frances se rappelle que Lucy a joué avec dans le jardin. Un peu humide après son séjour à l'extérieur, la poupée est présentée à Fizz Tweeny.

— Tu es folle d'être sortie dans le froid sans manteau, la gronde Lucy, avant de répondre avec sa voix de poupée : Toutes mes excuses. Allez, viens, on va danser un peu pour te réchauffer, décrète l'enfant en s'éclipsant de nouveau au salon.

— Un peu de logique, reprend Frances. S'il n'a pas réussi à te joindre, qui appellerait-il en premier ? Ta mère ?

— Peut-être, je ne sais pas...

— Donne-moi son numéro.

Frances le compose elle-même à mesure que Nell le lui dicte.

— Lavinia, c'est Frances. Oui, je vais bien, merci. Et vous ? Tant mieux. Écoutez, Nell est chez moi et elle voudrait savoir si Alexander vous a contactée. Non ?

Elle fait un signe d'impuissance à l'intention de son amie.

— Je vous la passe ?

327

— Maman !

En entendant la voix de sa mère, Nell n'arrive plus à réprimer ses sanglots. C'est curieux comme la voix d'un parent vous transforme instantanément en petit enfant.

— L'accident de train ! C'était le train d'Alexander ! Je suis chez Frances avec Lucy...

— Elle n'a pas école ?

— Si, mais il faisait tellement bon ce matin que j'ai pensé qu'un bol d'air marin ne nous ferait pas de mal.

— Tu ne vas quand même pas l'habituer à manquer l'école ?

— Mais non, ce n'est pas une habitude...

— Il ne faudrait pas qu'elle en déduise que l'école est facultative par beau temps...

— S'il te plaît, ferme-la avec ton école ! Il y a plus important dans l'immédiat.

C'est la première fois que Nell ordonne à sa mère de la fermer. Au moins, ses larmes se sont arrêtées.

— Écoute-moi une minute.

Silence offensé à l'autre bout de la ligne. Sa mère n'a pas sa pareille pour rendre le silence expressif.

— Je vais rentrer à la maison, maintenant, explique lentement Nell. Si Alexander téléphone, dis-lui que je suis en route. Renseigne-toi à son sujet, essaie d'en apprendre le plus possible...

— D'accord, ma chérie. Mais ne te ronge pas les sangs tant qu'il n'y a rien de sûr. Ça ne t'avancera à rien.

— Je m'inquiète, je ne le fais pas exprès !

Nell met un terme à la conversation avant que la gamine pleurnicheuse ait repris possession d'elle.

— C'est à ne pas y croire ! s'exclame-t-elle.

— Elle n'a jamais aimé Alexander.

— Ce n'est pas une raison pour qu'elle souhaite sa mort ! coupe Nell avec humeur.

Lavinia est sa mère, et elle peut la critiquer si elle veut, mais certainement pas Frances, qui s'est toujours montrée des plus cavalière envers les impératifs familiaux.

— Non, pas elle, admet Frances.

Sa façon d'appuyer sur le « elle » incommode Nell, mais elle préfère passer outre.

— On devrait se mettre en route, déclare Frances.

— Tu ne vas pas nous accompagner ?

— Bien sûr que si.

— Écoute, c'est très gentil de ta part, mais on va se débrouiller. Lucy ! Lucy, ma chérie, tu devrais passer par les toilettes avant qu'on y aille. Le chemin sera long jusqu'à la maison.

— On est obligées de partir ?

— Oui. Dépêche-toi de te préparer !

— Pffff !

Lucy lui fait sa diva depuis le salon, poussant un grand soupir théâtral. Nell adresse un sourire entendu à Frances, d'un air de dire « On était toutes comme elle à cet âge », mais le visage de marbre de son amie la met légèrement mal à l'aise.

— Je doute que tu sois en état de conduire, insiste Frances.

— De toute façon, tu n'as pas ton permis.

Elle n'a aucune envie de provoquer une dispute, mais elle est bien décidée à ne pas emmener Frances, même si elle ne sait pas trop pourquoi.

— Soutien moral, argumente Frances.

Pourquoi s'oppose-t-elle si farouchement à ce que son amie l'accompagne ?

— C'est très aimable, mais je préfère être seule.

— De toute façon, tu ne seras pas seule, Lucy sera là. Je m'occuperai d'elle.

— Non, Frances, je te remercie, mais c'est non.

Quelle ironie ! Frances la pousse toujours à s'affirmer, à camper sur ses positions, et voilà qu'elle contrarie son amie en faisant précisément cela.

— Pourquoi tu ne veux pas ?

— Tu as cours, non ?

Elle aimerait bien faire partie des gens qui ne se gênent pas pour dire non.

— Je vais leur passer un coup de fil, l'excuse est quand même solide.

— Écoute, j'ai simplement envie d'être seule.

Elle ne veut pas de la présence de Frances parce que celle-ci s'empresse toujours de lui dicter ce qu'elle doit faire. Par moments, Nell a l'impression que la force de persuasion de Frances la pousse dans des directions où elle ne souhaite pas aller. Et ce soir, c'est hors de question.

— Ça, je n'en doute pas un instant, réplique Frances sur le ton sardonique qui perçait depuis un moment dans la conversation.

— Qu'est-ce que je dois comprendre ? lui demande Nell, alarmée par l'expression de son visage.

Heureusement que Lucy l'a superbement ignorée quand elle l'a priée de se préparer.

— Ce sera très commode pour toi si Alexander a péri dans cet accident, non ? accuse Frances, glaciale.

— Comment peux-tu dire une chose pareille ?

— Allez ! Tu pourras mettre tes projets à exécution tout en t'attirant la compassion de tout le monde.

— Mais je n'ai aucun projet ! proteste Nell avec un mouvement de recul.

— Et puis le noir te va si bien !

330

— Tais-toi ! hurle Nell.

— Tu ne passeras même pas pour une garce !

— Tais-toi ! répète Nell dans un murmure.

Elle ne se sentirait pas plus mal si on l'avait rouée de coups.

Frances pense-t-elle vraiment ce qu'elle dit, ou lui fait-elle une blague de très mauvais goût ? En dévisageant la personne dont elle se croyait un peu trop aimée, Nell mesure l'ampleur de sa méprise. Frances la déteste profondément. D'un seul coup, ses petites bizarreries, les signes si surprenants que Nell interprétait comme un léger penchant homosexuel se chargent d'une signification nouvelle.

— Pourquoi fais-tu semblant de le haïr ? demande-t-elle.

— C'est plus facile pour moi.

La vérité éclate dans l'esprit de Nell.

— Lucy !

— Quoi ?

— Prépare-toi tout de suite !

Surprise par la dureté de sa voix, Lucy se hâte de récupérer son anorak et sa poupée.

— Voilà, je suis prête.

Sans se retourner, Nell se précipite dans le couloir obscur en entraînant sa fille, gravit à toute allure la volée de marches glissantes. D'une main tremblante, elle attache la ceinture de Lucy avant de refermer la portière. En faisant le tour du véhicule pour se mettre au volant, elle entend Frances hurler le nom d'Alexander. Une partie d'elle-même a envie de retourner la consoler, mais l'autre n'aspire qu'à s'éloigner au plus vite de ces cris sinistres.

331

Ce n'est qu'une fois sortie de Brighton que Nell remarque les appels de phares des autres véhicules. Un coup d'œil au tableau de bord lui indique qu'elle a oublié d'allumer les siens. Elle répare son erreur aussitôt et respire profondément, comme si son souffle était resté suspendu depuis qu'elle a quitté Frances.

— On a passé une bonne journée, pas vrai maman ?

— Oui, une très bonne journée.

— Ça fait rien si on n'a pas dit au revoir à Frances ?

Apparemment, leur départ précipité l'a quelque peu déroutée.

— Non, ce n'est pas grave du tout, assure Nell.

— Et papa, ça fait rien si on lui a pas dit au revoir ce matin ?

— Non, répond Nell après une petite hésitation. On va lui faire un gros câlin quand il rentrera ce soir, d'accord ?

— D'accord !

Dans son rétroviseur, Nell regarde l'enfant se réinstaller, rassurée.

Si seulement il rentre à la maison... Devrait-elle préparer le terrain pour annoncer à la fillette qu'il risque de ne pas revenir, ou d'être blessé ? Non, c'est encore trop tôt.

Une voiture la dépasse, qu'elle n'avait même pas vue approcher. Les mains crispées sur le volant, elle n'est pas très sûre de maîtriser la trajectoire de sa voiture. Les lumières rouges qui brillent juste devant elle l'incitent à ralentir, mais elle comprend quand elles s'éloignent qu'il s'agit des feux arrière de la voiture, pas de ses feux de stop. On croirait que la partie de son cerveau où sont stockés ses réflexes de conductrice a cessé de répondre. Elle ne fait que du quatre-vingt-dix kilomètres à l'heure sur une autoroute à deux voies. À cette allure, il lui faudra deux bonnes heures pour arriver chez elle. Dans la file d'à côté, les voitures qui viennent de Londres forment un bloc ininterrompu, un chapelet de lumières menaçantes qui avance à sa rencontre. Se peut-il vraiment que l'état de choc altère les perceptions ?

Rétro, clignotant, volant, se répète-t-elle en se remémorant les rudiments de la conduite.

— On peut allumer la radio ? réclame Lucy.

— Si tu veux, mais pas de nouvelles. J'en suis gavée pour aujourd'hui.

À quel endroit Alexander s'assied-il dans le train ? Ce sont les deux premiers wagons qui ont été touchés. A-t-il une place attitrée ? Lui arrive-t-il d'aller boire un café à la voiture-bar avec son journal ? À moins qu'un employé ne passe dans les compartiments avec un chariot. A-t-il assez d'espace pour s'asseoir et préparer ses cours ? Y a-t-il une table devant son siège, ou juste une de ces tablettes rabattables qu'on trouve dans les avions ? Il se peut qu'il reste debout, s'efforçant de garder son calme lorsque les tournants le projettent contre les autres passagers. Autant de choses qu'elle ignore, puisqu'elle ne lui a jamais posé de questions. Elle ne sait rien du détail de sa journée.

Des images défilent dans son esprit : Alexander debout, devinant qu'il se passe quelque chose, arc-bouté en prévision de l'impact. Une odeur de brûlé, et lui qui hurle à la cantonade qu'il faut sortir tout de suite.

— Maman ?

Elles sont arrivées au niveau des Sand Downs, mais Nell ne se rappelle absolument rien des dix kilomètres parcourus. Elle se cale contre le dossier de son siège, fait appel à toute sa concentration.

— Oui, ma chérie.

— J'ai vraiment envie de faire pipi.

— On s'arrête dès qu'on trouve quelque chose.

Alexander se conduit-il en héros ? Vient-il en aide aux autres voyageurs ou les bouscule-t-il pour se ruer vers la sortie ?

Elle se revoit traverser une rue de Rome avec lui, non loin du Colisée ; ils se faufilaient à travers les voitures avec le landau et elle avait très peur qu'ils se fassent renverser. Quand ils s'étaient enfin retrouvés sur le trottoir d'en face, Alexander avait encore bravé à deux reprises la folle circulation romaine. Il venait en fait de repérer une vieille femme en noir, toute voûtée, qu'elle n'avait même pas remarquée. Lorsqu'il avait forcé un camion à s'arrêter, la main levée comme un agent de la circulation, elle s'était sentie à la fois attendrie et exaspérée qu'il risque sa vie pour une vieille commère qu'il ne connaissait même pas.

— Maman !

— Oui.

— On s'arrête bientôt ?

Sur la gauche, elle distingue l'enseigne vert et jaune d'une station-service BP. Nell oblique vers la bretelle d'autoroute sans mettre son clignotant et écrase la pédale de frein. Un coup d'avertisseur retentit derrière elle.

— Excuse-moi.

— Pas de problème, fait Lucy, qui n'a pas pris conscience du danger.

Les toilettes de la station-service sont glaciales et crasseuses. Avant que Lucy s'asseye sur le siège, Nell recouvre la lunette d'une couche de mouchoirs en

334

papier. C'est complètement absurde, elle s'en rend bien compte, de se tracasser pour quelques microbes alors que sa distraction de tout à l'heure aurait pu leur coûter la vie. Elles se rincent les mains sous un filet d'eau tiède, en prenant bien soin de ne pas toucher le lavabo. Avant de repartir, Nell passe par la boutique pour acheter des boissons, des chips et des bonbons aux fruits.

Tout heureuse, Lucy se réinstalle à l'arrière avec ses chips et un jus de pomme, tendant la main de temps à autre vers Lizzy Angel qui lui garde son paquet de bonbons. Sucré-salé. Pour une fois ce n'est pas grave, se dit Nell. Les circonstances sont tout à fait spéciales. Elle sait que les chips et les bonbons mous marqueront Lucy plus que tout le reste. Elle l'imagine se vanter devant sa grand-mère : « Mamie, devine ce que j'ai mangé pour goûter ! Des chips et des bonbons ! » Lavinia lui fait un sourire indulgent et foudroie Nell du regard.

Plus tard, Lucy conservera peut-être un souvenir proustien de cet en-cas englouti sous les lumières crues des néons d'une station-service. Une odeur d'essence, un bonbon sucré sur sa langue et son arôme fruité coulant dans sa bouche la ramèneront à cette nuit, et il se peut qu'elle dise un jour à ses amis : « Ça me rappelle la nuit où mon père... »

Non !

Nell boit une gorgée de Coca en canette, grignote une chips qui lui évoque aussitôt ses vacances de petite fille en Cornouailles. Debout sur la plage, avec un paquet rien que pour elle, elle cherchait au fond les papillotes de sel. Elle en trouvait parfois deux, ou même plus, qu'elle versait sur les chips avant de secouer le paquet. C'était toujours merveilleux, de croquer sa première chips grasse et salée.

— Maman.

— Oui.

— J'ai mal, maman.

— Où ma chérie ? Où est-ce que tu as mal ?

— À l'endroit du cœur, explique l'enfant en portant une main à sa poitrine.

— Ma chérie, répond Nell en luttant de toutes ses forces contre l'émotion qui menace de l'anéantir, ce doit être juste une indigestion, dans ton ventre. On se dépêche de rentrer à la maison.

25

— Le client de la douze se plaint qu'il n'a pas assez d'anchois, signale Kate à Tony.

— Je lui ai déjà donné un supplément.

— Il prétend qu'il n'a que cinq malheureux anchois sur sa pizza.

— Et alors, c'est pas une ration raisonnable ?

— Personnellement, je déteste ça, mais on est tombés sur le plus gros mangeur d'anchois de la planète et il va pas tarder à se mettre en rogne.

— On va essayer de noyer le poisson, réplique Tony, grand spécialiste des blagues nullissimes.

— Qu'est-ce que je lui raconte ?

— Dis-lui d'aller se faire foutre.

— Vas-y toi-même, alors.

C'est typiquement le genre d'incident dont Kate a horreur. Elle préférerait encore qu'un vrai problème se présente, comme la limace dans l'assiette de crudités le jour de son arrivée. « Ne criez pas trop fort, monsieur, avait plaisanté Tony, ou tout le monde va en vouloir ! » Et il avait ajouté ESCARGOTS sur le tableau, au-dessus des PLATS DU JOUR. Le bonhomme de ce soir, elle a comme l'impression qu'il récrimine dans le seul but de la mettre en boule. Il a commencé tout de suite à faire des histoires – une fois parce que son couteau portait des traces de calcaire, une autre fois pour qu'on lui apporte du piment. Est-ce qu'il cherche à impressionner sa copine, ou juste à se faire détester d'elle parce qu'il est trop froussard pour la plaquer carrément ? Les mecs sont très doués pour ce genre d'exercice. Kate épie le couple par-dessus la caisse enregistreuse. S'il voulait porter sur les nerfs de la fille, c'est réussi : elle a reposé ses couverts en laissant dans son assiette les trois quarts de sa Quatre-Saisons.

— Allez, file-lui ça, dit Tony en lui présentant le saladier en verre qui contient la réserve d'anchois de la soirée.

Les minuscules filets bruns et visqueux sont assez nombreux pour remplir un bol de petit déjeuner.

— Voici le supplément d'anchois, annonce-t-elle aimablement en déposant le saladier près du client. Avec les compliments du chef.

Kate reprend son poste d'observation derrière la caisse. La femme rigole un bon coup tandis que son compagnon considère le saladier d'un air interdit. Jamais il n'en viendra à bout, personne ne peut engloutir autant d'anchois.

Kate sourit dans le vague en revoyant Alexander enfourner ses huîtres.

— Alors, c'était comment avec ton chéri ? lui demande Tony.

Ça se voit donc tant que ça ?

Kate pique un fard et répond d'un ton évasif, tout en passant un chiffon sur une surface parfaitement propre.

— C'était bien.

« *Tu pensais vraiment ce que tu m'as dit tout à l'heure ?*

— *Oui, je le pensais.* »

Sa chair est encore brûlante là où Alexander l'a touchée.

— Et vous allez vous revoir ?

« *Tu seras là quand je rentrerai ?*

— *Le contraire m'étonnerait.* »

Elle remarque que Tony est lui aussi en train de manier inutilement son chiffon. Il n'aurait quand même pas des vues sur elle ?

— J'espère que oui.

Elle va commencer par s'arrêter chez Marco, puisqu'il a dit qu'il l'y attendrait peut-être. À moins qu'elle fasse d'abord un saut chez Marie, juste au cas où, avant de passer chez Marco. Au moins, elle aura de la compagnie si elle ne le trouve pas. Pourquoi a-t-elle tant de mal à croire qu'il sera là ? Il lui a affirmé qu'il serait là, tout de même !

« *Le contraire m'étonnerait.* »

Pourquoi n'a-t-il pas dit oui, tout simplement ?

— Et il fait quoi, dans la vie ? s'informe Tony.

— Il est prof.

— Bien.

Même Tony n'est pas capable de sortir une vanne là-dessus.

Et que feront-ils s'il est là ? Où iront-ils dormir ? Si Marie est de bonne humeur, elle acceptera peut-être d'aller dormir chez Des. Et demain matin ?

Kate reporte son attention sur le mangeur d'anchois. Il plonge sa fourchette dans le saladier, pique un filet et le met à la bouche ; au moment de renouveler l'opération, il se ravise et griffonne quelque chose dans l'air.

Kate imprime la note et la lui apporte dans une soucoupe.

— Vous avez terminé ? demande-t-elle en regardant les anchois huileux auxquels il a à peine touché.

— Oui, je vous remercie, répond-il avec un petit sourire fat.

Sa compagne lève les yeux au ciel d'un air de dire « Ah, les hommes ! » comme si Kate allait forcément comprendre.

« Ils ne sont pas tous comme ça ! » a-t-elle envie de lui répondre.

Le couple s'en va sans laisser de pourboire. Kate débarrasse leur table et remporte le saladier d'anchois.

— Désolée, Tony !

— Pas de soucis. De toute façon, j'avais craché dessus, alors !

— Bah, c'est dégoûtant ! Tu ne vas pas les réutiliser ?

— Bien sûr que non.

Sur le point de le poser sur la desserte, Tony met le saladier de côté, mais Kate peut jurer qu'il le remettra en place dès qu'elle aura le dos tourné.

— Alors, c'était un coup de foudre ?

— On peut dire ça.

Kate n'a aucune envie de faire part de son expérience à Tony, qui en profitera pour lancer des blagues grossières. Elle éprouve brièvement la tentation d'aller au-devant de ses questions – « Tu sais quoi ? On a baisé chez Selfridges » – pour le seul plaisir de le choquer, mais, le connaissant, elle se doute qu'il va lui énumérer tout un tas d'endroits insolites où lui ou ses amis ont fait l'amour.

— Tu l'as rencontré où, alors ?

Son hésitation et son coup d'œil furtif à la salle de restaurant ont suffi à la trahir.

— C'est un client ? demande Tony, extrêmement

340

fier de sa perspicacité. Il aimerait pas les anchois, par hasard ? Parce que j'en ai tout un paquet qui va partir à la poubelle...

— Non, il aime les huîtres, lui.

— Je vois.

— Tu en as déjà goûté ?

— Une fois de trop, grimace Tony.

— C'est répugnant, hein ? renchérit Kate, qui commence à apprécier de partager son histoire.

— D'après ce qu'on dit, ce serait... fait Tony en ondulant des hanches.

— Ah bon ? répond Kate d'un air candide, tout en sachant que la rougeur de ses joues lui ôte toute crédibilité. C'est calme ce soir.

— C'est pareil tous les vendredis, à cette heure-ci. Les gens normaux sont rentrés chez eux pour le week-end, et les tarés sont en train de prendre une biture. Ils vont rappliquer dans un moment et se goinfrer de pain aillé pour se remettre de leur cuite. Je te raconte pas l'état des toilettes en fin de soirée... T'en fais pas. Greta doit venir plus tôt pour donner un coup de main. Je lui ai laissé deux heures de repos.

Kate fait la moue. Elle soupçonne Greta de ne pas mettre tous ses pourboires dans la caisse commune.

— Elle t'a remplacée aujourd'hui, et pratiquement au pied levé, juge bon de lui rappeler Tony, qui n'aime pas les accrochages entre filles.

Kate jette un coup d'œil à la pendule. Les heures qui la séparent de minuit s'étirent impitoyablement.

L'a-t-elle prévenu de la longueur du service en soirée ? Aura-t-il la patience d'attendre ? Où peut-il être en ce moment ? Nu dans son lit, en train de penser à elle ? Chez Marco avec un café et un journal ? Devant un match de foot ? Elle ne sait même pas quelle est son équipe favorite. À moins qu'il soit rentré chez lui, lassé de l'attendre. Chez lui dans ce Kent qu'elle ne connaît pas.

— Ça ressemble à quoi, le Kent ?

— C'est le verger de l'Angleterre, explique Tony. Il y a des bâtisses avec des toits en pente pour mettre des trucs à sécher... l'avoine, je suppose.

— Qu'est-ce qui peut pousser quelqu'un à habiter dans le Kent ?

— Si tu vas par là, pourquoi les gens restent en Angleterre alors qu'ils pourraient vivre en Espagne ?

C'est une des rengaines préférées de Tony, qui a entendu dire qu'on pouvait acheter une bergerie en montagne pour une bouchée de pain, au-dessus de Malaga. Il rêve d'y ouvrir une pizzeria.

Kate doute fort que le projet aboutisse un jour.

— En Espagne, pas moyen de trouver une pizza correcte, rabâche Tony pour la énième fois, comme s'il s'agissait là de la petite excentricité charmante d'un pays par ailleurs idéal.

Elle est tentée de lui répliquer que c'est pareil en Angleterre, ou de lui demander s'il s'est assuré que les Espagnols aimaient la pizza, mais ce soir, elle n'est vraiment pas d'humeur à se moquer des rêves des autres.

La porte s'ouvre sur deux femmes chargées de paquets – la mère et la fille – qui s'écroulent devant la table quatre, à bout de souffle. Elles ont seulement fait du shopping sur Oxford Street, mais elles ont l'air aussi épuisées qu'après une journée à la mine. La plus jeune tient par un cordon une grande boîte de chez Pronuptia. Une robe de mariée. Elle commande d'abord une pizza jambon-champignons, puis change d'avis en faveur d'une salade niçoise.

Elle veut mincir pour le grand jour, en déduit Kate, qui lui propose aussitôt d'enlever les anchois huileux.

La fille accepte, mais Kate entend la mère s'indigner tandis qu'elle va chercher leurs boissons :

— Quel culot !

Deux nouveaux clients font leur entrée à cet instant, un homme en costume accompagné d'un enfant en uniforme scolaire. Ils choisissent une table près de la vitre et s'absorbent dans la contemplation de la rue sans échanger un mot. Tous deux semblent mal à l'aise dans leurs vêtements apprêtés.

C'est un divorcé, se dit Kate, et il s'occupe de son fils une fois par mois. Elle aimerait prendre le père à part et lui conseiller : « À votre place, je garderais la pizza pour le dimanche. Comme ça, votre fils aurait quelque chose à attendre. »

Le petit garçon demande une glace au coca.

— J'ai la bouche toute sèche, explique-t-il à Kate en tirant la langue.

Elle lui donne dans les cinq, six ans, l'âge où les garçons n'ont pas encore intégré que ça fait un peu bête de dire tout ce qui vous passe par la tête.

— Mmm, j'en ai bien l'impression, confirme Kate en inspectant brièvement la langue du gamin. Est-ce que le papa est d'accord pour une glace au coca ?

Quand le père la dévisage, son regard contient autre chose que la classique hostilité londonienne : c'est de l'effroi qui se lit dans ses yeux.

— Un thé pour moi.

— Et comme plat ?

— James ?

— James ! s'écrie Kate en écho, et elle précise, décontenancée par l'air terrifié du père : C'est un

343

prénom qui me plaît, James. Dis-moi, on te surnomme plutôt Jamie, ou plutôt Jimmy ?

— Non, c'est juste James, répond l'enfant.

— Comme dans *James et la pêche géante*. Bon, qu'est-ce que tu voudrais manger ? Peut-être une délicieuse pizza avec des tomates, du fromage, et puis... laisse-moi deviner... du jambon ?

— Pas de jambon, merci, je suis végétarien. Maman aussi est végétarienne, mais elle est quand même tombée malade.

Il dit cela sur le ton de l'interrogation. On lui a affirmé que les légumes étaient bons pour la santé, alors à quoi ça rime ?

Le père ne sait que répondre.

— Je suis désolée, se hâte de répliquer Kate. Et si je demandais au chef de mettre un supplément de fromage ?

Elle enlève les verres à vin et étale une serviette en papier sur les genoux du garçon, espérant dissiper la tension du père. « Reprenez-vous, a-t-elle envie de lui dire, vous faites peur à votre fils, et à moi aussi, alors que je ne vous connais même pas. »

Dans sa tête, Kate a déjà remanié le scénario. Le père et le fils sont venus voir la mère à l'hôpital. Les hôpitaux ne manquent pas, dans le coin. La mère souffre d'une maladie incurable, et son mari est terrorisé à l'idée de se retrouver seul. L'enfant a la gorge sèche d'avoir attendu des nouvelles tout l'après-midi dans un de ces couloirs surchauffés où médecins et infirmières défilent sans cesse sans que rien ne semble jamais se produire.

À la table quatre, une des deux femmes lève la main comme une écolière.

— Il vous faut combien de temps pour préparer deux salades ? demande-t-elle lorsque Kate vient la voir.

— J'en sais rien, moi. Combien de temps il faut pour préparer deux salades ? répète Kate, feignant de chercher la solution d'un calembour.

La fille part d'un fou rire nerveux, tandis que Kate jette un coup d'œil au comptoir. Les salades sont prêtes, elle n'a plus qu'à les leur apporter.

— En dehors des fleurs, la seule grande décision concerne la coiffure... déclare la mère, ignorant délibérément Kate qui pose les deux saladiers devant elles. Diadème ou couronne de fleurs ?

Avec tout ce protocole à respecter quand on organise un mariage, songe Kate, on se demande qui y trouve son compte, mise à part la clique d'hôteliers, traiteurs, esthéticiennes, coiffeurs, pâtissiers, couturières, DJ et imprimeurs, qui en ont fait leur fonds de commerce.

Kate dépose une énorme boule de glace à la vanille dans une coupe à sundae et l'arrose de coca pétillant. Elle dispose sur un plateau le mélange dangereusement mousseux, une théière et une tasse, et le transporte avec précaution jusqu'à la table. Défi aux lois de la gravité, une pointe de mousse crémeuse flotte à la surface de la coupe, pareille à l'écume stagnante des eaux de Blackpool. Est-ce la rencontre de l'eau salée et des cônes glacés tombés à la mer, se demande Kate, ou simplement le résultat de la pollution ?

— Ça pourrait être une mission pour Sécurité internationale, observe le petit garçon en jouant avec sa Thunderbird 1 miniature, qui lâche des sachets roses d'édulcorant sur un ennemi invisible.

— Toutes mes excuses, fait le père à Kate en rassemblant les petits paquets.

— Ce n'est rien.

Elle ramasse le plateau en imitant de son mieux la voix de Thunderbird :

— Occupe-toi de FAB, Virgil !

Le visage de l'enfant s'éclaire un instant avant de se rembrunir.

— Virgil pilote Thunderbird 2, corrige-t-il.

— Oups ! Et qui c'est, lui, alors ?

— Scott.

— Ah oui ! Bien sûr !

Elle adresse un clin d'œil au père, qui ébauche son premier sourire de la soirée.

— Kate !

C'est Tony qui l'interpelle depuis l'autre bout du restaurant.

— Qu'est-ce qu'il y a ?

— Téléphone ! répond-il d'un air inquiet.

Qui peut bien l'appeler ici ? Marie est la seule à avoir le numéro, et elle ne la contacterait pas sans une bonne raison. Que peut-il y avoir de si urgent ?

Jimmy ! Oh, mon Dieu, pourvu qu'il ne soit rien arrivé à Jimmy !

Kate traverse la salle en courant.

— Il dit que c'est urgent, rapporte Tony, la main sur le combiné.

Il reste à proximité, au cas où elle aurait besoin de soutien.

Il ?

Le sang cognant violemment à ses tempes, Kate s'empare du téléphone, où Tony a laissé des traces de farine.

— Allô ?

346

— Kate ?

La voix ne lui est pas inconnue, mais elle ne parvient pas à l'identifier. Un médecin ? Un policier ?

— Oui, c'est moi, fait-elle de sa voix la plus mature et la plus responsable.

— C'est Alexander.

La tension qui l'habitait se relâche dans un éclat de rire, où la surprise se mêle au soulagement.

— Tout va bien ? lui souffle Tony.

Kate fait oui de la tête et pivote de manière à lui cacher son visage.

— Comment as-tu trouvé le numéro ? chuchote-t-elle.

— Il figure sur le menu, en devanture.

Elle jette un coup d'œil vers la vitre, s'attendant presque à le découvrir derrière avec son portable, mais il n'y a personne dans la rue. Un petit frisson de malaise lui parcourt l'échine.

— Hé, tu n'es quand même pas un de ces détraqués qui suivent les femmes ? dit-elle sur le ton de la plaisanterie.

— Il faut que je te parle.

— Où es-tu ?

— Dans le pub d'en face.

Elle sent ses épaules se détendre, flattée par le ton pressant de sa voix. Elle aperçoit depuis la pizzeria la première vitre du pub de l'angle. C'est drôle, de parler avec lui au téléphone alors qu'ils ne sont qu'à cinquante mètres l'un de l'autre. Ce n'est pas pour lui déplaire, d'ailleurs.

— Je t'écoute, nous n'avons pas foule, ce soir.

— Non, viens me rejoindre.

— Mais je travaille...

— Puisque tu me dis qu'il n'y a pas grand monde...

Elle n'aime pas sa façon de la piéger avec ses propres mots.

— Je suis la seule serveuse.

— J'ai quelque chose à te demander.

— Ça ne peut pas attendre ?

Ses paroles lui font un drôle d'effet, comme s'ils étaient engagés dans une vraie relation.

— Tu n'as qu'à dire que c'est une urgence.

Lui, on peut dire qu'il est habitué à obtenir ce qu'il veut. Le combiné collé à l'oreille, elle se sent envahie par le même désir qu'elle devine chez lui.

— J'ai une pause dans une heure.

— Non, viens tout de suite, s'il te plaît...

Kate coule un regard discret vers Tony. Feignant de ne pas l'écouter, il s'est même mis à siffloter, ce qui ne lui arrive jamais. Kate fusille du regard la porte qui vient de s'ouvrir. Avec deux tables déjà servies, elle pouvait envisager de s'absenter, mais avec une troisième, c'est complètement râpé. Et puis un sourire involontaire illumine son visage. Greta est arrivée en avance.

— Je viens dès que possible, dit-elle avant de raccrocher.

— Tu te fais pas assez désirer, lui reproche Tony en secouant la tête. Les hommes, ils aiment bien que les femmes disent non.

— Moi je dis toujours non, fanfaronne Kate. Mais lui, ce n'est pas pareil...

— Pas pareil ? Ah, ah ! C'est toujours la même histoire ! ricane Tony en étalant de la tomate sur la pâte à pizza. Si tu te radines en courant dès qu'il te sonne, il va pas beaucoup te respecter !

— Bon, bon, si tu veux.

« Écoute, a-t-elle envie de lui dire, lui il est vraiment différent. Pas comme toi, en tout cas. Il n'est pas assez primaire pour vouloir que je fasse semblant de ne pas l'aimer. »

— J'ai promis double ration de fromage, signale-t-elle en désignant les rares copeaux de mozzarella.

— Supplément d'anchois, supplément de fromage, marmonne Tony. Hé ! Tu veux me mener à la faillite, toi !

Greta embrasse du regard la salle presque vide tout en attachant son tablier.

— On en est où avec la une ?

— On attend une Napolitaine avec supplément de fromage, et on laisse le petit jouer avec le sucrier parce que sa mère est à l'hôpital.

— OK.

Alors que Kate s'apprête à sortir, une femme pousse la porte de l'autre côté. Kate recule pour la laisser passer. Des cheveux mi-longs, très soignés, un rouge à lèvres assorti à sa veste. Elle se dirige vers la table près de la vitre en claquant des talons et se penche pour serrer l'enfant dans ses bras. Le père se lève pour l'étreindre à son tour, puis la tient à bout de bras en la contemplant comme s'il n'en revenait pas de la voir si belle.

Qu'est-ce que ça peut bien signifier ?

Alexander s'est installé à une table d'angle et a posé sa veste en cuir sur le siège voisin pour le réserver. Il se lève en la voyant le chercher des yeux parmi les clients, haussée sur la pointe des pieds. Ils échangent un sourire, mais quand elle s'avance vers lui, ils ne savent plus comment se saluer. Il lui frôle rapidement le bras, de la même façon qu'un enfant toucherait un mannequin au musée, au cas où il serait vivant.

— Ne me refais plus jamais ça ! déclare Kate tout de go.

— Quoi donc ?

— Me faire croire que c'est une urgence.

— Excuse-moi.

— On dirait un escargot qui transporte sa maison sur son dos ! observe-t-elle en soulevant sa lourde veste pour la poser sur le dossier de la chaise.

Elle remue lentement le bras, comme si le poids de la veste l'avait disloqué.

Alexander va lui chercher un jus d'orange au bar. Pour quelqu'un qui avait une nouvelle urgente à annoncer, il n'est pas bien pressé.

— J'espère que je ne me déplace pas pour rien, lui lance Kate, parce que maintenant, je vais devoir travailler quatre heures d'affilée.

Il pose sur elle un regard perplexe, l'air de ne pas trop savoir pourquoi elle est venue, de ne pas saisir le sens de ses paroles. Pressentant soudain une mauvaise nouvelle, elle regrette de ne pas avoir pris un moment pour se préparer à la rupture, au lieu d'arriver en courant, comme les filles sur les images floues des pubs pour déodorants.

Alexander boit une gorgée de bière. Est-ce sa première pinte de la soirée ? Autour d'eux, le chahut éthylique des vendredis soir rend plus sensible la longueur de son silence.

— Tu n'en as pas marre de travailler là-dedans ? finit-il par lui demander avec un signe de tête en direction du restaurant.

Cherche-t-il à lui faire comprendre qu'il méprise son métier, et qu'elle ferait mieux d'en changer si elle compte avoir l'ombre d'une chance ?

Kate se raidit, piquée au vif dans son orgueil.

350

— Pas tant que ça, en fait. Les clients sont intéressants.

Il la regarde d'un œil sceptique.

— Je ne fais pas seulement allusion à toi, reprend-elle. Chaque table raconte une histoire. Tiens, en ce moment, il y a un couple avec un enfant, juste à côté de la vitre, et j'essaie de comprendre si la femme est la sœur du type ou sa nouvelle copine, et ce qu'ils fichent un vendredi soir dans une pizzeria miteuse. Ils sont arrivés séparément, tu vois, et ils sont hyper-élégants... et lui a l'air tout malheureux.

— Ils sont peut-être divorcés.

— Si c'est le cas, je crois qu'il s'en mord les doigts.

— Ce n'est pas forcément lui qui a décidé.

— Et si elle était le médecin qui soigne sa femme ? Elle est habillée très chic. Peut-être qu'elle s'est attachée à James... Si ça se trouve, c'est la seule personne à qui il fait confiance...

Elle s'interrompt dans ses hypothèses, consciente de bâtir un épisode d'*Urgences* à partir d'une scène à peine entrevue.

— James ?

— Oui, c'est le nom du petit garçon.

— Tu es purement incroyable, conclut Alexander avec un sourire.

Et il y a tant d'affection contenue dans ces mots qu'elle en a le rouge aux joues.

— Alors, combien de temps te faudra-t-il pour avoir assez d'argent de côté ?

— L'argent ? Quel argent ?

— Pour ton voyage autour du monde.

Kate éclate de rire. On dirait vraiment qu'il croit à

son projet ! « Mais personne n'imagine que je le ferai pour de bon », a-t-elle envie de lui dire.

Il lui fait signe de se rapprocher, comme pour lui confier un secret. Elle se penche par-dessus la table, l'oreille près de ses lèvres.

— Et si on partait tout de suite ?

Il lui dépose un rapide baiser derrière l'oreille, là où la peau est si douce. Ce tendre baiser, à la fois discret et sensuel, la comble d'un plaisir presque insoutenable. Faisant mine d'être chatouillée, elle voûte les épaules pour protéger son cou de ses lèvres.

— Arrête ! susurre-t-elle sans grande conviction.

— Viens avec moi ! dit-il en se levant, le bras tendu vers elle.

— Mais pour aller où ? demande Kate sans bouger de son siège.

Alexander se rassied et se courbe par-dessus la table avec des airs de conspirateur, veillant à ce que personne ne l'entende.

— Si on se dépêche, lui glisse-t-il doucement, on peut attraper un avion dès ce soir.

— Un avion ?

Kate a parlé un peu trop fort, et elle se met à rire pour couvrir ses paroles. Se prêtant au jeu, elle se penche à son tour et baisse la voix.

— Un avion pour où ?

Il a dit ça pour plaisanter, c'est certain.

— Qu'est-ce que ça peut faire ?

Il n'est quand même pas en train de lui proposer de partir au bout du monde avec lui ? Est-ce que c'est faisable, d'abord ? Est-ce qu'on peut monter dans un avion aussi facilement que dans le bus ?

— On prendra le premier vol qui se présente, et on verra bien où il nous emmènera.

Il doit avoir perdu la tête. Est-elle en train de vivre une histoire d'amour fou, dans le sens littéral du terme ?

— Mais pourquoi ? demande-t-elle, incrédule.

— Je veux me réveiller près de toi demain matin. Peu importe l'endroit...

— Mais c'est complètement dingue !

— C'est ce que tu penses ? Tu m'avais dit que tu croyais au possible.

Elle est curieuse, sa manière de lui renvoyer ses propres remarques. Ça ne lui déplaît pas foncièrement, mais elle éprouve quand même une petite réserve. Comme un appel à la méfiance. Elle ressasse un moment ses paroles, cherchant à mettre le doigt sur le quiproquo.

— C'est une blague, je suppose.

— Pas du tout.

C'est Sacha qui lui parle, Sacha qui l'invite sur son tapis volant.

— Bon, alors on y va ! décrète-t-elle sur un ton de provocation.

Alexander se lève, Kate aussi. Ils passent une minute à se dévisager, mettant l'autre au défi de se rasseoir. Et puis il lui fait un sourire, un de ces sourires lumineux qui lui donnent envie de passer le restant de sa vie à le contempler.

Prenant la main qu'il lui offre, elle se laisse guider vers la sortie du pub bondé. Ils se mettent à courir dans la rue, aussi hilares qu'un couple d'adolescents qui vient de resquiller un dîner au restaurant.

26

Le crissement des graviers de l'allée sous les roues tire Lucy du sommeil.

— Maman, c'est de la neige ?

— Non, seulement les fleurs de nos arbres, répond Nell en regardant les pétales d'un blanc éclatant danser dans la lumière des phares.

Lorsqu'elle coupe le contact, l'obscurité est si dense qu'elle ne peut distinguer la maison, jusqu'à ce que ses yeux s'adaptent. En sortant de la voiture, elle aperçoit un lambeau de ciel encore teinté de doré, tel un fragment de papier jaune qui aurait échappé aux vigoureux coups de pinceau d'un enfant qui veut peindre la nuit.

— Papa est rentré ? s'enquiert Lucy en s'extirpant du siège arrière.

— Je ne crois pas. Pas pour le moment.

À l'intérieur, rien n'a bougé depuis leur départ. Nell décroche le téléphone, vérifie la tonalité et raccroche. Puis elle compose le 1471, un numéro bien familier. Un appel a été enregistré à dix-neuf heures dix. Déçue, Nell réalise qu'il s'agit de celui qu'elle a passé chez Frances. Rien d'autre depuis. Aucun appel en deux heures, note-t-elle en consultant sa montre. Elle ne saurait dire si c'est bon signe ou pas.

— Maman, je peux me coucher sans prendre de bain ?

— Évidemment, mon cœur. Brosse-toi juste les dents. Je consulte mes mails et j'arrive.

En accomplissant le rituel du coucher malgré l'angoisse qui la taraude, elle a l'impression de jouer son rôle de mère comme une automate, mais Lucy ne semble pas s'en apercevoir.

Elle a un sursaut d'optimisme en découvrant que trois messages l'attendent, mais les deux premiers proviennent du directeur de son journal, qui a envoyé un double par erreur, et le dernier de Frances. Un très long message, apparemment, qui s'intitule « Mille excuses ». Nell se déconnecte sans en lire aucun des trois.

— À quelle heure il revient, papa ? lui crie Lucy, la bouche pleine de dentifrice.

— En général, il rentre tard le vendredi, répond Nell en montant l'escalier.

— Comment ça se fait ?

— Il sort prendre un verre avec des amis.

— Un verre ou plein de verres ? demande la fillette avant de cracher dans le lavabo.

Effectivement, il s'est écoulé assez de temps depuis sa sortie du travail pour qu'il ait éclusé le contenu d'un fût de bière.

— Allez, au lit ! ordonne Nell.

Elle aide Lucy à se déshabiller et la borde dans son lit. Alors qu'elle se glisse hors de la chambre, la fillette lui dit de sa petite voix :

— Maman ? Je crois que Lizzy Angel est restée dans la voiture.

À présent, le ciel n'est plus qu'une grande coupole étoilée. Nell leur trouve un air bienveillant, à ces myriades de petites lumières. Elle retrouve sur la banquette arrière Lizzy Angel et Fizz Tweeny, et passe un instant à les cajoler.

— Qu'est-ce que tu en penses, Lizzy Angel ? Tu crois qu'Alexander va bien ?

Sous la pression de ses doigts, la poupée hoche sa fine tête de laine, ses yeux au point de croix débordant d'optimisme. Oui, mais voilà : Nell n'a jamais fait confiance à Lizzy Angel.

« Pourquoi Lucy l'a-t-elle baptisée ainsi ? lui a récemment demandé Alexander.

— C'est une expression de ta mère. Elle disait toujours "Lucy, mon ange", ou "Alexander, mon ange"... Tu ne te souviens pas ? Lucy commençait tout juste à parler, et elle croyait qu'on ajoutait mon ange après chaque mot.

— Tu crois qu'elle a des souvenirs de ma mère ?

— On a parlé d'elle, de comment elle était. Elle sait que c'est elle qui lui a offert Lizzy Angel, lui a gentiment répondu Nell, surprise qu'il cherche à établir un lien entre les générations. Tu devrais lire ses livres à Lucy. »

Elle doute qu'il l'ait fait, cependant. La pensée lui vient, fugitive, que ces livres seront un réconfort pour Lucy, une manière d'étoffer ses souvenirs d'Alexander. Elle la repousse aussitôt, révoltée par son imagination morbide.

Nell retourne auprès de Lucy pour lui rendre la poupée qui veillera sur son sommeil, les yeux grands ouverts.

La fillette se retourne alors qu'elle quitte la chambre à pas de loup.

— Maman ?

— Oui ?

— Tu es ma plus préférée du monde.

— Toi aussi, Lucy, tu es ma plus préférée.

De retour au rez-de-chaussée, Nell allume la télé. Un bonhomme à lunettes risque de remporter un jackpot de 125 000 livres s'il peut donner la distance entre la Terre et la Lune. Nell feuillette le programme. Le prochain bulletin d'information n'est pas avant dix heures.

Que faire ?

Elle décroche le combiné et compose le numéro de sa mère après quelques secondes d'hésitation.

— Maman ? Nous sommes rentrées.

— Alexander aussi ?

— Non, pas lui.

— Tu as eu des nouvelles ?

— Non.

— Je suis sûre qu'il va finir par se manifester. Dans ce cas, il n'y a plus rien à dire.

— Mais maman, je ne sais plus quoi faire !

— Pas de nouvelles, bonnes nouvelles.

— Tu ne diras plus ça si je n'ai toujours pas de nouvelles à minuit, ou demain, ou... bredouille Nell d'une voix brisée par l'émotion.

— Tu veux que je vienne chez toi, ma chérie ?

— Non. C'est gentil mais j'aime mieux pas...

— Tu voudrais que je prenne Lucy à la maison ?

— Non, elle s'est endormie.

Le chien de chasse estropié qu'a recueilli sa mère dort dans la cuisine, et sa corbeille fait éternuer Lucy. De ce fait, Nell ne l'emmène chez sa mère que si elle n'a pas le choix.

— Je suis en train de regarder *Inspecteur Morse*, ma chérie.

— Ah, pardon.

Nell raccroche, étrangement rassurée que sa mère ne soit pas assez perturbée pour manquer un épisode d'*Inspecteur Morse*.

Elle feuillette son répertoire posé près du téléphone. Elle ne s'attendait guère à y trouver l'écriture d'Alexander, mais à la lettre E, sous le mot ÉCOLE, il a griffonné les numéros de Mel et de Vivienne.

Nell tente d'abord sa chance avec Mel. Elle sait qu'Alexander l'aime bien, qu'il déjeune régulièrement avec elle, et qu'il apprécie ses blagues. Comme il a très peu parlé d'elle ces temps derniers, faut-il en conclure à une brouille ou à un rapprochement ?

— Mel n'est pas là, répond une voix de femme à l'autre bout du fil. Ils sont partis ce matin.

— Partis ?

— Oui, ils ont quitté le pays. Pour l'Indonésie.

L'espace d'une seconde, Nell voit apparaître un couple sur une plage de sable blanc, main dans la main. L'homme se retourne, et c'est Alexander.

— Ah...

— J'ai l'adresse e-mail de Joe, propose son interlocutrice.

— Non, ce n'est pas la peine, répond Nell, se souvenant à l'instant qu'Alexander lui a parlé d'une fête en l'honneur de Mel et Joe.

Quand elle compose le numéro de Vivienne, un « Bonjour » enjoué retentit à l'autre bout de la ligne, comme si la femme avait longuement peaufiné ses intonations sexy.

— Bonjour, excusez-moi de vous déranger... Voilà,

je suis Nell, la compagne d'Alexander... Il n'est pas rentré et je me demandais si vous saviez...

Ses accents de femme trompée lui font regretter amèrement de ne pas avoir préparé son discours.

— Mais je le croyais malade, coupe Vivienne.

— Malade ?

— Oui, il n'est pas venu, aujourd'hui. Il a bien laissé un message ?

— Quel message ?

— Ce n'est pas moi qui l'ai écouté, c'est sûrement Malcolm. Il n'est pas repassé chez vous ?

— Non. Enfin, je ne pense pas. J'étais absente.

Nell balaie la pièce du regard. Le journal est toujours impeccablement plié sur la table, tel qu'on le leur a distribué ce matin. Encore une preuve, s'il lui en fallait vraiment une, qu'Alexander n'est pas repassé par la maison. Ça saute aux yeux, qu'il n'y a pas remis les pieds de la journée !

— J'espère que je n'ai pas commis d'impair.

— De quelle heure date le message ?

— Je ne sais pas exactement. En général, il y a quelqu'un à l'école à partir de neuf heures. Vous avez le numéro de Malcolm ? Même si je doute qu'il en sache davantage...

Cette promesse d'intrigue semble lui mettre l'eau à la bouche.

— Donc, il daterait du début de la matinée, ce message...

— C'est ça. Du tout début, précise-t-elle, comme si ce détail devait aggraver la situation.

— Je vous pose cette question parce que le train habituel d'Alexander a eu un accident, explique Nell.

L'impatience lui donne un ton abrupt et glacial.

— Oh, mon Dieu ! Ce n'est pas possible ! Pas le train d'Alexander !

— Je crois que si.

— Je suis désolée, vraiment... Mon Dieu, il était absent au travail et il a pris ce train... Mais comment personne n'a pensé... peut-être à cause de son message... On a tous supposé... Écoutez, vous allez téléphoner à Malcolm... à moins que vous préfériez que je m'en charge ?

— Non, je vais l'appeler moi-même, lui répond Nell, devinant qu'il s'agit de la faiseuse d'histoires dont lui a parlé Alexander.

Elle comprend instinctivement qu'il serait furieux qu'elle l'ait mise au courant si jamais...

— Vous me donnerez des nouvelles... la prie Vivienne. Je suis tellement désolée...

Nell raccroche et fixe le téléphone jusqu'à avoir la vue brouillée, mais les larmes ne viennent pas. De toute évidence, Alexander est mort ou blessé. Sinon, comment expliquer qu'il ne soit pas allé travailler, qu'il ne soit pas non plus à la maison et qu'il n'ait pas appelé ? Mort, mort, mort. Nell s'efforce de donner plus de réalité à la chose en se concentrant sur le mot, mais c'est peine perdue. Elle est encore plongée dans un état dénué d'émotions, mise à part l'angoisse qui la ronge. Elle garde les yeux rivés sur le téléphone, comme si on allait l'appeler d'un instant à l'autre pour confirmer le pire. C'est alors seulement qu'elle pourra ressentir ce qu'on doit éprouver en pareilles circonstances.

Sur son répondeur, le très maniéré Malcolm signale qu'il est sorti fêter son célibat retrouvé. Nell raccroche après la fin du message.

Pourquoi Alexander a-t-il appelé l'école en disant qu'il ne viendrait pas ? Et à quelle heure l'a-t-il fait ? Il n'utilise son portable qu'en cas d'absolue nécessité. Le plus probable, c'est que Vivienne s'est trompée et qu'il n'a pas appelé du tout.

Nell passe à la cuisine et débarrasse la vaisselle du petit déjeuner. Elle jette les restes de céréales à la poubelle et rince les tasses. Demain, elle remplira le bol de Lucy avec un optimisme égal, et jettera encore les céréales que sa fille aura à peine touchées. La vie d'un enfant est structurée par tout un ensemble de rituels et d'habitudes. Comment s'y prendra-t-elle pour lui expliquer que son père est parti comme chaque matin mais qu'il n'est pas rentré ? Après cela, Lucy n'aura plus confiance en rien ni personne.

« Ça fait rien si je n'ai pas dit au revoir à papa, ce matin ? »

Nell non plus ne lui a pas dit au revoir. Volontairement, qui plus est. Elle était éveillée pendant qu'il prenait sa douche et qu'il s'habillait, mais elle l'a écouté en feignant de dormir. Elle n'aurait pas supporté d'ouvrir les yeux et de le voir la regarder telle une étrangère. Est-il pire de s'être quittés sans un au revoir ou de s'être querellés ?

Alexander ! Hurlant son prénom en silence, Nell cherche à établir un contact avec lui en descendant au plus profond d'elle-même.

« Je t'en prie, Alex, il faut que tu sois encore en vie ! Tu ne peux pas nous faire une chose pareille ! »

Nell remonte à l'étage et entre sur la pointe des pieds dans la chambre de Lucy. Penchée sur le lit, elle respire l'odeur tiède et suave de l'enfant, une odeur d'innocence. Elle s'assied sur le plancher, réconfortée par les sifflements imperceptibles de son souffle régulier.

Nell fait des promesses en silence, comme si elle priait.

« Si tu es toujours vivant, Alexander, nous irons vivre ailleurs. »

« Si tu es en vie, nous retournerons en Italie, n'importe où, où tu voudras. »

« Si tu es vivant, nous aurons tant de raisons de remercier le sort que plus rien ne nous rendra malheureux. »

« Si tu es vivant, Alexander, nous recommencerons à parler comme autrefois, et nous partagerons tout. »

« Si tu es en vie, nous ferons l'amour. »

Nell se précipite dans l'escalier en entendant le téléphone.

— Alexander ?

— Non, c'est Chris. Tout va bien ?

Elle était tellement sûre que c'était Alexander !

— Si je dérange...

— Alexander n'est pas encore rentré. Il était dans le train qui...

Elle éclate en sanglots.

— Mon Dieu, Nell...

En percevant la tristesse dans sa voix, la jeune femme comprend pour la première fois que ce drame touche aussi d'autres gens.

— Sarah n'a rien ?

— Non, elle a pris la voiture aujourd'hui. Par miracle.

— J'ai appelé l'école d'Alexander. Il ne s'est pas présenté au travail. Il ne peut pas être mort, ce n'est pas possible !

Dans le long silence qui suit, elle n'entend plus rien que les battements affolés de son cœur.

— Je ne sais pas, Nell.

Chris est trop honnête pour la bercer de mensonges, mais privée de l'espoir qu'il lui a enlevé, elle ne parvient plus à contrôler ses larmes. Alexander est mort, c'est une certitude ! Elle en a eu l'intime conviction en reconnaissant le parking de la gare, dans le reportage. C'était comme un message qui leur était adressé, à Lucy et à elle.

« Est-ce que c'est le train de papa ? »

— Nell ! crie la voix à l'autre bout du fil. Nell, j'arrive tout de suite. Raccroche, maintenant !

Elle obéit à Chris avant de s'asseoir sur le canapé. Le vide de la désolation a remplacé les larmes. Elle croise les bras sur sa poitrine, s'aidant de ce geste pour ne pas craquer. Au bout d'un moment, une sensation sous ses doigts lui indique qu'elle n'a pas retiré sa veste. Elle l'a gardée depuis son retour, comme si elle prenait sa maison pour une salle d'attente.

Chris frappe à la porte en s'annonçant à mi-voix, ne lui laissant même pas une demi-seconde d'espoir. Elle se traîne jusqu'à la porte, ne sachant pas trop ce qu'il est venu faire.

Sa tête arrive pile au niveau de l'encadrement, remarque-t-elle en lui ouvrant. Elle le croyait encore plus grand que ça.

— Sarah a dépassé Alexander avec sa voiture, ce matin. Elle en a déduit qu'il avait dû prendre le train précédent.

— Tu es venu pour me dire ça ?

— Non, je suis venu pour être avec toi. Elle m'en a parlé au moment où je partais.

L'inquiétude dessine des plis autour de ses yeux.

Derrière lui, les phares d'une voiture illuminent fugacement les pommiers, dont les fleurs blanches se découpent un instant dans la lumière avant de replonger dans la nuit. Nell se rend compte que Chris attend qu'elle l'invite à entrer.

— Ne reste pas dehors, fait-elle en s'effaçant pour le laisser passer.

Par réflexe, elle le conduit à la cuisine, là où ils s'installent d'ordinaire. Elle ne tient pas à se laisser tomber sur le divan à côté de lui. À la cuisine, au moins, ils pourront discuter sans craindre de réveiller Lucy.

— Un café ?

— Ce que tu as, n'importe.

— Choisis.

Sa prévenance l'agace prodigieusement, mais elle lui permet au moins de concentrer son attention sur quelque chose. Elle n'aurait pas supporté de rester là toute seule à se préparer au pire.

— Du thé, alors.

— Tisane, plutôt ?

— Non.

Nell est profondément soulagée par ce refus : s'il s'était mis à lui vanter les vertus calmantes de la camomille ou de la menthe, elle l'aurait sûrement giflé.

— Où as-tu passé la journée ?

— Nous sommes allées au bord de la mer.

— Ah...

— Ben ne s'est pas trop ennuyé de Lucy ?

— Si, horriblement.

Elle trouve lamentable qu'ils soient assez hypocrites pour exprimer leurs sentiments par le biais des enfants – surtout ce soir –, mais elle ne peut s'empêcher de lui sourire. Elle lui tourne le dos pour remplir la bouilloire.

— On leur a appris à compter de deux en deux, aujourd'hui. Ben est arrivé à cent pendant le chemin du retour. Il était fier comme tout.

— Lucy lui a rapporté un cadeau. C'est juste un vilain caillou, en fait. Et elle a gagné une Tweeny ! Tu vois ces machines avec une pince qui ne remonte jamais rien ? Eh bien, elle, elle a réussi !

Nell se remémore le bref instant de triomphe, le jouet serré contre son cœur à la manière d'un talisman. On dirait qu'un siècle est passé depuis. Et quel vœu a-t-elle formulé alors, pareille à une enfant qui vient de trouver un trèfle à quatre feuilles ?

Que tout aille bien, voilà ce qu'elle a demandé.

Mais dans le fond, quel était son véritable souhait ?

Elle transvase l'eau bouillante dans la théière et l'apporte sur la table.

— Nell ? fait Chris en la dévisageant avec inquiétude.

— Oui ?

— Tu as oublié de mettre le thé.

— Oh, mince !

Elle reverse l'eau dans la bouilloire en riant et se rassied pendant qu'elle chauffe. Leurs regards se croisent.

— Ben est impatient d'aller jouer au tennis, demain.

— Lucy aussi.

Elle est curieuse de savoir de quoi ils parleraient s'il s'agissait d'un vendredi ordinaire, si elle était sûre qu'Alexander allait revenir. Sans doute lui raconterait-elle les détails de sa journée, sa conversation avec Frances. Et elle lui avouerait peut-être qu'elle se sent presque prête à coucher avec lui. Ces choses semblent appartenir à un lointain passé, totalement déconnectées du présent.

Dès que l'eau bout, Nell la verse dans la théière avec deux sachets de thé, souriant toujours à Chris.

— Tu veux des biscuits ?

— Non, merci. Tu as mangé ?

— Non, on a juste acheté de quoi grignoter à la station-service. Et Lucy s'est régalée, ajoute-t-elle devant sa grimace.

— Ça ne m'étonne pas.

Nell dispose des biscuits sur un plateau, des lunettes sablées fourrées d'une gelée rose. Elle aurait mieux fait d'ouvrir des gâteaux à apéritif.

— Tu crois qu'on peut savoir si quelqu'un est mort ? demande-t-elle à Chris. Je veux dire, penses-tu qu'on puisse le sentir au plus profond de soi-même ?

— Je ne sais pas, et toi ?

— En ce moment ? Non.

— Qu'est-ce que tu ressens ?

— Je voudrais juste savoir. Je n'en peux plus de rester dans l'incertitude, j'ai l'impression d'essayer de parer un choc qui approche à toute vitesse sans jamais frapper pour de bon. J'en oublie même de respirer.

Elle retire sa main lorsqu'il fait mine de la toucher.

— Quand as-tu appris l'accident ? s'informe-t-elle d'un ton aussi détaché que si elle évoquait une nouvelle régionale sans importance.

— Dans le bulletin de midi. J'étais à l'atelier...

— Et tu as pensé à Sarah ?

— Je savais qu'elle avait pris sa voiture. Je comprends ce que tu éprouves, se hasarde-t-il à dire après un long silence.

— Comment pourrais-tu ? réplique Nell d'un ton cassant.

— Par contre, j'ai pensé à toi, quand je ne t'ai pas vue à l'école et que tu n'as pas répondu au téléphone. Je suis même passé ici. Ta voiture n'était pas là...

— Mais tu m'as vue ce matin, tu nous as fait bonjour.

— Je le fais tous les jours. Je n'étais pas sûr de t'avoir vue aujourd'hui.

— Tu fais un signe à la maison ? Même si tu ne me vois pas ?

— Je dis bonjour parce que tu peux être là sans que je te voie.

Elle se met à rire, sans trop savoir si ce détail accroît ou diminue son affection. Il sourit de ce bref instant de gaieté, mais le visage de Nell se rembrunit aussitôt.

— Chris, qu'est-ce que je vais bien pouvoir faire ?

— Sers-nous le thé, pour le moment.

Elle remplit deux mugs, en pousse un devant lui. La tasse entre les mains, ils soufflent sur le liquide brûlant, comme par une soirée d'hiver.

— Tu as contacté le numéro d'urgence ?

— Oui. Tu crois que je devrais rappeler ?

— Il est à peine neuf heures et quart, fait-il en regardant sa montre.

— Je ferais peut-être bien réessayer à dix heures, si...

— Je pense.

Ils sirotent lentement le thé chaud. Nell remarque soudain qu'il porte une tenue de sport.

— Qu'est-ce que tu as raconté à Sarah ?

— Que j'allais faire un jogging... et que je passerais

éventuellement chez toi pour vérifier que tu allais bien. C'est là qu'elle m'a parlé d'Alexan...

— Elle doit s'imaginer que tu t'entraînes pour le marathon. À force de te voir courir !

Elle ne veut pas l'entendre prononcer le nom d'Alexander, mais chaque fois que celui de Sarah surgit dans la conversation, elle se hérisse et se rabat sur de pitoyables sarcasmes, telle une adolescente jalouse.

— Je vais voir si Lucy va bien, dit-elle en vidant le fond de sa tasse dans l'évier.

Il lui prend la main lorsqu'elle passe près de lui.

— Nell, si...

Une émotion à peine perceptible traverse son regard et s'évanouit quand elle l'observe. Pourquoi, se demande-t-elle, les yeux bleus n'ont-ils pas l'expressivité des yeux bruns ? Alors que le regard d'Alexander lui évoque deux lacs insondables, celui de Chris ressemble à la surface de la mer au soleil couchant, pâle et opaque comme l'acier.

— Quoi ?

— Tu veux que je reste ? demande-t-il en lâchant sa main. Juste un petit moment.

— Je redescends dans un instant.

Lorsqu'elle s'arrête à la porte de Lucy, l'enfant devine sa présence et se retourne en marmonnant dans son sommeil, puis se réinstalle pour dormir. Nell respire bien fort deux ou trois fois, puis retourne au rez-de-chaussée.

Chris est debout dans la cuisine, les bras croisés.

— Je ferais bien de partir.

— Oui, peut-être.

Ils restent tous les deux immobiles. Nell, de par son emplacement, lui barre l'accès au salon et à la porte d'entrée. Chacun esquisse un pas à gauche, puis à

368

droite pour céder le passage à l'autre, mais ils persistent à se déplacer du même côté. Ils échangent un sourire, gênés par ce petit ballet improvisé. Nell recule d'un pas, Chris avance d'autant. Alors qu'elle tourne la tête au moment où il se penche vers sa joue, les lèvres de Chris frôlent le coin de sa bouche. Le regard braqué sur lui, elle porte la main à son visage comme s'il l'avait frappée.

— Chris, j'ai peur.

— Je sais.

Il lui ouvre les bras, et elle appuie sa tête contre son épaule pendant qu'il lui caresse le dos.

— Nell, si jamais...

— Non, coupe-t-elle.

— Non.

— Ce n'est pas ma faute, dis-moi ? murmure-t-elle contre son cou.

Il s'écarte pour la dévisager, s'assurer qu'il a bien entendu.

— Bien sûr que non, Nell. Tu n'y es pour rien.

Les lèvres de Chris se posent sur les siennes, infiniment plus douces que ce qu'elle attendait.

27

— Attends une minute ! Kate lui saisit la main pour l'obliger à ralentir et l'attire dans l'ombre d'un porche, près d'une boutique qui brade du matériel de bureau.

— Est-ce que tu m'aimes vraiment ?

— Mais oui ! s'impatiente-t-il en lui plantant un rapide baiser sur le bout du nez.

Il a hâte de repartir, avant que la pression ne retombe. Les bras noués autour de son cou, Kate l'attire contre elle pour un baiser passionné, presse ses hanches contre les siennes. Touche-moi, embrasse-moi, baise-moi tout de suite !

— On y va ! fait-il en se dégageant de son étreinte.

En la voyant écarquiller les yeux, blessée par son refus, il se rapproche d'elle et l'embrasse longuement. Dans la vitrine derrière eux, il constate que les Post-it coûtent cinq livres les dix blocs, les rouleaux de Scotch une livre le lot de trois. Y aurait-il un problème avec la colle ?

— Mais demain, insiste Kate, est-ce que tu m'aimeras encore ?

— Tu sais, on dirait les paroles d'une chanson, se moque-t-il en la tirant doucement par la main.

— Je veux quand même le savoir.

— Oui, bien sûr.

— Même si on ne part pas ?

Alexander fait semblant de se cogner la tête contre la vitrine en signe d'exaspération.

— Pourquoi les femmes en veulent-elles toujours plus ?

— Et pourquoi les hommes ne posent jamais de questions ? lui retourne Kate. Et pourquoi sont-ils aussi pressés ?

— La spontanéité, suggère-t-il en désespoir de cause, sentant que la situation lui échappe.

— J'ai pas mal de choses à régler, moi.

— Quel genre de choses ?

— Des choses, c'est tout.

— Je croyais que tu rêvais d'évasion.

— C'est vrai, mais je n'ai pas l'intention de prendre la fuite.

L'étonnante fraîcheur avec laquelle elle formule les évidences lui donne l'impression qu'elle récite les répliques d'un très mauvais film.

— Il y a une différence ?

Après un moment de réflexion, elle répond d'un air charmeur :

— Je n'en sais rien, moi.

— C'est une question d'argent ? J'en ai assez pour deux.

Elle secoue la tête. Il y a manifestement quelque chose qui la chiffonne, et ça ne va pas se régler aussi facilement. Quelque chose dont elle ne lui a pas parlé. Tout en regardant sa grimace indécise, Alexander cherche à comprendre ce qui l'a poussé à prétendre qu'il l'aimait, et comment il a pu imaginer une seconde que sauter dans le premier avion avec elle résoudrait quoi que ce soit.

— Et si on rentrait chez Marie ? suggère-t-elle.

— On va prendre un café.

Il aspire à la lucidité que procure la caféine, certainement pas à la confusion du sexe.

— Chez Marco ?

Au fond de la petite tasse blanche, les dernières gouttes d'expresso forment une tache brune. Chacun attend que l'autre prenne l'initiative d'entamer la discussion qui va aboutir à leur séparation.

Il est clair que Kate est aux prises avec un secret qu'elle a préféré lui cacher. « Écoute, a-t-il envie de lui dire, pourquoi on ne se quitterait pas ici, à l'endroit où tout a commencé ? On ne va pas se lancer dans les explications et les récriminations. Arrêtons-nous là. »

Marco dépose devant Kate une assiette de spaghettis carbonara d'où s'élève un panache de fumée.

— Je meurs de faim, s'excuse-t-elle.

Lorsque Alexander décapsule la bouteille de San Pellegrino, le gaz s'échappe avec un long *pschitt*.

Munie de sa fourchette et de sa cuillère, Kate s'attaque à son assiette de pâtes.

— Tu n'as pas deviné, si ? demande-t-elle alors, comme si elle avait besoin de ce réconfort pour se décider à parler.

— À quel sujet ? répond Alexander, dont l'intérêt s'est nettement relâché.

— Pour mon garçon.

— Ton garçon ?

— Oui, mon fils.

Il se met à rire. Un peu de sauce à l'œuf s'est collée à la commissure de ses lèvres. Il imagine tout un cortège de secrets inavouables qu'elle aurait pu lui cacher, mais certainement pas un enfant.

— Jimmy, précise Kate.

C'est elle qui lui fait un sourire, à présent, avant de piocher avec appétit dans son assiette de spaghettis.

— Il a sept ans, annonce-t-elle en enfournant ses pâtes.

Un enfant plus âgé que Lucy. Il a peine à le croire. Mais pourquoi lui aurait-elle menti ?

— Pousse sur le côté de l'assiette, lui conseille-t-il. Regarde !

Il lui emprunte sa fourchette, attire quelques spaghettis et les enroule autour.

— Ils s'y prennent comme ça en Italie. C'est beaucoup plus pratique.

Elle expérimente sa méthode, la mine sceptique.

— Hé, tu as raison ! s'exclame-t-elle avec surprise.

— Le secret, c'est de ne pas en prendre trop à la fois.

— Et ça t'évite aussi d'ouvrir la bouche en grand, observe-t-elle en dégustant une nouvelle fourchette de pâtes.

— Et il est où en ce moment ? se sent obligé de demander Alexander.

— À la maison. Avec maman et mes frères, explique Kate sans interrompre son festin.

Il voudrait s'amuser de sa maladresse avec les pâtes, mais elle ne réussit qu'à l'incommoder. Quand elle boit une lampée d'eau minérale pour faire passer son repas, ses lèvres laissent une marque trouble sur le bord du verre.

— Ça ne t'a pas traversé l'esprit ? questionne-t-elle en déglutissant.

— Ç'aurait dû ?

— Même pas quand je t'ai offert le livre ? Comment

crois-tu que j'aurais connu *Sacha et le tapis volant* si je ne l'avais pas lu à un enfant ?

Et lui qui l'imaginait penchée sur un vieil exemplaire corné de la bibliothèque municipale ! Il n'avait pas calculé que lorsqu'elle avait l'âge d'aller seule à la bibliothèque, elle était bien trop grande pour lire les *Sacha*. Et puis de toute façon, *Sacha et le tapis volant* n'était plus édité quand elle était petite. L'ère Thatcher avait boudé le ton politiquement correct de la série, préférant gaver ses rejetons de tortues Ninja.

L'idée qu'elle pouvait avoir un enfant ne lui a jamais effleuré l'esprit, il peut le jurer. Est-ce de l'insensibilité de sa part, de la bêtise ou seulement de l'égoïsme ?

Il l'a crue libre et s'est imaginé l'aimer, mais à présent il n'éprouve plus rien.

— Pourquoi m'as-tu raconté que tu allais faire le tour du monde ?

— Je voulais savoir comment ça sonnait, de dire ça, avoue-t-elle après une minute de réflexion. Avec un inconnu, on peut être une autre personne, tu es bien d'accord ?

Il approuve d'un signe de tête.

— Cela dit, j'en ai toujours envie. (Et elle demande, après une nouvelle bouchée :) Tu as aussi un enfant, non ?

Il confirme d'un hochement de tête. À quoi bon dissimuler, maintenant ?

— Tu sais comment j'ai deviné ? demande-t-elle gaiement, très fière de son sens de l'observation.

— Non.

Quoi qu'il en soit, il ne va pas tarder à l'apprendre.

— Quand je me suis écorché le genou, hier. Tu t'es penché pour regarder, et ta voix a changé. Elle est devenue un peu plus douce que d'habitude. C'est là que j'ai compris.

— Tu l'as su dès hier ?

— Pas de manière consciente, se rétracte-t-elle. Bon, disons que j'ai fait semblant de ne rien savoir.

Concernant l'inconscient, les femmes sont plus à l'aise que les hommes. Les magazines féminins les abreuvent de théories sur le sujet, qu'elles ingurgitent au même titre que les informations sur l'élasticité de la peau et la structure du cheveu. Elles reprochent aux hommes de ne rien comprendre à leurs désirs et à leurs motivations cachées, mais n'est-ce pas justement la définition du subconscient ? Est-il techniquement possible de prendre conscience de son inconscient ?

Kate racle les restes crémeux au fond de son assiette et garde un moment la cuillère dans sa bouche, l'air songeur.

— Et tu es marié, déclare-t-elle d'un ton si catégorique qu'il se figure un instant qu'elle souhaite l'entendre nier.

Il pourrait lui répondre par un « non » assuré, mais ce serait mentir. Il n'a plus aucune raison de lui cacher la vérité, et même dans le cas contraire, son hésitation l'aurait déjà trahi.

— Je ne suis pas marié, mais...

— Tu es avec quelqu'un.

— Oui, je suis avec quelqu'un.

— Ah...

— Qu'est-ce qu'il y a ?

— J'espérais que tu étais divorcé. Et merde ! Je ne voulais pas dire ça comme ça !

Elle baisse les yeux, mais Alexander refuse de se sentir coupable.

— Et le père de ton enfant ?

— Il est toujours là-bas, répond-elle, sur le point de pleurer.

Ils échangent un long regard. Ils sont pris tous les deux, malheureux tous les deux, mais incapables d'aller l'un vers l'autre pour s'apporter un peu de réconfort.

— Si c'est ça, qu'est-ce qui t'a pris de vouloir aller à Heathrow ? lui demande-t-elle, récapitulant tout ce qu'il lui a dit.

— J'ai eu envie de prendre la fuite.

— Et c'est moi qui t'en ai empêché ?

— Je crois que si tu m'avais suivi, dit-il en pesant bien ses mots, je serais parti.

— Et maintenant ?

Maintenant, il se sent aussi étranger à elle qu'à toutes ces étudiantes qui viennent à Londres en quête d'une idylle et jettent immanquablement leur dévolu sur lui.

— Nous ne sommes plus les mêmes, déclare-t-il.

— Mais si ! le contre-t-elle avec un bref éclat de rire. Disons que nous nous croyions différents de ce que nous sommes.

Marco est si prompt à enlever l'assiette qu'elle vient de repousser qu'Alexander le soupçonne d'avoir épié la conversation. Il espère qu'elle va demander la note pour mettre un terme à cette histoire, mais elle commande encore un cappuccino. Quand on le lui sert, la crème dessine un cœur à la surface.

— À quoi ressemble ton copain ?

Sa question n'a pas d'autre but que de lui transmettre une partie de son malaise. Kate ne répond pas tout de suite. Son visage n'exprime ni tendresse ni hostilité, mais elle cherche apparemment une description équitable.

— Je suis tombée amoureuse de lui quand j'avais quinze ans, parce qu'il en avait dix-huit et qu'il avait l'air... évolué. On fonçait jusqu'à Blackpool sur sa moto, à une vitesse folle, tu vois, mais ça nous était égal de mourir parce que, pour nous, c'était ça, la vraie vie, on allait dans plein d'endroits... On montait sur les montagnes russes...

Elle lève les yeux, il acquiesce d'un signe de tête.

— Et puis je suis tombée enceinte. Et là, on n'allait plus nulle part. Il voulait qu'on se marie, qu'on fonde une famille. Les gens trouvaient que j'avais vraiment de la veine. Lui, il se fichait pas mal que j'aie mon brevet ou pas...

— Mais tu l'as eu ?

— Oui ! lance-t-elle avec un grand sourire. Pour l'usage que j'en ai fait...

Alexander l'encourage à poursuivre :

— Et tu ne l'as pas épousé...

— Non... On devait économiser pour le mariage, mais tout cet argent gaspillé pour une robe que tu portes une seule fois... À part ça, il fait partie de la famille. Ma mère l'invite à boire le thé deux après-midi par semaine. Elle ne comprend pas du tout ce qui peut me passer par la tête.

Lui qui la croyait libre de toute attache, il découvre peu à peu qu'elle est prise dans un réseau de relations complexes.

— Et qu'est-ce qui te passe par la tête, en fait ?

Kate baisse les yeux en soupirant.

— J'ai calculé qu'en moyenne, je ne passais que vingt-cinq minutes par jour avec Jimmy. Lui il est à l'école, moi au travail. Et puis il aime jouer au foot. Il se défend très bien, d'ailleurs. Il a déjà été repéré par des sélectionneurs pour jouer en Première Ligue. Ils ne le perdent pas de vue...

Elle s'interrompt, consciente de sa digression.

— Le temps qu'il passe avec moi, c'est une corvée pour lui. Je l'aide à faire ses devoirs, et je n'ai rien à lui apporter, tu comprends ? Je ne suis au courant de rien. Je travaille toute la journée, et quand je me couche, j'ai des sueurs froides, tu vois, la panique totale...

Elle le regarde pour s'assurer qu'il comprend, reprend lorsqu'il hoche la tête.

— Et je ne veux pas passer le reste de ma vie avec quelqu'un qui prend William Blake pour un leader conservateur, ou D.H. Lawrence pour le type aux chameaux...

Sa gravité d'autodidacte amuse follement Alexander. Elle mêle son rire au sien, sans trop savoir ce qu'elle a pu dire de si drôle, et ce rire partagé les ramène en arrière, au plaisir d'être ensemble. Puis Kate retrouve son sérieux, hésitant visiblement à lui révéler un autre secret.

— On a dit que je faisais une dépression, confie-t-elle doucement, mais c'était faux. La vérité, c'est que je sentais le monde avancer à toute allure, et moi je n'arrivais pas à le rattraper. Il y a tout un tas de choses que j'ai envie de faire... visiter Cuba avant la mort de Castro, ou trouver une île sans un seul McDonald's, avec juste du sable blond et des palmiers... je veux savoir si le Taj Mahal est lisse ou rugueux au toucher. Ça signifie que je suis malade mentale, à ton avis ?

— Certainement pas !

— Je mentirais en disant que je le fais pour Jimmy. C'est moi qui en ai envie.

— Il n'y a rien de mal là-dedans.

Alexander déteste ce ton de maturité qu'il adopte pour parler à Kate.

— Le docteur m'a prescrit du Prozac en me disant que ça me rendrait le sourire. Mais moi, je ne voulais pas qu'un médicament me fasse aimer ma vie, ce n'est pas logique. J'ai écrit à Marie, et elle m'a répondu « Pas question que tu prennes des drogues », ce qui est quand même marrant, venant d'elle. « Ce n'est pas de la folie de détester ta vie, je dirais plutôt que tu serais folle de l'aimer. » Voilà ce qu'elle m'a dit... Alors je suis venue à Londres.

Le récit des ennuis de Kate éveille en lui des sentiments mitigés, tendresse et malaise à la fois. Tous ces détails l'embarrassent parce qu'il ne veut pas être responsable d'elle.

— J'ai rencontré Marie, finit-il par déclarer.

— Ah bon ?

— Oui, on dirait les jumelles des contes de fées ; vous vous ressemblez comme deux gouttes d'eau, mais il y a la bonne et la mauvaise sœur.

Kate prend spontanément la défense de sa sœur :

— Elle n'a pas que des mauvais côtés, et moi je n'en ai pas que des bons. Marie n'a pas laissé un fiancé et un enfant, elle !

— Et le fiancé en question, il en pense quoi ?

La question manque cruellement de tact.

— Qu'est-ce qu'il en dit que tu sois partie à Londres toute seule ?

— Il dit que si on aime quelqu'un, on doit lui laisser sa liberté.

— C'est bien, non ? approuve Alexander, qui en vient malgré lui à admirer ce pauvre type.

— D'après moi, il a entendu ça dans *Little Voice*.

— Et ton fils ?

379

— Lui, tout ce qui l'intéresse, c'est de jouer au foot avec ses copains. Il se rend tout juste compte que je ne suis pas là.

— Ça m'étonnerait, objecte gentiment Alexander.

Kate a tant de présence, en effet, que son absence doit être vécue comme un deuil.

— Il me manque, bien plus que ce que j'aurais cru, dit-elle tristement. Hier soir, j'ai fait une promesse : si je passe une journée avec toi, je rentre.

— Tu savais que je viendrais ?

— Non, je croyais que c'était impossible, le détrompe-t-elle en riant. C'est bien pour ça que je me suis engagée !

— C'est pour ça que tu m'as mis dans ton lit ?

— Pas pour dormir, en tout cas ! réplique-t-elle avec un petit air prude.

À gauche de leur table, il devine que le vieux Marco, un torchon dans une main et une tasse dans l'autre, ne perd pas une miette de l'intrigue. Dès que Kate lève la tête, il se remet à essuyer sa vaisselle.

— Je t'ai trouvé superbe, lui révèle Kate en baissant timidement les yeux.

— C'est aussi ce que j'ai pensé de toi.

L'attirance resurgit quelques instants, tel un secret qu'ils seraient les seuls à connaître. Avec un sourire, ils détournent les yeux. Kate feint de se concentrer sur les sachets de sucre en poudre tandis qu'il se tourne vers l'écran de télé qui diffuse *Série A*.

— Et ton fils, il est supporter de quelle équipe ? s'informe Alexander pour relancer la discussion.

— D'après toi ?

— Les Wanderers de Bolton ?

— Non, ça, c'est la préférée de son père. Jimmy aime mieux Manchester. Et ton enfant ?

380

— C'est une fille.

— Elle ne s'intéresse pas au foot ?

— Elle n'a que cinq ans.

— Ah ! Dans ce cas, elle est encore dispensée. Les filles commencent à se pencher sur le foot quand elles sortent avec des garçons.

— Si tu le dis.

C'est un peu bizarre d'orienter la conversation sur les enfants, mais c'est un terrain moins périlleux.

— Comment elle s'appelle ?

— Lucy.

— Lucy, répète-t-elle avec son accent du Nord.

— En fait, c'est Lucia. Elle est née en Italie. Son nom signifie lumière.

— Je savais que tu étais allé en Italie avec quelqu'un.

— Pourquoi ?

— J'ai senti que tu avais des souvenirs fabuleux de l'endroit, et ça n'arrive jamais quand on est tout seul, pas au point de vous donner le sourire en y repensant.

Elle dit cela sur le ton de la conversation, comme si ça coulait de source, mais lui n'y avait jamais réfléchi. Comment une personne d'une telle fraîcheur connaît-elle si bien le monde ? Mais non, ce n'est pas vrai, c'est seulement lui qui se plaisait à la voir ainsi.

— Elle est italienne ? Ta compagne, je veux dire.

Elle appuie sur le mot « compagne », comme pour en souligner la prétention.

— Non.

Il ne tient pas du tout à lui parler de Nell.

— Et donc, maintenant, vous vivez dans le Kent ?

— C'est ça.

— Pourquoi ?

— Pourquoi le Kent ?

381

— Oui, pourquoi habitez-vous en Angleterre alors que vous pourriez vivre où vous voulez ?

— On a eu quelques ennuis avec Lucy, et on ne s'est pas décidés à redéménager.

— Des ennuis de quel ordre ?

— Lucy souffre de crises d'asthme et de graves allergies. À l'âge d'un an, elle a même failli mourir. Quand il t'arrive une chose pareille, tu veux pouvoir compter sur une ambulance quand tu appelles les urgences, et avoir un hôpital à proximité. En Italie, c'était plutôt compromis.

Est-ce bien pour cela qu'ils sont restés en Angleterre, dans un village qui ne leur plaît guère, mais qui a l'avantage de se trouver près de Londres, des hôpitaux et des parents de Nell ? Est-ce uniquement la peur qui les a poussés ? Jamais il ne s'en était expliqué à personne, pas même à lui-même.

— Elle est allergique aux cacahuètes ?

— Oui, et à tous les fruits apparentés.

— Un copain d'école de Jimmy est dans le même cas. On doit faire attention de ne pas mettre de cacahuètes dans son pique-nique, ni même des barres de céréales. Je suppose que tu lis soigneusement toutes les étiquettes. Il y a tellement de choses à base de cacahuètes.

— En effet, c'est un peu compliqué.

Ainsi, Kate est aussi une maman qui prépare des sandwichs à son enfant et achète des barres de céréales.

— Dis-moi, il y a tant de cacahuètes que ça, en Italie ?

Sa logique fait rire Alexander.

— Non ! Mais tu sais comme on a vite fait de se faire coincer.

Kate hoche vigoureusement la tête.

Voilà ce qui les rapproche : leur responsabilité d'adulte et de parent, le vrai point commun entre les gens.

— C'est moi qui ai acheté le beurre de cacahuètes, lui confie-t-il tout à coup. Après toutes ces années à l'étranger, je comptais me régaler, et puis...

Ce seul souvenir fait trembler si violemment ses mains qu'il doit les cacher sous ses cuisses pour que personne ne remarque.

Nell lui hurle de faire quelque chose, il tape dans le dos de Lucy pour lui faire cracher ce qui obstrue sa gorge, et puis Nell la lui arrache en criant que c'est de pire en pire, comme s'il ne s'en rendait pas compte et que c'était sa faute. Alors il se rue au-dehors en appelant au secours.

— De toute façon, c'était inévitable que tu tombes dessus un jour.

— Sur quoi ?

— Les cacahuètes et le reste. Il y a des amandes dans la tarte de Bakewell, par exemple.

Kate commence à passer en revue tous les articles inattendus qui contiennent des cacahuètes.

— Maintenant, il y a une mise en garde sur la plupart des barres chocolatées, et sur les œufs de Pâques...

C'est la première fois qu'il prend conscience que Lucy aurait eu sa crise même s'il n'avait pas acheté le beurre de cacahuètes, la première aussi qu'il parvient à se dégager de la culpabilité.

Kate se tait quelques instants, concentrée sur sa prochaine phrase, et lorsqu'elle lui parle à nouveau, sa voix lui fait l'effet d'un couperet.

— Qu'est-ce que tu comptais dire à Lucy...

Il regrette à présent de lui avoir dit son nom.

— À propos de notre départ à Heathrow ?

Ils mentionnent Heathrow comme une destination en soi, incapables l'un et l'autre d'imaginer la suite du voyage.

— Et toi, qu'est-ce que tu aurais raconté à Jimmy ? rétorque-t-il pour se défendre.

— Moi au moins, j'avais l'intention de lui en parler.

Est-ce que son imagination lui joue des tours ?

Son silence l'accuse encore une fois. Il contemple l'étrange beauté de son visage, ses sourcils froncés par l'incompréhension.

— Elle a l'âge que tu avais quand ton père est parti, observe-t-elle calmement.

Veut-elle lui offrir une explication à son comportement ou achever de le condamner ? Comment une chose aussi élémentaire, aussi limpide a-t-elle pu lui échapper ?

— Mais moi je ne l'ai pas fait, je ne suis pas parti.

Kate ne se contentera pas d'une telle réponse, et c'est tant mieux. Ainsi, l'attirance qui existait entre eux ne viendra plus parasiter la conversation.

Auraient-ils pu longtemps continuer à ignorer le passé de l'autre ? S'ils s'étaient évadés vers une plage de sable blond, le passé aurait peut-être été superflu. Au bout de combien de temps aurait-elle découvert qu'il n'était pas digne d'elle, pas à la hauteur, elle qui n'a eu besoin que d'une journée pour deviner ce que la plupart des femmes mettent des années à comprendre ? Pour découvrir qu'il n'est qu'un lâche. Son dégoût manifeste a des allures de châtiment, mais il l'accepte pleinement.

Il n'a fallu que vingt-quatre heures pour que leur

histoire d'amour parvienne à sa conclusion. Attirance, sexe, amour, puis brutale désillusion... une ébauche d'amitié promise à l'échec dès le départ.

Kate demande la note, qu'on leur apporte sur une soucoupe blanche. Elle tend la main pour la lire, mais il la prend de vitesse.

— Et maintenant, lui demande-t-il, que vas-tu faire ?

— Je ne sais pas, dit-elle sans le regarder. Je ne me sens pas le courage de retourner au travail.

Il est soulagé qu'elle n'ait vu dans sa question qu'une allusion au futur immédiat. La suite ne le concerne pas.

— Et toi, qu'est-ce que tu vas faire ? demande-t-elle à son tour.

Son regard erre autour de la salle, fuyant obstinément le sien.

— Je vais essayer de rentrer chez moi. L'accident de train a eu lieu sur ma ligne, mais ils ont dû affréter un bus.

Il a dit cela sans y penser. Kate le dévisage, la bouche entrouverte, les sourcils légèrement arqués, comme si elle allait poser une question. Elle referme la bouche sans parler. Il sait que son esprit a traité les fragments d'information et abouti à une hypothèse tellement atroce qu'elle ne peut même pas la formuler.

Attirance, sexe, amour, amitié avortée... puis haine, finalement.

Quand elle se lève, le raclement de sa chaise contre le sol est aussi assourdissant qu'un marteau-piqueur.

— Au revoir, dit-elle en lui tendant la main.

Il regarde sa main sans la prendre, et le visage pâle de Kate s'éclaire d'un sourire gêné au souvenir des bons moments qu'ils ont partagés. Elle écarte promptement la frange qui est retombée sur ses yeux, avant qu'il ne puisse se pencher pour la toucher.

Il n'y aura pas de dernière étreinte, pas de baiser d'adieu.

— Je crois que tu deviendras un grand écrivain, lui dit-il pour qu'elle le regarde encore une fois.

Il maudit sa propre arrogance, mais le visage de Kate s'illumine comme le rayon d'un phare.

— Pourquoi ? ne peut-elle s'empêcher de demander.

Les femmes en veulent toujours plus.

— Parce que tu découvres de la magie dans les choses du quotidien.

Il y avait de l'amour entre eux, se dit-il. Ils avaient même commencé à forger un langage rien qu'à eux.

Elle lui fait un signe de tête avec un dernier sourire et tourne les talons. Sa démarche devient plus souple à mesure qu'elle s'éloigne. Voilà, elle est partie, noyée parmi les milliers de gens qui fêtent le début du week-end.

Le regard braqué sur la porte du café, Alexander se sent subitement gêné par sa taille. Il apporte un billet de dix livres à la caisse et s'en va sans attendre la monnaie. Alors qu'il descend du trottoir, la tête ailleurs, un taxi manque le percuter. Le grincement des freins et le véhicule qui le frôle, si proche qu'il croit en ressentir l'impact, lui donnent dans un frisson une conscience plus aiguë de son existence.

Il n'est pas mort.

Il a survécu.

Il se dirige vers Cambridge Circus pour traverser à l'endroit précis où il s'est promené la veille avec Kate, mais il bifurque à droite au dernier moment. Cette décision apparemment insignifiante prend plus d'importance à chaque pas.

Il commence à sentir le sol sous ses pieds, les gaz d'échappement qui pénètrent dans ses poumons telle une masse grise et, aux abords de Leicester Square, les odeurs épicées de la cuisine chinoise. Ces parfums lui rappellent les dragons qui se dandinaient dans Gerrard Street, la petite main de Lucy solidement agrippée à la sienne, son visage d'enfant partagé entre le ravissement et la terreur, l'immense salle embuée du traiteur chinois où Nell questionne sans relâche un serveur dérouté sur la composition des plats. Il revoit la mine déconcertée de Lucy qui goûte son porc à la sauce aigre-douce, la joie de Nell quand la fillette ponctue d'un « Miam » sa première bouchée.

Tandis qu'Alexander presse l'allure en direction de la gare de Charing Cross, ses pensées se changent en résolutions – une tous les cinq pas. Il faut qu'ils viennent plus souvent à Londres, qu'ils fassent davantage d'activités en famille. Lucy s'est bien amusée au musée des Sciences, l'autre jour, émerveillée par l'envol de la montgolfière et par le spectacle des énormes bulles iridescentes. Tant de possibilités s'offrent à eux : carnavals, musées, ballets, galeries, et pourquoi pas un festival classique. Il imagine les réactions de Lucy devant tous ces spectacles. *Casse-Noisette*, une fougueuse interprétation de Rachmaninov sur un piano à queue, les notes suaves et suggestives d'un saxophone au crépuscule, sur les bords de la Tamise...

Les soirs d'été, quand les opéras sont retransmis sur un écran géant à Covent Garden, il pourrait y emmener Lucy, et lui conter à mi-voix ces histoires de fausses identités, de trahisons et d'amour. Et quand elle en aura assez, ils achèteront des glaces et s'éclipseront vers la rivière étincelante.

28

Pourquoi arrête-t-on de s'embrasser à l'âge adulte ? Nell ne sait même plus depuis quand elle n'a pas embrassé quelqu'un en position debout. Ça lui fait un drôle d'effet, en tout cas, de garder les pieds à plat, car dans ses souvenirs de baisers, elle se tient toujours sur la pointe des pieds.

Ses lèvres sont d'une exquise douceur et il tient son visage entre ses mains comme si elle lui était infiniment précieuse.

— Tu es tellement belle...

— Non, ce n'est pas vrai...

Il étouffe ses protestations d'un baiser. Seules leurs lèvres se touchent. Si elle ne gardait pas les bras le long du corps, Nell aurait le sentiment de franchir une frontière morale. Plus elle se raidit, cependant, plus elle sent tomber ses résistances, et plus elle donne d'elle-même dans ce baiser. Ce n'est pas un crime d'embrasser quelqu'un, se dit-elle, juste un peu plus grave que de flirter. Au cours d'une fête un peu trop arrosée, il arrive par exemple qu'on embrasse dans la cuisine un type qui nous plaît depuis toujours, pendant que notre ami attitré danse dans la pièce voisine sur *Hi-Ho Silver Lining*.

Ce baiser ne ressemble à rien qu'elle connaît. Chris

et elle ne sont ni des adolescents qui simulent le sexe, ni des amants en pleins préliminaires. Ce baiser est plutôt une conversation silencieuse entre deux adultes qui veulent se découvrir avant d'entreprendre un long chemin ensemble. Et parce qu'il les empêche de parler, il les lie plus intensément que le sexe. Tout ce qu'ils ont à se dire doit s'exprimer à travers lui. La peur, les regrets, l'excitation, la confiance. Elle se rapproche insensiblement de lui, se contracte lorsqu'il écarte les mains de son visage. Avec douceur, il attire ses hanches contre les siennes, presse son ventre contre son sexe en érection. Les yeux clos, elle frémit sous ses baisers qui pourraient suffire à la faire jouir. Il recommence à lui caresser le visage, toujours collé à ses hanches, séparé d'elle par deux couches de tissu.

La sonnerie du téléphone défait brutalement leur étreinte. Ils se tournent vers l'appareil qui continue de sonner, puis Nell bondit sur le téléphone, inspire, déglutit, se préparant au meilleur comme au pire.

— Oui ?

— C'est moi.

— Alexander ?

Nell jette un regard à Chris qui se force à manifester un minimum de joie.

— Tu vas bien ? Où es-tu ?

— À Charing Cross. Il n'y a pas de trains. J'ai essayé de te joindre toute la soirée.

— Non, ce n'est pas vrai.

— Mais où étais-tu passée ?

Ce n'est pas à lui de poser cette question.

— C'est plutôt à toi que je devrais le demander.

— Je me suis promené au hasard.

— Pardon ?

Il y a une heure à peine, elle s'est promis de changer

de vie s'il était vivant, mais à présent qu'elle le sait tiré d'affaire, c'est l'agacement qui reprend le dessus.

— Et j'ai réfléchi. Il m'est venu des tas d'idées... explique-t-il avec entrain.

— Des idées ? Mais on te croyait mort ! hurle-t-elle en éclatant en sanglots.

— Nell ?

— Mais bon sang ! fulmine-t-elle à travers ses larmes, où étais-tu passé ?

— J'ai essayé de t'appeler, bafouille-t-il.

Elle sent qu'il lui échappe à nouveau. Lui si enthousiaste quelques instants plus tôt, et voilà qu'elle gâche tout par son irritation. C'est donc l'effet qu'elle a sur lui ?

Chris feint de s'absorber dans la contemplation de leur bibliothèque. Est-il choqué par son comportement ?

— Nous étions chez Frances, lui dit-elle, un peu plus conciliante.

— Ah bon ? Comment va-t-elle ?

— La matinée était tellement belle que nous avons pris une journée à la mer.

— Moi non plus je n'ai pas eu envie d'aller travailler, fait Alexander d'un ton compréhensif.

Il a l'air d'excellente humeur.

— Mais tu es au courant pour l'accident ?

— Oui.

— Quand l'as-tu appris ?

— Vers les six heures, il me semble. J'ai téléphoné. J'ai même voulu appeler ta mère, mais elle est sur liste rouge.

C'est exact, Lavinia n'est pas dans l'annuaire. Est-elle horriblement injuste envers lui ? Elle consulte sa montre.

— Il est bientôt dix heures.

— Déjà ? J'ai oublié ma montre à l'école, hier. J'ai perdu la notion du temps, aujourd'hui.

— Il s'est écoulé quatre heures, Alex.

Il faut tout ce temps pour flâner sans but dans Londres ?

Silence à l'autre bout de la ligne.

— Tu es vivant, lui dit-elle avec douceur, et c'est tout ce qui compte.

En même temps, elle fait un signe à Chris pour l'empêcher de partir. Prêt à sortir, il referme discrètement la porte et leur emprunte un manuel de jardinage pour passer le temps.

— Le problème, Nell, c'est que je ne sais pas comment je vais rentrer.

— Tu veux que je vienne te chercher ?

— Ça ne te dérange pas ?

Il a le même ton penaud que le jour où il est rentré tellement éméché qu'il s'est assoupi dans le train et n'est descendu qu'à Ramsgate. Elle avait dû embarquer Lucy dans la voiture et faire le trajet en pleine nuit jusqu'à la côte, au milieu des camions de marchandises lancés à toute allure vers l'Eurotunnel.

— Je veux bien venir, mais pas jusqu'à Charing Cross.

— Où est-ce que je pourrais te retrouver ? Greenwich, ça te convient ?

— Greenwich ?

— Près du *Cutty Sark*. À cette heure-ci, il devrait y avoir de la place pour se garer.

— Bon, c'est d'accord. Mais ne m'attends pas avant une heure, le temps que je dépose Lucy...

— Disons minuit près du *Cutty Sark*.

391

On croirait qu'il lui fixe un rendez-vous romantique, ou qu'il parle d'une chanson des années trente.

— OK, dit-elle, sur le point de raccrocher.

— Nell ?

— Oui ?

— Tu es ma plus préférée du monde ! s'exclame joyeusement Alexander.

— Tu es certaine d'être en état de conduire ? s'inquiète Chris.

— Mais oui, je vais bien.

Comme il est différent de l'homme à qui elle vient de parler ! Alexander n'irait jamais se soucier du stress qu'elle a vécu aujourd'hui, ni du fait qu'elle a déjà parcouru deux cents kilomètres en voiture.

— Pourquoi je ne prendrais pas Lucy à la maison ? De toute façon, on va au tennis demain matin. Et puis je suppose que vous aurez besoin de vous retrouver tous les deux.

— Ça ne te gêne pas ?

Elle n'avait pas du tout envie d'imposer Lucy à sa mère, qui à cette heure-ci doit se préparer à aller au lit avec une tasse de lait copieusement additionnée de whisky, son chien bancal et le dernier numéro de *Country Life*.

— Pas du tout, je t'assure.

Chris lui offre-t-il ce tête-à-tête avec Alex pour qu'elle ait le loisir de lui parler d'eux ? Est-ce là sa principale motivation ?

— Je ne sais pas... bredouille-t-elle.

— Ne t'en fais pas, Nell.

Que doit-elle comprendre ? Qu'il n'y a pas urgence à informer Alexander de la situation ? Qu'il sait qu'elle va retourner vers lui ?

Cette absence de précipitation signifie-t-elle qu'il se détache d'elle ?

Il n'y a peut-être rien de plus à comprendre, après tout. Il est possible qu'il soit lui aussi en proie à l'incertitude.

Lucy dort si profondément que Nell répugne à la réveiller.

— Viens, ma chérie, murmure-t-elle tendrement.

Endormie, la fillette est beaucoup plus lourde que si elle était éveillée. Elle se détend aussitôt contre la poitrine de Nell, la tête nichée au creux de son épaule, confiant sans peur son corps assoupi aux courbes familières du corps maternel.

Dans l'escalier, elle redresse soudain la tête, les yeux grand ouverts.

— Papa est rentré ?

— Il est bloqué à Londres, je vais le chercher. Toi tu vas passer la nuit chez Ben.

Lucy referme les yeux avec un soupir. Nell doute qu'elle se soit vraiment réveillée pour poser sa question, surprise que son amour pour Alexander ait surgi aussi spontanément.

Chris fait le trajet sur la banquette arrière avec Lucy. Une fois arrivée chez lui, Nell porte sa fille dans la chambre de Ben, où un lit est déjà préparé. Elle anticipe la joie de Lucy quand elle s'éveillera auprès de son amoureux.

En redescendant, elle remet à Chris la trousse d'urgence de la fillette.

— Je m'occuperai bien d'elle, lui promet-il.

— Merci beaucoup. Où est Sarah ?

— En communication avec les États-Unis.

— Tu n'oublieras pas de lui transmettre mes remerciements ?

— Ce sera fait.

Il serait tout à fait normal que deux bons amis comme eux s'embrassent avant de se quitter, mais ils prennent soin de se tenir à distance respectable l'un de l'autre.

— Bonne chance, lui dit-il.

Dans ses yeux bleu acier, elle ne déchiffre aucun sens plus profond à ces mots.

— Oui, se borne-t-elle à répondre.

Sur Heart FM, c'est l'heure disco.

« Et maintenant, annonce le DJ, *You're The One That I Want*. »

Nell éteint la radio. Les scénarios possibles sont déjà assez nombreux à se bousculer dans son esprit sans qu'elle s'encombre la tête avec des souvenirs de l'époque où elle se crêpait les cheveux pour ressembler à Olivia Newton-John, moulée dans des tee-shirts à mancherons.

L'autoroute change beaucoup avec la nuit. Tant qu'il fait jour, le terrain plat qui s'étend tout autour donne l'impression d'un ciel infini et léger, et la vue est dégagée sur des kilomètres à la ronde. Mais la nuit venue, la route manque d'éclairage, et l'obscurité est si profonde quand les voitures se raréfient qu'elle a l'impression de s'engouffrer dans un tunnel vers un avenir incertain.

« Tu es ma plus préférée du monde. »

Alexander s'est conduit de manière si surprenante au téléphone qu'elle ne peut se défendre de l'étrange pressentiment qu'elle ne va pas le reconnaître, que

394

toute cette histoire se résume à une illusion, ou à une farce dont le sens lui échappe.

Minuit près du *Cutty Sark*.

Serait-ce le titre d'un thriller plutôt que d'une ritournelle sentimentale ?

Elle se répète mentalement ses paroles :

« À cette heure-ci, il devrait y avoir de la place pour se garer. »

Faisait-il une allusion à peine voilée à la dernière fois où ils s'étaient trouvés à Greenwich ?

La dernière Saint-Sylvestre du millénaire.

En s'éveillant le matin, ils avaient senti tous les deux qu'il fallait marquer d'une manière ou d'une autre le dernier jour du siècle. C'était Alexander qui avait eu l'idée de Greenwich. Comme elle prenait toujours le train, Nell ne s'était jamais aperçue qu'on pouvait s'y rendre très rapidement en voiture.

Ils avaient fait marcher Lucy à cheval sur la ligne de méridien, chacun la tenant par une main. Côté ouest, Alexander s'était agenouillé près d'elle pour lui donner des explications sur le nouveau millénaire qui s'ouvrirait à minuit. Lucy avait déclaré en levant vers lui un regard rayonnant :

— Papa, j'ai un pied dans chaque partie du monde.

— Je suis venu ici en voyage scolaire, lui avait appris Alexander, tout joyeux, tandis qu'ils s'éloignaient du musée de la Marine.

Leur journée eût été idéale s'ils n'avaient pas retrouvé leur voiture immobilisée par un sabot. C'était la faute de Nell qui, persuadée que les agents de la circulation ne travaillaient pas ce jour-là, s'était garée sur un emplacement interdit.

Alexander s'était montré tellement exécrable pendant

qu'ils faisaient le pied de grue devant la voiture blo-
quée que Nell avait emmené Lucy voir l'animation des
quais, les clowns et les musiciens, les enfants qui gam-
badaient en tous sens, coiffés de bandeaux scintillants
ornés d'un 2000 en lettres pailletées. Nell avait dû faire
de gros efforts pour cacher son profond chagrin à
Lucy : son imprudence avait gâché leur journée, et une
telle détresse le dernier jour du millénaire ne lui semblait rien augurer de bon.

Alarmée par le choc de ses pneus contre les cata-
dioptres de la route, Nell s'agrippe si fort au volant
que le sang menace de ne plus circuler dans ses doigts.
Alexander a choisi Greenwich parce que c'est le ter-
minus de la ligne de métro côté sud, pas parce que
l'endroit signifie quelque chose dans leur histoire.
Contrairement aux femmes, les hommes sont imper-
méables aux symboles ; les signes, les présages, tout
cela les laisse indifférents.

À partir du croisement avec la M25, la route est
mieux éclairée. Plus détendue, Nell s'appuie contre le
dossier, ne réalisant qu'à cet instant qu'elle est restée
courbée sur son volant pendant tout le trajet sur l'autoroute. Elle balance la tête à droite et à gauche, espérant reproduire par cette relaxation consciente les
sensations des massages de Chris.

Alexander ne se doute pas de ce qui s'est passé
aujourd'hui, songe-t-elle.

Mais que s'est-il passé, en réalité ?

Rien du tout.

Rien qui justifie de sa part un sentiment de culpabilité.

Pourquoi a-t-elle mauvaise conscience, alors ?

À cause des accusations de Frances ?

396

Parce qu'elles contenaient peut-être une part de vérité ?

Depuis quand Frances est-elle amoureuse d'Alexander ?

Nell secoue la tête, essayant de mettre un peu d'ordre dans la confusion de ses pensées. Elle imagine à l'intérieur de son cerveau un réseau de fils croisés, comme on en voit dans les boîtes de dérivation lorsque les techniciens font des réparations. Ils sont si nombreux, ces fils...

Perdue dans ses rêveries, Nell ne voit pas à temps le feu rouge et freine in extremis avant un important carrefour. Son cœur bat à un rythme précipité. Pas de danger, se répète-t-elle, pas de véhicule devant moi, aucun feu vert non plus. L'adrénaline redescend lorsqu'elle redémarre, laissant la place à un accès de lucidité. Ce qui importe ce soir, c'est qu'ils rentrent sains et saufs retrouver Lucy.

Le reste ne compte pas.

Pas pour l'instant.

29

Si c'est un nombre pair, tout ira bien pour eux.

Le souffle court, Alexander compte en silence, en les gravissant deux à deux, les marches qui mènent à la passerelle de Charing Cross. Un jeune skater débraillé s'arrête à sa hauteur et le dévisage d'un drôle d'air. Alexander s'aperçoit qu'il sourit tout seul.

Il essaie d'estimer la longueur du pont. Dans l'obscurité, il est plus délicat d'évaluer les distances. Il décrète que, s'il ne faut pas plus de cinq cents pas pour arriver au bout, tout ira bien pour eux.

Il se hâte, mais évite d'allonger sa foulée pour que le juge invisible qui arbitre ce genre de défis ne puisse pas l'accuser de tricher. Enfant, il essayait de contrôler sa vie en s'imposant de secrètes épreuves.

Dix-neuf, vingt...

Il se demande si tous les enfants interprètent l'existence d'après une forme rudimentaire de la théorie du chaos, prêtant à chaque action un lien illusoire avec la suivante dans l'espoir de réduire la complexité du monde.

Soixante-sept, soixante-huit, soixante-neuf...

Alexander interrompt son décompte pour s'appuyer à la rambarde. Une vedette de police passe en contrebas, d'où s'échappent des bribes indistinctes de messages radio. Moins hautes que la veille, les eaux de la Tamise clapotent doucement contre les piles du pont sur le passage du bateau. L'eau d'un noir d'encre est presque tentante, aussi lisse que la soie.

Sur Embankment, une légère brume cerne les lumières d'un halo aux contours vagues. Les phares des voitures qui traversent Waterloo Bridge sont visibles, l'éloignement ne lui permet pas de savoir si les passagers se tournent dans sa direction pour regarder la vue.

Le souvenir de Kate plane sur les lieux telle une présence angélique.

Sentant que quelqu'un approche derrière lui, Alexander se retourne vivement : une femme entre deux âges, en manteau camel et foulard en soie imprimé, qui sort probablement d'un concert à South Bank. Elle vient de se remettre du rouge à lèvres, et elle sent comme sa mère les soirs de sortie. (Avant d'affronter le monde, Joan passait toujours par les toilettes des dames pour se parfumer au Chanel n° 5, qui ne couvrait jamais tout à fait l'odeur du tabac.)

Le visage de la femme exprime un mélange d'anxiété, de curiosité et d'hésitation, mais elle se détourne promptement quand leurs regards se croisent, serrant plus étroitement contre son manteau son petit sac à main de cuir. Les talons de ses coûteux escarpins résonnent dans la nuit tandis qu'elle se hâte vers la rive nord.

A-t-elle cru qu'il avait l'intention de sauter ?

Il se penche à nouveau vers les eaux, tellement noires qu'elles en paraissent solidifiées.

Alors que les pas de la femme s'éloignent peu à peu, il éprouve soudain le désir irrationnel de la rattraper pour lui assurer qu'il ne comptait pas se jeter à l'eau, lui raconter qu'il a frôlé la mort ce matin, bien involontairement, et qu'il y a échappé par hasard. Il voudrait lui avouer aussi qu'il a eu la tentation de faire quelque chose d'affreux, mais qu'il a su résister ; lui dire combien il est difficile de vivre, difficile d'être quelqu'un de bien. Et l'entendre lui souhaiter bon courage.

Il écoute le martèlement métallique de ses pas jusqu'à ce qu'il ne soit plus très sûr de l'entendre. Le parfum de l'inconnue s'attarde dans ses narines.

Il fixe l'endroit où elle vient de passer, les poutrelles en croisillons qui séparent la voie piétonnière des rails, la flaque d'eau croupie sur la surface irrégulière de la passerelle.

De nouveau lui revient l'image de sa mère dans la cuisine de leur maison de Kentish Town. Elle porte un pull irlandais violine sur sa vieille chemise de nuit en pilou. Le pull aurait besoin d'un lavage, un peu luisant sur le dessous des manches. Elle écrase du basilic frais avec un pilon, et l'effort creuse sa poitrine. Elle a beau être à l'article de la mort, elle tient encore à montrer qu'elle n'a pas sa pareille pour cuisiner les pâtes en sauce.

Depuis qu'ils sont arrivés d'Italie la veille, c'est la première fois qu'Alexander se retrouve seul avec elle. Nell vient de partir avec Lucy acheter un siège de bébé, il les regarde s'éloigner dans la rue. Les longs cheveux blonds de Nell font un rideau devant son visage chaque fois qu'elle se penche sur la poussette pour bavarder avec Lucy, lui donnant des explications sur les poubelles sales ou les pavés inégaux. Une mère-née, un professeur dans l'âme.

C'est donc la première fois qu'il a l'occasion de solliciter l'avis de sa mère. Extrêmement fier de sa ravissante compagne et de son magnifique bébé, il est bien persuadé que tout le monde doit les trouver charmantes et le tenir pour le plus chanceux des hommes. Pourtant, il comprend tout à coup que sa mère ne fera jamais une réponse pareille.

Un vilain rictus plaqué sur son visage, elle déclare avec une ironie mordante :

« Je m'étonne que tu aies choisi quelqu'un d'aussi *bon*. »

Ce mot porte en lui tout ce qu'elle déteste : la bigoterie, la mollesse, l'ennui. Interloqué, Alexander finit par répliquer avec un rire amer :

« C'est très retors de ta part de dénigrer quelqu'un justement à cause de sa bonté. C'est tout à fait toi, d'ailleurs. »

Elle ne retire pas ses propos, ne prend même pas la peine de le contredire. Sans seulement comprendre qu'elle l'a blessé, elle se contente de sourire, trop heureuse de reprendre avec son fils l'échange de boutades spirituelles, comme au bon vieux temps. Il sait que le moment est venu de se conduire en adulte et de prendre la défense de Nell. Mais il est lâche, et il n'a pas envie de se quereller avec une mère qui va bientôt mourir. Il se borne à reculer quand elle veut le serrer dans ses bras, la laissant plantée là dans son horrible pull, le pilon gluant de basilic suspendu en l'air.

Après cet épisode, leurs conversations s'étaient limitées à des banalités sans importance. Elle était morte quelques jours plus tard.

Il leur en veut encore à tous les deux, et sans doute garde-t-il aussi rancune à Nell de l'avoir involontairement séparé de sa mère à la veille de sa mort.

« Bonté. »

Un petit mot bien ordinaire.

Comment expliquer qu'il l'ait irrité à ce point, et qu'il n'en ait jamais parlé à Nell ? Y avait-il donc un fond de vérité dans les propos de sa mère ?

Lorsque Nell était arrivée à Tokyo, elle lui avait fait l'effet d'une femme compétente, assez d'ailleurs pour que ça l'agace prodigieusement. Une fille sympathique, en outre, une de ces gentilles filles de la classe moyenne qui aiment le tennis. Elle ne lui inspirait alors qu'un vague désir de la critiquer, surtout quand elle s'était liée d'amitié avec la redoutable Frances.

Ce n'est qu'en tombant sur elle en vacances qu'il l'avait vue sous un jour différent. Il avait reconnu sa silhouette svelte dans la pénombre de ce bar douteux, mais ce n'était plus la même personne : son gilet et son short en jean effrangé étaient nettement plus décontractés que les pantalons élégants et les chemises bien repassées qu'elle portait au travail, et ses cheveux, attachés d'ordinaire en un impeccable catogan, étaient épars sur ses épaules. Quand elle avait remarqué sa présence, son visage s'était éclairé comme celui d'un gagnant du loto qui peine à croire à sa chance, et il avait été touché par ces marques évidentes de contentement.

Il n'avait pas vu Frances immédiatement. Sinon, il se serait sûrement arrangé pour prendre la fuite. Alors, ils seraient retournés à Tokyo chacun de leur côté, et ils auraient continué comme avant, à partager un même espace sans avoir de contacts. Et il aurait perdu énormément.

Il se souvient de sa promenade sur la plage avec Nell, le premier jour, du sable sous ses pieds, du vent tiède et mouillé qui lui caressait le visage. « Ça ressemble tellement à l'idée qu'on se fait d'une île paradisiaque qu'on doute qu'elle existe vraiment. »

La profonde innocence de son sourire et ses cheveux blonds qui brillaient au soleil la rendaient extraordinairement belle. Il avait tendu la main pour prendre la sienne, et ce premier contact était comme une ligne de partage dans sa vie : il avait choisi la bonté contre le cynisme.

C'est dur, la bonté.

Il est tellement plus simple de s'emporter contre l'injustice du sort, de se laisser gagner par la sclérose des habitudes et de vivre dans l'ombre d'une colère diffuse !

Alexander a descendu la moitié des marches qui aboutissent à la rive sud quand il s'aperçoit qu'il a abandonné le décompte de ses pas sur la passerelle.

— Désolé ! fait-il à voix haute en se retournant vers les eaux noir de jais.

La rivière emporte ses paroles en même temps que sa colère, qui s'élève dans les airs avant de s'évanouir.

Au-dessus du vis-à-vis d'Alexander, un voyageur paniqué est dessiné sur une affiche publicitaire.

VOTRE VOL EST DANS QUATRE HEURES.

BILLETS. PASSEPORT. PORTEFEUILLE. ASSURANCE ?

INSTANT QUOTE.

Alexander imagine ce que lui répondrait l'opératrice s'il contactait la compagnie :

« Mieux vaut aimer quelqu'un et le perdre que de n'avoir pas aimé du tout. »

Ou bien :

« Celui qui en a assez de Londres est fatigué de la vie. »

La publicité voisine a choisi comme slogan :

ÇA VOUS DIRAIT DE CHANGER DE TRAVAIL ?

Sur l'affiche, un quatuor masculin en smoking ; trois des hommes jouent du violoncelle tandis que le quatrième est en train de tondre un mouton. L'image a de quoi retenir l'attention, mais Alexander ne comprend pas trop s'il s'agit d'un éleveur de moutons qui a toujours rêvé de devenir violoncelliste ou bien l'inverse. Et pour un professeur en quête de renouveau ? Quel genre de mise en scène loufoque le designer aurait-il pu inventer ? Alexander a une brève vision d'un groupe d'étudiants japonais alignés comme des quilles dans une salle de bowling.

Plus loin dans le compartiment, une autre publicité promet LE MESSAGE QUI VA CHANGER VOTRE VIE, mais les caractères sont trop petits pour qu'il puisse déchiffrer la suite. Il ne s'était jamais aperçu que les publicités du métro se liguaient pour tenter les passagers captifs avec des rêves d'évasion.

L'accélération de la rame à la sortie de la station lui fait l'effet d'un décollage d'avion. À part lui, l'unique passager est un vieux Noir vêtu d'un costume élégant sous un manteau en flanelle bleu marine. Juste au-dessus du front, on lui a tracé au rasoir une ligne qui zigzague dans ses cheveux courts comme une gravure. Alexander se réjouit du contraste entre le manteau sobre et cette petite coquetterie.

Presque chaque station de la Jubilee Line offre une promesse d'aventure. L'Eurostar au départ de Waterloo. Un week-end à Paris, la vue depuis le Sacré-Cœur, un cassoulet à la Coupole, et pourquoi pas Eurodisney ? Arrêt à Southwark pour la Tate Modern.

Alexander imagine le verdict très sérieux de Lucy devant l'*Escargot* de Matisse.

« Tu sais quoi, papa ? J'ai dessiné le même à l'école. »

La vue vers Saint-Paul, le pont un peu instable, Shakespeare et le Globe.

Canary Wharf, qui restera dans les annales, symbole d'une des folies du capitalisme thatchérien.

Jusqu'ici, il n'a jamais interprété les publicités comme des messages, ni les arrêts comme des destinations. En général, il essaie principalement de se prémunir contre les corps et les haleines des autres voyageurs, et de limiter les désagréments de cette promiscuité. Aujourd'hui, il se balance sur son siège, les jambes étendues, n'en revenant pas de son désir subit de communiquer. Ressent-on la même chose au cours d'une révélation religieuse, quand un bref moment d'épiphanie illumine un monde jusqu'alors privé d'éclat ?

Il descend à la station North Greenwich, dont les couloirs sont couverts d'une mosaïque bleu sombre, comme le pourtour d'une piscine hollywoodienne. Le vaste hall, qui rappelle le projet avorté du Dome, est aussi désert qu'un terminal d'aéroport fermé pour la nuit.

Il règne à l'extérieur un silence un peu inquiétant. Alexander consulte le plan du quartier et la carte des bus. Le métro est nettement plus loin que prévu du centre de Greenwich. Un bus devrait passer, mais il doute que le chauffeur pousse jusqu'à cet arrêt isolé pour prendre un éventuel passager.

On ne se sent jamais aussi seul que lorsqu'on attend en pleine nuit un bus qui ne viendra peut-être pas.

Alexander se balance un moment d'un pied sur l'autre avant de s'éloigner de l'imposante silhouette arrondie du Dome.

Un pressentiment s'empare de lui lorsqu'il traverse la zone désolée de la péninsule de Greenwich, accompagné par l'écho métallique de ses pas. La carcasse menaçante d'une citerne de gaz surgit devant lui, juste avant un immense parking vide. En l'absence de circulation, les voies modernes, avec leurs panneaux et leurs lumières, ont quelque chose de lugubre.

Dans le métro, il pouvait encore se blottir dans le cocon rassurant de l'optimisme, mais la réalité du dehors lui semble hostile et sans limites. Rattrapé par le doute et la peur, il allonge le pas pour sortir de ce no man's land de bitume et de béton.

Il a peut-être été trop naïf de croire que les choses pourraient s'arranger après ce qui s'est passé aujourd'hui.

Comme sorti du néant, un autobus à impériale apparaît au loin, tous feux allumés, progressant sur la ligne à demi désaffectée. Alexander pique un sprint jusqu'à l'arrêt le plus proche.

Le conducteur fait monter son unique passager sans lui rendre le grand sourire que le soulagement amène sur ses lèvres. L'intérieur du bus est très coloré, avec des barres jaune vif dans l'allée et des sièges bariolés. Les portes se referment en grinçant derrière Alexander, qui se sent de nouveau en sécurité.

À mesure que le bus s'éloigne, le paysage redevient plus vivant : un laveur de voitures, un entrepôt de carrelage, une cité HLM, un hôpital... Circulant de nouveau en territoire connu, il traverse le mélange de misère noire et d'opulence clinquante qui caractérise le centre de Londres : une boutique de tatoueur, un

406

fish & chips miteux à côté d'un cybercafé flambant neuf, un supermarché asiatique, une petite rue bordée de pimpantes demeures géorgiennes devant lesquelles sont garés des Saab et des 4 × 4 japonais, un barbier à l'ancienne avec une enseigne torsadée rouge et blanche, un marchand de meubles à prix cassés. Sur le boulevard qui prolonge l'avenue crasseuse se dressent les grandioses bâtiments à colonnades blanches du Greenwich College et du musée de la Marine.

Le quartier lui remet en mémoire la file des collégiens chahuteurs, le jour de la sortie pédagogique à Greenwich. L'observatoire et le musée lui ont laissé un souvenir assez flou, il se revoit juste à cheval sur le méridien, un peu déçu qu'on ne sente rien de plus qu'ailleurs à cet endroit-là.

L'après-midi, on leur avait laissé quartier libre pour se promener dans le parc de Greenwich. Comme sa mère avait oublié de lui donner un pique-nique, il s'était mis un peu à l'écart des autres garçons, et Mandy Kominski s'était approchée de sa démarche aérienne pour lui offrir la moitié de son bagel. Il se rappelle le fromage fondant sur sa langue et le goût du saumon fumé, la croûte brillante, le sourire de Mandy quand il avait mordu dans le sandwich – un sourire qu'il avait eu du mal à lui rendre la bouche pleine.

« Elle est amoureuse ! » avaient lancé en chœur les garçons.

Un peu plus tard, la meilleure amie de Mandy, une fille affublée d'un appareil dentaire dont il a oublié le nom, était venue lui confirmer à l'oreille qu'il plaisait effectivement à Mandy. Il n'avait pas su comment réagir, et le saumon fumé lui avait donné des renvois tout l'après-midi.

À l'arrêt du musée monte une fausse blonde aux sourcils peints, plus très jeune, vêtue d'un manteau en fourrure synthétique. Jetant un bref regard dans sa direction, elle s'assied avec un petit signe de tête dédaigneux.

La déclaration indirecte de Mandy était sa première expérience avec les filles. Il se rappelle son assurance et le charme qu'elle lui donnait, et combien il avait souffert qu'elle le rejette après leur rendez-vous manqué, quelques mois plus tard, sans lui laisser une seconde chance. Pendant plusieurs années, il avait gardé de la méfiance envers les femmes trop sûres d'elles. À la fac et même après, son choix se portait immanquablement sur de belles filles névrosées, dotées de longs cheveux noirs et de penchants suicidaires.

Et puis il avait connu Nell.

La force qu'elle cache en elle a le pouvoir de le rassurer. Il a cru un moment s'être laissé séduire par la vulnérabilité qu'il devinait chez elle, mais il n'en est plus très sûr. C'est peut-être seulement ce qui lui a permis d'admettre qu'elle lui plaisait. À moins qu'elle ait été la première femme à se montrer à lui dans toute son ambivalence, et à attendre la même chose de lui.

Des images de Nell se bousculent dans sa tête : Nell en Italie en train d'allaiter Lucy, telle une madone sereine sur un fond de collines ombriennes aux pentes douces ; Nell dans un bar de Bocaray, pas vraiment à son aise, et puis son visage qui s'éclaire, comme si un ange de Botticelli émergeait d'un nuage ; Nell assise sous un cerisier fleuri du parc Ueno, avec sur les lèvres un sourire radieux de jeune mariée.

Son amour pour Nell n'est pas mort, il le comprend

maintenant ; il n'a fait que se flétrir telle la fleur sur la branche, attendant l'occasion propice pour s'épanouir à nouveau.

Et voilà qu'hier il a rencontré Kate, l'ange gardien qui l'a empêché de renier sa vie. Alexander comprend soudain pourquoi les maris infidèles peuvent affirmer à leur épouse : « C'était sans importance. » Il pourrait le dire sans mentir, lui aussi. Son histoire avec Kate n'affecte en rien sa relation avec Nell, sa signification se situe sur un tout autre plan. Toutefois, il doute de s'aventurer à le lui expliquer.

Sa main palpe le passeport dans la poche de sa veste. Il aurait pu partir, rien ne l'en empêchait, mais il a préféré rester. Au lieu de prendre la fuite, il a choisi d'assumer ses responsabilités, et cette décision le remplit d'aise.

Nell l'attend à l'endroit où trois musiciens irlandais donnaient un concert, la dernière fois qu'ils sont venus.

Nell et Lucy l'avaient laissé se débrouiller avec la voiture immobilisée. Salopards d'agents de la circulation !

Il avait jeté un coup d'œil et les avait vues danser en se tenant les mains. Les nombreux badauds installés sur les marches menant à la jetée ressemblaient au public d'un spectacle. Nell s'était penchée pour soulever Lucy et avait continué à virevolter en la tenant dans ses bras. Il émanait un tel bonheur de leur rire partagé que des étincelles semblaient fuser autour d'elles. Alors qu'il s'était attardé à les observer, tel un espion mêlé à la cohue des fêtards, sa solitude n'avait d'égale que sa fierté.

Sur la dernière marche de la jetée déserte, un paquet de chips vide tourbillonne dans le vent.

— Je t'ai fait attendre longtemps ? demande-t-il en rejoignant Nell.

— Pas trop.

Son sourire s'évanouit à son approche, comme si elle le retrouvait après une longue séparation et s'interrogeait sur la nature de leur relation.

Elle détourne vivement la tête lorsqu'il fait mine de l'embrasser, jouant avec ses clés de voiture.

— Tu as l'air très heureux, lui fait-elle remarquer.

Ils s'éloignent de la rivière.

— C'est calme, dit-elle, comme toujours gênée par le silence.

Il prend sa main libre dans la sienne, un geste si inattendu qu'elle s'arrête pour lui lancer un regard anxieux.

— Nell, j'ai réfléchi... Pourquoi on n'irait pas s'installer dans un endroit agréable pour avoir ce bébé ?

30

Kate applique une couche brillante de vernis écarlate sur les ongles de sa main gauche. En séchant, le vernis lui donne une sensation de froid au bout des doigts. Elle agite la main pour accélérer le processus tout en balayant du regard le rayon Cosmétiques. Personne n'a rien remarqué. De toute manière, il n'y a ni personnel ni clients. Elle a tout le rayon pour elle. Elle s'enhardit à s'asperger le cou d'Eternity de Calvin Klein, mais elle ne perçoit aucune odeur. Elle renouvelle l'opération sur son poignet gauche et attend quelques instants que l'alcool s'évapore, comme le lui a conseillé Marie, mais elle ne sent rien d'autre que la fraîcheur de l'eau de toilette sur sa peau. Elle saisit le flacon, renifle le bouchon. Rien du tout. Soit ils l'ont rempli d'eau, soit ils se paient sa tête.

Elle n'est pas venue seule.

Au rayon des produits Clinique, Jimmy est en train de dessiner sur la console blanche, perché sur un haut tabouret. Elle constate en s'approchant qu'il n'utilise pas des crayons, mais des bâtons de rouge à lèvres, dont les bouchons sont éparpillés autour du dessin comme des capuchons de feutres. Il vient d'ouvrir un pot de vernis à ongles bleu nacré dont le pinceau menace de goutter.

411

— Jimmy !

— Mais maman, il me faut du bleu pour le ciel !

— C'est du vol, Jimmy !

Il jette un regard effronté à ses ongles, l'air de dire : « Et toi, qu'est-ce que tu es en train de faire ? »

— Allez, viens, ordonne-t-elle en le tirant par la main. On rentre à la maison.

— C'est ici, la maison, maman.

Tandis qu'ils retraversent l'étage en sens inverse, l'enfant veut lui montrer tout ce qu'il connaît du magasin.

— C'est là que je viens goûter, déclare-t-il devant le rayon pâtisserie, le doigt pointé vers un gâteau d'anniversaire en forme de pizza.

— Dis-moi, Jimmy, tu ne manges pas que de la pizza, quand même ?

Le garçon lui échappe sans répondre, slalome parmi les cravates et les boutons de manchette du rayon prêt-à-porter masculin, et lorsqu'elle s'élance à sa poursuite dans l'escalator, elle se trompe de sens et prend les marches en descente. À bout de souffle, Kate s'efforce en vain de remonter l'escalier roulant. Une voix l'appelle dans le magasin :

— Kate ! Kate !

Lorsqu'elle s'éveille en sursaut, Marie est assise près d'elle au bord du lit, vêtue d'un jean dont elle a déchiré la ceinture et d'un étroit tee-shirt noir orné d'un motif clouté en forme de cœur.

— Je ne savais pas si je devais te réveiller.

— Merci, fait Kate, heureuse d'avoir de la compagnie.

Sa main gauche est glacée, à cause du courant d'air qui pénètre par la fenêtre entrouverte.

— Tu te débattais dans ton sommeil.

— J'ai fait un rêve qui a viré au cauchemar.

— Où est-il passé ? demande Marie en jetant un regard circulaire.

— Jimmy ?

— Non, Alexander !

L'espace d'une seconde, Alexander lui paraît si lointain qu'il pourrait appartenir à son rêve. Comment Marie est-elle au courant ? Ah oui ! c'est vrai, ils se sont rencontrés. Il lui a même parlé de la méchante sœur des contes de fées.

— Chez lui, finit-elle par répondre. Il est rentré.

— Et alors ? s'enquiert Marie, tout émoustillée à l'idée de connaître la suite.

— Alors, rien.

— Rien parce qu'il ne s'est rien passé, ou rien parce que tu ne veux pas en parler ?

— Les deux.

— Ah...

Marie se lève et allume une cigarette, si contrariée par ce manque de confiance que Kate est prise de remords.

— Il est rentré retrouver son amie et leur gamine, avoue-t-elle.

— Ah... désolée.

Marie se rassied et pose une main sur celle de Kate en soupirant.

— Ce n'est pas si grave, tu sais.

C'est bizarre, les choses : Marie a prétendu lorsqu'elle a formulé son vœu qu'un seul jour ne suffirait pas, et l'expérience a prouvé que si.

— Il a oublié son caleçon, observe Marie. (Elle attrape le sous-vêtement sur la chaise et le flaire

413

comme un œnologue amateur devant un verre de vin.)
Persil, et un soupçon de latex...

— Tais-toi !

Elles éclatent de rire lorsque Marie jette à Kate le
caleçon de coton noir.

— Je l'ai trouvé très beau, admet-elle, à la fois surprise et admirative.

— Tellement beau que j'avais l'impression de le
connaître, précise Kate. Tu vois ce que je veux dire ?

— Tu connais tant de canons que ça, toi ?

— Non, tu n'as pas compris. Je voulais dire qu'il
m'a semblé connaître son caractère rien qu'en voyant
son visage. Je l'ai cru intelligent, mais je n'en suis
plus si sûre. Et puis je l'ai pris pour l'amour de ma
vie, sous prétexte que j'aimerais que l'amour de ma
vie ait cette allure. Mais je me suis trompée.

Kate approche son nez du caleçon qu'elle a roulé en
boule dans sa main. Il a gardé l'odeur de sa peau. Ce
parfum frais qui fait affluer les bons souvenirs, ce
n'est rien d'autre que de la lessive pour bébé. Ils en
utilisent sûrement chez lui parce que c'est plus doux
pour leur enfant. Pour Lucy. Avec ses allergies, elle ne
doit pas supporter les parfums trop agressifs.

Kate ouvre la fenêtre aussi grande que possible et
jette le caleçon.

— Hé ! Qu'est-ce que tu fabriques ? s'écrie Marie,
la cigarette à la bouche.

Elle écrase le mégot et se précipite à la fenêtre pour
tenter de rattraper le sous-vêtement, mais elle arrive
trop tard.

— Qu'est-ce que les gens vont penser s'ils voient
pleuvoir des caleçons depuis notre fenêtre ? s'indigne-
t-elle en crachant des petits ronds de fumée qui ressemblent à des signaux.

414

À l'entendre, on jurerait qu'elle est sincèrement outrée par tant d'inconvenance. Dès qu'elle s'en aperçoit, elle rejette le reste de sa fumée dans un éclat de rire.

— Dis donc ! Qu'est-ce que tu as acheté chez Selfridges ? demande-t-elle, intriguée par le sac jaune vif posé sur le canapé.

Kate lui accorde la permission de regarder, même si elle se doute qu'elle l'a déjà fait.

— Jolies, commente Marie en tirant du sac la paire de mules en daim velouté.

— C'est lui qui me les a offertes, explique-t-elle. Pour que j'aie l'air de quelqu'un qui peut se payer des vêtements de luxe.

— Quatre-vingt-dix-neuf livres, fait Marie en fronçant les sourcils devant l'étiquette collée sous la semelle en cuir du pied gauche. Tu aurais dû taxer l'argent et te payer des chaussures chez Dolcis.

— Ce n'est pas ça. Je savais que ça ne pouvait pas durer, mais j'aurai au moins les chaussures en souvenir.

— Pétasse de Cendrillon !

— Je peux te les prêter, si tu veux, propose Kate à sa sœur, qui brûle d'envie d'essayer les mules.

— Trop petites, déclare Marie en tentant de fourrer son pied dans la chaussure. Je dois être la méchante sœur.

On aurait dit un conte de fées. Aurait-il pu se conclure autrement si elle n'avait pas tout gâché avec ses questions perpétuelles ? S'ils étaient arrivés sur la plage de sable blond bordée de palmiers, auraient-ils vécu heureux pour toujours ? C'est étrange que les gens se représentent la vie comme une ligne continue, un enchaînement sans heurts d'étapes prévues d'avance.

Études, travail, économies, mariage, enfants. On dirait que leur vie dessine une courbe ascendante sur un graphique. Pourtant, ce n'est pas du tout comme ça, l'existence. Il suffit d'un seul instant pour tout faire basculer, et ces instants sont parfois si fugaces et si insaisissables qu'on ne se rend compte de rien, si inattendus qu'on refuse de les reconnaître.

Mais son bonheur aurait reposé sur une illusion, puisque son départ avec elle aurait signifié qu'il n'était pas quelqu'un de bien. Et elle ne peut quand même pas rêver de finir avec un sale type. Mais puisque finalement il n'est pas parti, doit-elle en déduire que c'est quelqu'un de bien ? C'est une question beaucoup trop compliquée.

— Est-ce qu'on peut avoir un avenir quand on n'a pas de passé ? réfléchit-elle à haute voix.

— Bon sang, j'espère bien que oui ! s'exclame Marie en fouillant de nouveau dans le sac jaune. Et ça, qu'est-ce que c'est ?

Elle vient de trouver *Sacha et le tapis volant*.

— Un livre.

— Tu es sûre ? se moque Marie en l'ouvrant à la première page. Hé, regarde ! Il y a quelque chose d'écrit ! *Kate. Merci de m'avoir rendu ma vie ! Affectueusement, Alexander.* Qu'est-ce que ça veut dire ?

Kate arrache le livre à Marie et le presse contre son cœur. Jamais elle ne s'en séparera, et quand les souvenirs commenceront à pâlir, il lui rappellera que quelqu'un un jour l'a trouvée exceptionnelle.

Il n'était ni un rêve ni un personnage de conte de fées, simplement une vraie personne qui a croisé sa route par hasard. Le monde est plein de possibles.

— Quelle heure il est ? demande Kate.

— Pas loin de minuit.

416

— Qu'est-ce que tu dirais d'une coupe de champagne ?

— Du champagne ? On a quelque chose à fêter ?

— On a vraiment besoin d'une raison ?

Marie reste un instant sidérée, puis déclare :

— Je connais un endroit super.

— Tu vois, tu as réussi : tu l'as eu ton orgasme !

Kate jurerait que tous les clients du bar l'ont entendue, mais personne ne se retourne. Elle préfère ne pas savoir pourquoi Marie a eu le droit d'entrer alors qu'elle n'est pas membre du club. Dans un coin près de la porte, Kate reconnaît un acteur qu'elle a vu dans une série policière. Quand il se lève pour aller aux toilettes, elle se rend compte qu'il est bien plus petit que ce qu'elle croyait.

— Oui, convient-elle d'un ton alangui.

— Ça alors !

— Ça ne t'est jamais arrivé ?

— Pas vraiment, avoue Marie en prenant une cigarette.

C'est oui ou c'est non, a envie de répliquer Kate, mais elle préfère s'abstenir. C'est drôle qu'elle connaisse du sexe quelque chose que Marie ignore. Du coup, elle se sent un peu supérieure, et légèrement triste pour sa sœur.

— Alors vous avez baisé toute la journée ? demande-t-elle sans détour.

— Non, on a aussi beaucoup parlé.

— Raconte-moi, dit Marie avec lassitude.

— Quoi ?

— La plupart des clients sont portés sur les bavardages. Ils tiennent à te raconter par le menu leur mariage foireux, à certifier qu'ils n'y sont pour rien... Et toi, tu es là, couchée à côté en train de penser :

« Putain, tu vas la fermer, oui, qu'on en finisse ? Ça m'intéresse pas, tes histoires... »

Voilà ce qui distingue mon aventure avec Alexander, pense Kate. Elle, elle avait envie d'apprendre des choses sur lui. Il n'est pas un client, et elle n'est pas une putain.

— Je crois qu'il reviendra, affirme Marie.

— Mais moi je serai partie. Je rentre à la maison. J'avais bien dit que je repartirais si je passais une journée avec lui, non ?

— T'es dingue, ou quoi ?

— Ce n'est pas à cause de lui, pas vraiment... Hier soir, quand j'ai fait le vœu de l'avoir à moi toute une journée, je pensais que je n'aurais pas envie de demander plus, que ça me suffirait pour être heureuse jusqu'à la fin de ma vie...

— Oh, s'il te plaît ! coupe Marie, exaspérée.

— Attends ! Maintenant je sais que je me trompais. Je veux autre chose, et je vais me débrouiller pour l'obtenir !

— Qu'est-ce que tu veux, alors ?

— Écrire.

— Tu as toujours voulu être écrivain, réplique Marie, ennuyée de réentendre une vieille rengaine.

— Oui, mais quand on veut être écrivain, il faut écrire. C'est lui qui a dit ça. Alors, c'est ce que je vais faire. Écrire.

— Comment il va s'appeler, ton bouquin ? « L'inconnu qui m'aimait » ? suggère Marie d'un ton narquois.

— Non, je ne me lance pas dans la littérature pour adultes, pas dans l'immédiat. Je vais commencer par écrire pour les enfants. Il m'est venu une idée...

— Je te vois bien dans la littérature pour enfants, l'interrompt Marie.

— Pourquoi ?

Kate s'attend à un sarcasme bien envoyé, mais sa sœur se contente de lui sourire en aspirant longuement sur sa cigarette.

— Tu te souviens, quand je faisais des cauchemars et que tu inventais des histoires pour m'aider à me rendormir ? Ça me plaisait, d'être couchée dans le noir à t'écouter raconter. Je me sentais en sécurité.

— C'est vrai ?

Tout au long de cette journée extraordinaire, Kate n'a pas connu de sentiment plus délicieux.

— Ça t'intéresse, l'histoire que j'ai dans la tête ?

— Oui, allez, raconte !

Marie se penche légèrement en avant, impatiente d'entendre son récit.

— Il était une fois un enfant dont les parents étaient si étourdis qu'ils l'oubliaient toujours quand ils allaient quelque part...

— Dans quel genre d'endroits ?

Marie a toujours été friande des précisions.

— Les galeries d'art ou les grands magasins, par exemple, s'empresse de répondre Kate, sentant que l'attention de sa sœur lui échappe. Et chacun de ces endroits devenait sa maison l'espace d'une nuit. Il a le temps de bien les découvrir, tu vois, donc il y a en même temps un aspect éducatif...

Pendant qu'elle expose son projet, les idées commencent à germer dans sa tête. Elle se fait une idée très nette de son jeune héros : un gamin petit et fluet, les lèvres toujours barbouillées de la dernière chose qu'il a mangée, des vêtements un peu trop larges, un sourire espiègle et des taches de rousseur sur le nez. Il ressemble trait pour trait aux portraits de Jimmy qu'elle dessinait pour lui expliquer les adverbes.

— Une maison pour la nuit, répète Marie, comme si c'était le titre de l'histoire. Ça me plaît bien. S'il se retrouvait enfermé dans un grand magasin, il pourrait s'asseoir à une de ces tables déjà dressées, avec des chandeliers, des serviettes bien pliées et tout ça... Et puis s'étendre sur une de ces chaises longues au tissu rayé, essayer le lecteur de DVD...

— Et aussi s'amuser avec tous les jouets et se régaler de chocolats.

— Il s'appellerait comment ?

— Je pensais l'appeler Alexander.

Est-ce qu'il s'en formaliserait ? Elle l'imagine d'ici quelques années avec Lucy, dans les rayons de la librairie Waterstone. Il s'approche d'un livre exposé en tête de gondole, intrigué par le titre, et sourit en voyant son nom sur la couverture. Maintenant qu'il est adulte, il ne se fâcherait sûrement pas de voir son prénom dans un livre.

— Alexander ? Ça me paraît un peu long. Pourquoi pas Jimmy ?

— Non, pas Jimmy. Ce ne serait pas honnête.

Marie trinque avec Kate avant de vider d'un trait sa coupe de champagne.

— Aux aventures d'Alexander ! déclare-t-elle. À la fortune et à la gloire !

— Ça, ce n'est pas encore sûr.

— Tu sais, la femme qui a écrit les *Harry Potter* est une mère célibataire, souligne Marie, comme s'il s'agissait là de l'unique condition requise pour réussir.

Les bulles de champagne picotent la langue de Kate.

— Je vais quand même essayer, fait-elle en sirotant une gorgée.

— Mais pourquoi ça t'obligerait à rentrer à la maison ?

La voix tremblotante de Marie pousse Kate à lever les yeux. Mélodramatique, une larme coule le long de sa joue.

— Jimmy me manque, tu sais. Et je suppose que l'inverse est vrai aussi, même s'il préférerait mourir que le reconnaître.

— Mais il n'y a rien à faire, là-bas, insiste Marie, à court d'arguments.

— Comme ça, je n'aurai aucune excuse pour ne pas écrire. Pas la moindre distraction.

— Tu ne vas pas te marier, dis-moi ?

— Non, je ne compte pas me marier.

— Mais si je trouvais un appartement correct à Londres, juste pour toi et moi, tu n'accepterais pas de rester ?

— Non, je ne pense pas.

— Même pas si je trouvais un job plus présentable ?

— Mais tu aimes ton travail.

— Tu crois ? (Marie ne semble pas s'être posé la question avant.) Tu dois avoir raison, conclut-elle d'un ton plus enjoué. On a vite fait de devenir pleurnicheuse avec le champagne.

Elle s'essuie le visage du revers de l'avant-bras, comme à l'école quand elle avait oublié son mouchoir.

— Tu ne m'oublieras pas, au moins, quand tu seras riche et célèbre ?

— On ira faire le tour du monde, toutes les deux, promet Kate. Où aimerais-tu aller ?

— À Las Vegas ! Et toi ?

— À Bali. Ou dans un endroit encore préservé, les Philippines par exemple.

— Ça ne te branche pas, l'Amérique ? demande Marie avec un accent de dépit.

— Mais si ! New York, La Nouvelle-Orléans, Hollywood.

— On pourrait se balader en Cadillac !

— Mais on n'a pas le permis !

— Ça viendra ! Des peut nous donner des leçons.

— Des nous accompagnerait ?

— Non, j'ai envie de faire de nouvelles rencontres.

— Qui rêves-tu de rencontrer en priorité ?

— Brad Pitt.

— Je te rappelle qu'il est marié.

— Mais enfin, Kate ! Le temps que tu aies écrit les livres, gagné l'argent, appris à conduire et acheté la voiture, il risque d'être divorcé !

Elles éclatent de rire en chœur.

— C'est possible, admet Kate.

— Oui, c'est possible.

31

— On pourrait retourner en Italie, propose Alexander.

— Ce n'est jamais aussi bien la deuxième fois.

— C'est vrai... convient-il. Pourquoi pas l'Espagne ? suggère-t-il après un instant de réflexion.

— Je ne sais pas trop.

Nell appuie sur le frein en repérant les feux arrière d'un camion dans la pente, loin devant elle. Elle refuse de croire que le véhicule avance en même temps qu'elle.

— Je ne connais pas du tout l'Espagne, fait Nell, se décidant à reprendre de la vitesse lorsqu'elle parvient au niveau du camion.

Même s'il n'y a pas de véhicule derrière elle, elle prend soin d'allumer son clignotant avant de doubler.

— Moi non plus, réplique Alexander avec allant. On pourrait découvrir ce pays tous les deux... Enfin, tous les trois... Ou même tous les quatre.

Elle sait qu'il observe son profil en souriant, impatient d'obtenir une réaction positive, mais elle se sent à ce point éreintée que la conduite réclame toute son attention.

Un panneau blanc apparaît dans la lumière des phares :

La sagesse voudrait qu'elle s'arrête, mais elle est pressée de rentrer chez eux. La route est si noire qu'on dirait un territoire vierge, et les bavardages charmants d'Alexander si surprenants qu'elle perd toute confiance en son jugement.

S'est-elle montrée trop sévère envers lui ? Les silences et les sautes d'humeur des derniers mois seraient-ils le produit de son imagination ? Et si elle les avait inventés pour servir un plan de son inconscient ? Tel qu'elle le voit en ce moment, elle ne trouve aucune raison valable de le quitter. L'homme dont elle est tombée amoureuse n'était pas différent. Elle regrette de ne pas pouvoir accueillir son offre avec un peu plus d'enthousiasme.

La journée a été longue, se dit-elle au moment de quitter l'autoroute. La route a accentué ma fatigue et ma nervosité, et les choses seront plus claires après une nuit de repos.

En s'engageant dans l'allée de la maison, Nell se sent réconfortée par le tic-tac du clignotant et le cris-sement des graviers sous les roues, pareil à la rumeur du ressac sur les galets d'une plage. Il lui rappelle le moment où elle s'éveillait dans la voiture au retour des vacances en Cornouailles, étreinte par le sentiment douloureux mais inexorable qu'un nouvel été venait de s'achever.

Avec un soupir, elle coupe le contact et éteint les phares.

— Où est Lucy ? s'enquiert Alexander, comme s'il venait juste de réaliser qu'elle n'a pas pu rester seule dans cette maison obscure.

— Elle passe la nuit chez Chris, répond Nell en ouvrant sa portière.

— Chris ? De qui parles-tu ?

— Tu sais, Chris et Sarah. Les parents du petit Ben, l'ami de Lucy.

— Ah, oui ! fait Alexander avec une pointe de dédain. Le joggeur qui fait bonjour...

— Est-ce que tu as déjà couché avec Frances ? demande Nell à brûle-pourpoint, le regard braqué sur lui comme si le toit de la voiture était une table de négociations.

Alexander marque une hésitation assez longue pour qu'elle en déduise que oui, quelle que soit la réponse qu'il donnera.

— Oui, finit-il par admettre.

Le choc est plus fort que ce qu'elle escomptait, même si la chose lui paraît désormais si flagrante qu'elle s'étonne de ne pas avoir capté les indices.

— Pourquoi ne m'en as-tu jamais parlé ? demande-t-elle sèchement, incapable de le regarder en face.

Elle se penche pour récupérer un paquet de bonbons vide sous le siège du conducteur.

— Tu ne m'as jamais posé la question.

Elle lui lance un regard consterné.

— Pardon. Ce n'est pas la première fois que je fais ça, il me semble, reprend-il.

— Que tu fais quoi ?

— Rejeter la faute sur toi quand c'est moi qui me dérobe aux questions.

— En effet, ça t'arrive souvent.

Sidérée qu'il l'ait reconnu de son propre chef, elle se sent un peu honteuse de l'avoir si mal jugé.

— Ça ne s'est produit qu'une fois, explique-t-il. Je

ne sais pas ce qui m'a pris. Un verre de trop, je présume.

Nell verrouille la portière de la voiture, sans trop savoir si elle souhaite ou non entendre les détails.

— On avait fait un tour dans un peep-show, à Shinjuku... poursuit Alexander tandis qu'ils se dirigent vers la maison. Non, ce n'est pas ce que tu crois... précise-t-il devant son air glacial. On était toute une bande, complètement soûls... On croyait se marrer un bon coup, mais ça n'a pas été le cas... c'était déprimant, vulgaire... On a éclusé pas mal de bières en sortant, et à la fin, il ne restait que Frances et moi.

— Et puis ?

— Tu sais, c'était bien avant notre rencontre. J'aurais eu honte de t'en parler.

Lorsqu'il a enfin répondu à sa question, Nell se radoucit un peu :

— Et ensuite, comment ça s'est passé ?

— Je lui ai fait clairement comprendre que c'était une histoire sans lendemain. Et là, elle m'a rejoué *Liaison fatale*...

Nell se met à pouffer de rire, à la fois nerveuse et soulagée.

— Dans ce cas, ce n'est pas le destin qui nous a réunis aux Philippines.

— Non, je pense que c'est plutôt Frances. Ça change quelque chose ?

— Je ne sais pas.

Sans qu'elle sache expliquer pourquoi, la différence ne lui paraît pas négligeable.

— Je t'aime, lui dit Alexander.

— C'est vrai ?

— Et je suis désolé.

— Désolé pour quoi ?

— Pour une foule de choses.

— Tu as eu d'autres petites amies ?

Ce tête-à-tête sur le seuil de leur propre maison est certainement incongru, mais à l'intérieur, la conversation serait encore plus délicate.

— À Tokyo ?

— À Tokyo et ailleurs... avant que nous nous rencontrions.

— Avant toi, je n'ai jamais eu de relation suivie...

Comme il est étrange d'apprendre cela aujourd'hui, après sept ans de vie commune ! Elle avait toujours cru que le passé d'Alexander était plein de grandes passions contrariées, mais elle n'avait jamais osé l'interroger. Ça fait un drôle d'effet de redécouvrir quelqu'un que l'on pensait connaître – un effet plutôt agréable, cela dit.

En ouvrant la porte d'entrée, elle revoit son sourire éblouissant quand il l'a rejointe à Greenwich, un sourire qui lui a rappelé l'exaltation de tomber amoureuse de lui.

Elle presse un instant sa main en entrant dans la maison – le même geste qu'il a eu envers elle – et elle a envie de dire en le regardant : « Je sais que tu fais des efforts. Moi aussi j'en fais. »

Il serre sa main bien fort dans la sienne, comme s'il devinait qu'il a failli la perdre et tentait de s'accrocher à elle. Elle se laisse embrasser, mais le baiser qu'elle lui rend est aussi bref que celui qu'elle donne à Lucy devant l'école, quand la cloche a sonné et que les élèves sont déjà en rang.

— Je ferais bien d'appeler Frances, dit-elle en libérant sa main.

Lorsque Alexander lance sa veste en cuir sur le canapé, une poignée de petites pièces, son passeport et une chaussette dégringolent par terre. Avec tout ce qu'il trimbale dans ses poches, Nell se dit parfois que ce n'est pas un hasard s'il a l'air de porter le monde entier sur ses épaules. Alexander considère le désordre qu'il vient de semer avant de lever un regard inquiet vers Nell, qui prend conscience, horrifiée, de sa maniaquerie et de sa sévérité habituelles.

Pendant qu'elle téléphone à Frances, Alexander va chercher la bouteille de champagne au réfrigérateur, consulte l'étiquette et la tourne vers elle d'un air interrogateur. Il la remet à sa place après qu'elle lui a fait non de la tête.

— Oui, répond Frances d'une voix avinée.

— Frances, c'est Nell. J'appelais juste pour te prévenir qu'Alexander allait bien.

Elle a tout juste le temps de l'entendre crier son nom avant de raccrocher.

— Nous avons cru que tu étais dans l'accident.

Nell fait les cent pas dans la cuisine pendant qu'Alexander boit un peu de lait froid à même le carton.

— Je suis monté dans le train précédent.

— C'est ce que tu m'as dit.

— C'est un coup de chance.

— Ça fait bizarre de penser... Quelle horreur !

— Oui.

Voilà qu'il recommence à parler par monosyllabes. Nell se demande si sa loquacité de tout à l'heure ne découlait pas d'une simple euphorie de rescapé, qui va s'effacer maintenant devant une sombre culpabilité.

— Alors tu t'es promené dans un parc ? demande-t-elle d'un ton léger.

— Oui.

428

— Lequel ?

— Regent's Park.

— C'était une journée parfaite, non ? dit-elle, faisant allusion au vent froid sur la plage, au bleu du ciel et à la lumière du soleil, si intenses qu'ils éblouissaient ses yeux humides.

Le visage d'Alexander se fige comme si elle avait fait une remarque à ce point déplacée qu'il doutait d'avoir bien compris.

— Je parlais seulement du temps, s'empresse-t-elle de préciser.

Comment pourrait-elle qualifier de parfaite une journée qui a vu la mort de dizaines de personnes ?

Alexander lui tourne le dos pour remplir la bouilloire.

— Je prépare du thé ?

Elle voit ses mains tremblantes se refléter dans la vitre, atterrée par ce qu'elle vient de dire.

— Moi je me contenterai d'un verre d'eau. Je suis tellement épuisée que je raconte n'importe quoi, déclare-t-elle, cherchant à justifier la maladresse de son propos.

Jamais elle n'a eu l'intention de lui paraître insensible.

— Va donc te coucher, je t'apporterai à boire, propose-t-il.

Ce n'est qu'une minuscule attention, mais elle la comble d'une gratitude infinie.

— D'accord, je te remercie.

Nell inspecte sa silhouette dans le miroir de la salle de bains, ses seins déjà gonflés par les hormones de la grossesse, la zone plus sombre entre son nombril et son pubis. Elle reconnaît l'insurmontable fatigue qui l'accablait lorsqu'elle attendait Lucy. Va-t-elle donner naissance à une deuxième fille ?

« Un événement qui va bouleverser votre vie. »

Elle entend Alexander rincer les tasses dans la cuisine. Il tient bien à lui montrer qu'il fait des efforts. S'ils en font tous les deux, l'amour leur permettra peut-être de s'en sortir, d'assurer le bonheur de leurs enfants. Et si c'était cela, la définition de l'amour entre adultes – la décision tacite de rester à tout prix ensemble parce qu'une séparation serait bien plus douloureuse ?

Elle enfile une chemise de nuit écossaise, rouge et vert sombre, très pratique si elle se relève dans la nuit.

Mais ce soir, se souvient-elle, elle n'aura pas besoin de se relever. Elle peut l'enlever si elle veut.

— Ça fait drôle que Lucy ne soit pas là ! lui crie Alexander à mi-escalier.

— C'est bizarre, en effet.

Nell remonte la couette sur son corps, soudain intimidée à l'idée qu'il la trouve nue.

Alexander passe un temps fou dans la salle de bains et quand il la rejoint enfin, il a pris soin de plier ses vêtements. Il ne porte plus qu'un drap de bain noué autour des reins.

Est-il tellement résolu à prendre de nouvelles habitudes qu'il va jusqu'à ranger ses vêtements ? Elle n'aurait jamais pensé que ça arrive un jour.

« Un événement qui va bouleverser votre vie... »

Nell est à deux doigts de lui dire : « Hé, tu n'es pas forcé d'aller jusque-là ! », mais elle préfère s'abstenir. Comme la plupart des résolutions, celle-ci ne durera qu'un temps, alors autant en profiter !

— Tu m'as apporté à boire ? demande-t-elle quand il s'approche du lit, toujours drapé dans sa serviette.

— Ah, excuse-moi...

— Ce n'est pas grave.

Il hésite un instant, se demandant si elle n'a répondu cela que pour lui éviter de redescendre, puis il éteint la lumière et laisse glisser la serviette pour s'allonger près d'elle.

Il se couche sur le côté gauche, lui tournant le dos, sa position habituelle pour dormir.

— Tu es fatigué ?

Tout à coup, Nell se sent pleinement éveillée, envahie par un singulier sentiment de bonheur. Elle ne saurait pas dire s'il a remarqué sa nudité.

— Épuisé.

— Moi aussi.

Elle se retourne contre son dos, et lorsqu'il ne réagit pas au contact de sa peau, elle conclut qu'il n'est peut-être pas très sage de faire l'amour dans un pareil état de fatigue.

Demain matin, quand elle lui apportera son petit déjeuner au lit, ils passeront peut-être un merveilleux moment dans les draps couverts de miettes, comme autrefois, sans aucun risque d'être dérangés.

Ensuite ils iront chercher Lucy qui lui offrira son ignoble lapin en coquillages, et ils feront éventuellement une sortie en famille.

Elle dépose un baiser affectueux sur l'épaule d'Alexander, le visage niché dans la tiédeur de son dos.

Comment se fait-il qu'il sente la noix de coco ?

Remerciements

Un grand merci à Jo Goldsworthy, pour ses témoignages constants d'enthousiasme et d'amitié ; merci également à Mark Lucas pour son charme et sa perspicacité ; merci enfin à tous les gens de Transworld pour leur engagement et leur énergie.

Les liens du sang

L'impossible oubli
Imogen Parker

Holly est Londonienne et agent pour le cinéma.
Elle mène sa vie tambour battant et collectionne les
aventures sentimentales. Claire, quant à elle, coule des
jours paisibles à la campagne, où elle élève ses deux
enfants. Tout semble séparer les deux femmes. Pourtant,
elles ont le même père, Jack, un réalisateur riche et célèbre. Lorsque ce dernier décède, Holly et Claire se
découvrent demi-sœurs : une révélation qui va bouleverser leur vie…

(Pocket n° 11685)

Il y a toujours un Pocket à découvrir

L'impossible oubli
Imogen Parker

Holly est Londonienne et agent pour le cinéma. Elle mène sa vie tambour battant et collectionne les aventures sentimentales. Claire, quant à elle, coule des jours paisibles à la campagne, où elle élève ses deux enfants. Tout semble séparer les deux femmes. Pourtant, elles ont le même père, Jack, un réalisateur riche et célèbre. Lorsque ce dernier décède, Holly et Claire se découvrent des sœurs... une révélation qui va bouleverser leur vie.

(Pocket n° 11485)

Retrouvailles

Des amies inséparables
Imogen Parker

Vingt ans après s'être promis une amitié éternelle, trois
jeunes femmes se retrouvent pour célébrer la mémoire de
leur amie Penny, récemment disparue. Annie, Ursula et
Manon ont des vies totalement différentes, mais elles ont
en commun d'être insatisfaites de leur quotidien. À quarante ans, que reste-t-il de leurs rêves et de leur belle
amitié ? Ce week-end va être l'occasion de faire le bilan
de leur vie et de prendre un nouveau départ...

(Pocket n° 12170)

Il y a toujours un Pocket à découvrir

Deuxième chance

Soleil d'automne
Elizabeth Berg

Donner sans compter au point d'en oublier ses propres envies et désirs, c'est la vie de Myra Lipinski, infirmière libérale de cinquante et un ans. Pourtant, il aura suffit d'un simple coup de téléphone pour que ses certitudes vacillent : Chip Reardon, l'ancien héros de ses années de lycée, le fiancé dont tout le monde rêvait, y compris la timide Myra, est atteint d'un cancer et renonce à se battre contre la maladie. Elle doit à présent s'occuper de lui et soulager ses derniers instants. Des retrouvailles aussi bouleversantes qu'inespérées qui pourraient bien éclairer d'un jour nouveau le sens de leur vie…

(Pocket n° 12289)

Achevé d'imprimer sur les presses de

BUSSIÈRE

GROUPE CPI

à Saint-Amand-Montrond (Cher)
en janvier 2007

POCKET - 12, avenue d'Italie - 75627 Paris Cedex 13

— N° d'imp. : 62393. —
Dépôt légal : janvier 2007.

Imprimé en France